MATIN, MIDI ET SOIR

DU MÊME AUTEUR

JENNIFER OU LA FUREUR DES ANGES, Denoël, 1981.

JENNIFER, Gallimard, 1982.

MAÎTRESSE DU JEU, Denoël, 1983 ; Gallimard, 1988.

SI C'ÉTAIT DEMAIN, Stock, 1987 ; LGF, 1989.

UN ANGE À BUCAREST, Stock, 1988.

LES SABLES DU TEMPS, Presses de la Cité, 1990 ; Presses-Pocket, 1991.

QUAND REVIENDRA LE JOUR, Presses de la Cité, 1991 ; Presses-Pocket, 1992.

OPÉRATION JUGEMENT DERNIER, Presses de la Cité, 1992 ; Presses-Pocket, 1992.

LE FEU DES ÉTOILES, Presses de la Cité, 1993.

RIEN N'EST ÉTERNEL, coll. « Grand Format », Grasset, 1995.

SIDNEY SHELDON

MATIN, MIDI ET SOIR

roman

traduit de l'américain par
RICHARD CREVIER

BERNARD GRASSET
PARIS

L'édition originale de cet ouvrage a été publiée en 1995, par William Morrow and Company, à New York, sous le titre :

MORNING, NOON AND NIGHT

A Kimberly
affectueusement.

Laissez le soleil du matin vous réchauffer
Le cœur tant que vous êtes jeune
Et la brise de midi
Rafraîchir votre passion,
Mais attention à la nuit
Car la mort y est tapie,
Qui attend, qui attend, qui attend.

ARTHUR RIMBAUD

Matin

CHAPITRE UN

Dmitri demanda : « Est-ce que vous savez que nous sommes suivis, monsieur Stanford ?

— Oui. » Il les avait repérés vingt-quatre heures plus tôt.

Les deux hommes et la femme étaient vêtus sans recherche, désireux sans doute de se fondre dans la cohue matinale des touristes et des estivants qui déambulaient dans les rues anciennes. Mais il était difficile de passer inaperçu dans un endroit aussi petit que le village fortifié de Saint-Paul-de-Vence.

C'est justement parce qu'ils voulaient *trop* passer inaperçus, parce qu'ils s'efforçaient *trop* de ne pas le regarder, que Harry Stanford les avait remarqués. Où qu'il tournât les yeux, il voyait l'un d'eux à l'arrière-plan.

Harry Stanford était une cible facile à suivre avec son mètre quatre-vingt-dix, une chevelure blanche qui tombait librement sur le col de sa chemise et son visage aristocratique, presque autoritaire. Il allait accompagné d'une jeune femme brune d'une beauté saisissante, d'un chien berger allemand tout blanc et de Dmitri Kaminsky, un garde du corps au cou saillant, au front bas et qui faisait dans les deux mètres. *Difficile de nous perdre de vue*, pensa Stanford.

Sachant qui les avait envoyés et pourquoi, tout en lui l'avertissait de l'imminence du danger. Il avait depuis longtemps appris à se fier à son flair. Sans instinct et intuition il ne serait pas devenu l'un des hommes les plus riches du monde. Le magazine *Forbes* estimait la valeur des Stanford Enterprises à six milliards de dollars et la revue *Fortune* à sept milliards. Le *Wall Street Journal*, *Barron's* et le *Financial Times* avaient tous offert à leurs lecteurs des portraits de Harry Stanford, essayant d'expliquer son charisme, son incroyable sens du *timing*, son génie des affaires qui avaient permis à Stanford Enterprises d'atteindre pareille taille. Aucune des publications n'y était réellement parvenue.

Toutes s'accordaient à lui reconnaître une énergie presque palpable, voire pathologique. Il était infatigable. Sa philosophie était simple : un jour sans une affaire juteuse était une journée perdue. Il usait ses concurrents, son personnel, quiconque entrait en contact avec lui. Harry Stanford était un phénomène hors du commun. Il considérait être animé de sentiments religieux. Il croyait en Dieu : en un Dieu qui voulait sa fortune, sa réussite et... la mort de ses ennemis.

Il y avait Harry Stanford le personnage public, dont la presse rapportait les moindres faits et gestes; il y avait Harry Stanford le personnage privé, dont la presse ne savait rien. Les journalistes parlaient de sa grande personnalité, de son train de vie somptueux, de son avion et de son yacht privés, de ses résidences légendaires de Hobe Sound, du Maroc, de Long Island, de Londres, du midi de la France et, naturellement, de son magnifique domaine de Rose Hill dans Back Bay, le quartier le plus huppé de Boston. Mais le véritable Harry Stanford demeurait une énigme.

« On va-t-on ? » demanda la femme.

Il était trop préoccupé pour répondre. Le couple, de l'autre côté de la rue, venait de procéder à un changement de partenaire, selon la technique du chassé-croisé. A la sensation du danger se greffa chez Harry Stanford l'irritation que lui causait cette intrusion dans sa vie privée. Ils avaient osé venir le chercher là, dans ce havre secret loin du monde.

Saint-Paul-de-Vence tisse le dédale magique de ses petites rues médiévales au sommet d'une colline dans les Alpes-Maritimes, à l'intérieur des terres, entre Cannes et Nice. Le site naturel, un paysage de collines et de vallées couvertes de fleurs, d'arbres fruitiers et de forêts de pins, est superbe et impressionnant. Le village lui-même, qui abonde en ateliers d'artistes, galeries d'art et magnifiques boutiques d'antiquités, attire des touristes du monde entier.

Harry Stanford et son groupe débouchèrent dans la Grande Rue.

Stanford se tourna vers sa compagne. « Sophia, est-ce que vous aimez les musées ?

— Oui, *caro.* » Elle voulait lui être agréable. Elle n'avait jamais rencontré quelqu'un comme Harry Stanford. *C'est les copines qui n'en croiront pas leurs oreilles lorsque je leur raconterai. Moi qui pensais ne plus rien avoir à apprendre question sexe ! Mais, mon Dieu, ce qu'il peut être inventif ! Il me tue !*

Ils remontèrent la rue en direction de la Fondation Maeght où ils flânèrent au milieu de la riche collection de tableaux du musée — de Bonnard, Chagall et autres artistes modernes. Jetant au hasard un coup d'œil à la ronde, Harry Stanford aperçut, à l'autre extrémité de la salle, la femme absorbée devant un Miro.

Il se tourna vers Sophia. « Vous avez faim ?

— Oui. Si vous, vous avez faim. » *Surtout, ne pas me mettre en avant.*

« Parfait. On va déjeuner à La Colombe d'Or. »

La Colombe d'Or, l'un des restaurants préférés de Stanford, était situé dans une maison du seizième siècle sise à l'entrée du village et transformée en hôtel et restaurant. Stanford et Sophia s'assirent à une table du jardin, près de la piscine, où Stanford pouvait admirer le Braque et le Calder.

Prince, le chien berger allemand, s'étendit à ses pieds, comme toujours aux aguets. Ce chien était le signe de reconnaissance de Harry Stanford : où qu'il allât Prince l'accompagnait. On racontait que cette bête sautait à la gorge de quiconque au moindre commandement de Stanford. Rumeur dont personne ne tenait à vérifier le bien-fondé.

Dmitri, qui avait pris place à une table près de l'entrée de l'hôtel, examinait attentivement les autres clients dont il épiait les allées et venues.

Stanford se tourna vers Sophia. « Voulez-vous que je commande pour vous, ma chère ?

— Je veux bien. »

Harry Stanford se flattait d'être un fin gourmet. Il commanda pour elle et lui une salade verte et une fricassée de lotte.

Ils en étaient au plat principal lorsque Danièle Roux, qui dirigeait l'hôtel avec son mari, s'approcha de leur table en souriant. « Bonjour. Est-ce que tout va bien, monsieur Stanford ?

— Tout est parfait, madame Roux. »

Oui, et allait le demeurer. *Des nains qui essayaient de faire tomber un géant. Ils ne savaient pas ce qui les attendait.*

Sophia dit : « Je n'étais jamais venue ici. Quel village magnifique. »

Stanford reporta son attention sur elle. C'était Dmitri qui l'avait levée pour lui, la veille, à Nice.

« Monsieur Stanford, je vous ai ramené quelqu'un.

— Pas de problème ? » avait demandé Stanford.

Dmitri s'était fendu d'un grand sourire. « Aucun. » Il l'avait aperçue dans le hall du Negresco et l'avait abordée.

« Je vous prie de m'excuser, parlez-vous anglais ?

— Oui, avait-elle répondu avec une intonation chantante – italienne.

— L'homme pour qui je travaille aimerait vous inviter à dîner. »

Elle avait pris un air indigné. « Je ne suis pas une *puttana* ! Je suis une actrice », avait-elle dit avec hauteur. En fait, elle avait joué un rôle de figurante dans le dernier film de Pupi Avati et s'était vu confier deux répliques dans un film de Giuseppe Tornatore. « Je ne vois pas pourquoi je dînerais avec quelqu'un que je ne connais pas ? »

Dmitri avait sorti une liasse de billets de cent dollars et lui en avait glissé cinq dans la main. « Mon ami est très généreux. Il possède un yacht et il se sent seul. » Il avait alors vu toute une gamme de sentiments glisser sur son visage, qui était passé de l'indignation à une curiosité intéressée.

« Ça tombe bien, dit-elle. Je suis justement entre deux tournages. » Elle lui adressa un sourire. « Je ne vois pas d'objection à dîner avec votre ami.

— Parfait. Voilà qui va lui faire plaisir.

— Où est-il ?

— A Saint-Paul-de-Vence. »

Dmitri avait bien choisi. Italienne. Approchant de la trentaine. Sensuelle, bien roulée, un joli petit minois. C'est alors, en la regardant par-dessus la table, que Harry Stanford se décida.

« Vous aimez voyager, Sophia ?

— J'adore.

— Bien. Nous allons faire un petit voyage. Excusez-moi un instant. »

Sophia le regarda entrer dans le restaurant et se diriger vers une cabine téléphonique qui se trouvait à l'extérieur des toilettes des hommes.

Stanford mit un jeton dans l'appareil et composa un numéro. « L'opératrice maritime, s'il vous plaît. »

Quelques secondes plus tard, une voix dit : « Ici l'opératrice maritime.

— Je voudrais téléphoner au yacht *Blue Skies*. Whisky bravo lima neuf huit zéro... »

La conversation dura cinq minutes. Celle-ci terminée, Stanford appela l'aéroport de Nice. Cette fois, l'échange fut plus bref.

A son retour, Stanford dit quelques mots en passant à Dmitri qui quitta aussitôt le restaurant. Il vint ensuite retrouver Sophia.

« On y va ?

— Oui.

— Allons marcher un peu. » Il avait besoin de temps pour fignoler son plan.

Le temps était idéal. Le soleil, qui teignait en rose de petits nuages à l'horizon, coulait à flots argentés dans les rues.

Ils flânèrent dans la Grande Rue, longèrent la belle église du douzième siècle et firent halte à la boulangerie, juste en face, pour acheter du pain frais. Lorsqu'ils en ressortirent, l'un des trois guetteurs était dehors, plongé en contemplation devant l'église. Dmitri aussi les attendait.

Harry Stanford remit le pain à Sophia. « Ça vous ennuierait d'aller le porter à la maison ? Je vous y retrouve dans quelques minutes.

— D'accord. » Elle sourit et fit d'une voix douce : « Faites vite, *caro*. »

Stanford la regarda partir puis fit signe à Dmitri.

« Qu'est-ce que tu as découvert ?

— La femme et l'un des hommes sont descendus à l'hôtel Le Hameau, sur la route de La Colle. »

Harry Stanford connaissait l'endroit. C'était une ferme aux murs chaulés sise au milieu d'un verger, à un peu plus d'un kilomètre de Saint-Paul. « Et l'autre ?

— Il est au mas d'Artigny. » Le mas d'Artigny était une imposante demeure provençale située à flanc de colline, à trois kilomètres de Saint-Paul.

« Que voulez-vous que je fasse d'eux, monsieur ?

— Rien. Je vais m'en occuper moi-même. »

La villa de Harry Stanford se trouvait rue de Casette, près de la mairie, dans l'une des parties les plus anciennes du village. Il s'agissait d'une maison de pierre et de crépi construite sur cinq niveaux. A deux niveaux sous le corps de logis principal, il y avait un garage et une vieille cave à vin. Un escalier en pierre conduisait à l'étage, où se trouvaient les chambres, un bureau et une terrasse couverte d'un toit de tuiles. La maison, entièrement meublée en ancien, était remplie de fleurs.

Lorsque Stanford revint à la villa, il trouva Sophia dans sa chambre. Elle l'attendait. Nue.

« Vous avez été bien long », murmura-t-elle.

Sophia Matteo vivait à la petite semaine et, pour arrondir ses fins de mois, travaillait parfois comme *call-girl* entre deux tournages. Il ne lui était pas rare de feindre l'orgasme pour plaire à ses clients mais, avec celui-là, elle n'eut pas besoin de faire semblant. Il était insatiable et la fit jouir plusieurs fois.

Lorsqu'ils furent enfin épuisés, Sophia l'étreignit et, tout heureuse, lui chuchota à l'oreille : « Je voudrais ne plus partir d'ici, *caro*. »

Je le voudrais bien moi aussi, pensa Stanford d'un air sombre.

Ils dînèrent au Café de la Place sur la place du Général-de-Gaulle, près de l'entrée du village. Non seulement le repas fut-il délicieux mais, pour Stanford, le danger ajouta de la saveur aux plats.

Ils rentrèrent à la villa aussitôt sortis de table. Stanford marcha lentement pour être bien sûr que ses poursuivants restaient dans ses pas.

A une heure du matin, l'homme qui était en faction

de l'autre côté de la rue vit s'éteindre, l'un après l'autre, les feux de la villa qui fut bientôt plongée dans une totale obscurité.

A cinq heures et demie, Harry Stanford se rendit dans la chambre d'amis où dormait Sophia. Il la secoua doucement. « Sophia... »

Elle ouvrit les yeux et le regarda, le visage empreint d'un sourire de jouissance anticipée, puis elle se rembrunit. Il était tout habillé. Elle s'assit dans le lit. « Il y a quelque chose qui ne va pas ?

— Non, ma chère. Tout va bien. Vous avez dit que vous aimiez les voyages. Eh bien, nous allons en faire un. »

Elle était maintenant tout éveillée. « A cette heure-ci ?

— Oui. Il ne faut surtout pas faire de bruit.

— Mais...

— Dépêchez-vous. »

Quinze minutes plus tard, Harry Stanford, Sophia, Dmitri et Prince descendaient l'escalier de pierre conduisant au garage où une Renault marron était garée. Dmitri ouvrit sans faire de bruit la porte du garage et jeta un coup d'œil dans la rue. Celle-ci, si l'on excluait la Corniche blanche de Stanford garée devant la maison, semblait déserte. « La voie est libre. »

Stanford se tourna vers Sophia. « Nous allons jouer à un petit jeu. Vous et moi allons monter à l'arrière de la Renault et nous étendre sur le plancher. »

Sophia écarquilla les yeux. « Pourquoi ?

— Des concurrents me suivent, expliqua-t-il sérieusement. Je dois bientôt conclure une affaire importante et ils essaient d'y fourrer leur nez. S'ils réussissent, j'y laisserai une fortune.

— Je comprends », dit Sophie qui n'avait pas la moindre idée de ce dont il parlait.

Cinq minutes plus tard, ils quittaient Saint-Paul-de-Vence en direction de Nice. Un homme assis sur un banc vit la Renault accélérer à la sortie de la propriété. Dmitri Kaminsky conduisait, Prince à ses côtés. L'homme tira vivement de sa poche un téléphone cellulaire et composa un numéro.

« Il se peut qu'on ait un problème, dit-il à la femme.

— Quelle sorte de problème ?

— Une Renault marron vient tout juste de passer la grille. C'était Dmitri Kaminsky qui conduisait et le chien était aussi dans la voiture.

— Et pas Stanford ?

— Non.

— Je n'y crois pas. Son garde du corps ne le quitte jamais durant la nuit, et le chien non plus.

— Est-ce que sa Corniche est toujours garée devant la villa ? demanda l'autre homme envoyé pour filer Harry Stanford.

— Oui, mais il a pu changer de voiture.

— Il y a une combine là-dessous ! Téléphone à l'aéroport. »

Un instant plus tard, ils obtenaient la tour de contrôle.

« L'avion de M. Stanford ? Oui. Il est arrivé il y a une heure et on a déjà refait le plein. »

Cinq minutes plus tard, deux des membres de l'équipe de filature roulaient vers l'aéroport tandis que le troisième restait de faction devant la villa endormie.

Lorsque la Renault marron traversa La Colle-sur-Loup, Stanford se redressa. « Ça va, on peut s'asseoir maintenant », dit-il à Sophia et, s'adressant à Dmitri : « A l'aéroport de Nice. Vite. »

CHAPITRE DEUX

Une demi-heure plus tard, à l'aéroport de Nice, un Boeing 727 aménagé roulait lentement sur la piste de décollage. Dans la tour, le contrôleur aérien dit : « Ils ont drôlement l'air pressés de décoller. Ça fait trois fois que le pilote demande le feu vert.

— A qui appartient cet avion ?

— A Harry Stanford. Autant dire à Crésus en personne.

— Il est sans doute en route pour se faire encore un milliard ou deux. »

Le contrôleur se détourna pour guider l'atterrissage d'un Learjet puis prit le micro. « Boeing huit neuf cinq papa, ici la tour de contrôle de Nice. Vous pouvez décoller. La cinq à gauche. Après votre départ, virez à droite à un quatre zéro. »

Le pilote et le copilote de Harry Stanford échangèrent un regard de soulagement. Le pilote appuya sur le bouton du micro. « Roger. Boeing huit neuf cinq papa prêt à décoller. Virera à droite à un quatre zéro. »

Quelques instants plus tard, l'énorme avion roula sur la piste dans un grondement et s'enfonça dans le ciel gris de l'aube.

Le copilote parla de nouveau dans le microphone. « Départ, Boeing huit neuf cinq papa dépasse les trois mille pour vol niveau sept zéro. »

Le copilote se tourna vers le pilote. « Waou! Le vieux Stanford avait drôlement hâte de nous voir décoller, non? »

Le pilote haussa les épaules. « Ses raisons ne nous regardent pas. Nous, on risque notre vie, c'est tout. Qu'est-ce qu'il fait derrière? »

Le copilote se leva, alla vers la porte du cockpit et regarda dans la cabine. « Il se repose. »

Ils téléphonèrent de nouveau à la tour de contrôle depuis la voiture.

« L'avion de M. Stanford... Est-il encore au sol?

— Non, monsieur. Il est parti.

— Est-ce que le pilote avait un plan de vol?

— Bien sûr, monsieur.

— Vers où?

— L'avion se dirige vers l'aéroport Kennedy.

— Merci. » Il se tourna vers sa compagne. « Kennedy. On va envoyer des gens là-bas pour l'accueillir. »

Lorsque la Renault traversa les banlieues de Monte-Carlo en accélérant en direction de la frontière italienne, Harry Stanford dit : « Aucun risque qu'on nous ait suivis, Dmitri?

— Non, monsieur. Nous les avons semés.

— Parfait. » Harry Stanford se renversa contre le dossier de son siège et se détendit. Il n'y avait aucune raison de s'inquiéter. Ils allaient concentrer leurs recherches sur l'avion. Il passa mentalement la situation en revue. Restait à savoir ce qu'ils savaient et quand ils l'avaient appris. C'étaient des chacals sur les pistes d'un lion qu'ils espéraient abattre. Harry Stanford sourit *in petto*. Ils ne savaient pas à qui ils avaient affaire, ils l'avaient sous-estimé. D'autres, qui avaient commis la même erreur, l'avaient payé cher. Quelqu'un allait aussi payer cette fois-ci. Il était Harry Stanford, le confident des présidents et des rois, assez riche et puissant pour mettre à mal l'économie de plusieurs douzaines de pays. Pourtant...

Le 727 survolait Marseille. Le pilote parla dans le microphone. « Marseille, Boeing huit cent cinq papa est avec vous, nous quittons niveau de vol un neuf zéro pour niveau de vol deux trois zéro.
— Roger. »

La Renault atteignit San Remo peu après le lever du jour. Harry Stanford gardait de bons souvenirs de cette ville, mais celle-ci était devenue méconnaissable. Il se rappela l'époque où c'était une ville élégante avec des hôtels et des restaurants luxueux et un casino où la tenue de soirée était de rigueur et où l'on perdait ou gagnait des fortunes en une soirée. La ville avait maintenant succombé au tourisme dont la clientèle vulgaire jouait aux tables de jeu en manches de chemise.

La Renault arrivait aux abords du port, à quinze kilomètres de la frontière franco-italienne. Le port comportait deux marinas, la Marina Porto Sole à l'est, et le Porto Communale à l'ouest. Celui-ci n'était pas gardé.

« Lequel ? demanda Dmitri.
— Porto Communale », ordonna Stanford. *Autant être discret.*

« Oui, monsieur. »

Cinq minutes plus tard, la Renault s'arrêtait à la hauteur du *Blue Skies*, un yacht de soixante mètres aux lignes élancées. Le capitaine Vacarro et l'équipage de douze hommes étaient au garde-à-vous sur le pont. Le capitaine descendit aussitôt la passerelle pour accueillir les nouveaux arrivants.

« Bonjour, Signor Stanford, dit-il. Nous allons prendre vos bagages et...

— Nous n'avons pas de bagages. On fiche le camp.

— Oui, monsieur.

— Un instant. » Stanford examinait l'équipage, l'air mécontent. « Cet homme à l'autre bout, là-bas. C'est un nouveau, non ?

— Oui, monsieur.

— Débarrassez-vous de lui », ordonna Stanford.

Le capitaine lui adressa un regard perplexe. « Me...

— Réglez-lui son solde. On se tire d'ici. »

Le capitaine Vacarro acquiesça. « Très bien, monsieur. »

Jetant un regard aux alentours, Harry Stanford fut saisi d'un nouveau pressentiment. Le danger était à portée de main, presque palpable. Il ne voulait pas de têtes nouvelles autour de lui. Le capitaine Vacarro et son équipage étaient à son service depuis des années. Il pouvait leur faire confiance. Il se retourna et regarda la fille. Comme Dmitri l'avait levée au hasard, il n'y avait rien à craindre de ce côté. Quant à Dmitri, son fidèle garde du corps, il lui avait sauvé la vie plus d'une fois. Stanford se tourna vers lui. « Toi, reste près de moi.

— Oui, monsieur. »

Stanford prit le bras de Sophia. « Montons à bord, ma chère. »

Dmitri Kaminsky resta sur le pont à surveiller l'équipage qui larguait les amarres. Il examina le port mais ne vit rien d'inquiétant. A cette heure de la matinée, il n'y avait guère d'activité. Les énormes générateurs du yacht vrombirent et le bateau leva l'ancre.

Le capitaine s'approcha de Harry Stanford. « Vous ne nous avez pas dit quelle direction prendre, Signor Stanford.

— Mais non, je ne vous l'avais pas dit, capitaine ? » Il réfléchit un moment. « Portofino.

— Oui, monsieur.

— A propos, je tiens à ce que vous gardiez un silence radio total. »

Le capitaine Vacarro s'assombrit. « Le silence radio ? Oui, monsieur, mais si jamais... »

Harry Stanford dit : « Ne vous inquiétez pas. Faites seulement comme je vous dis. Et je ne veux pas qu'on utilise de téléphone par satellite.

— Très bien, monsieur. Est-ce que nous mouillerons à Portofino ?

— Je vous le ferai savoir, capitaine. »

Harry Stanford fit visiter le yacht à Sophia. Celui-ci était l'un des fleurons de ses multiples possessions et il aimait en faire étalage. C'était un navire stupéfiant qui possédait une suite luxueusement aménagée avec un salon et un bureau. Celui-ci était vaste et confortablement meublé d'un canapé, de nombreux fauteuils et d'un bureau derrière lequel il y avait assez d'appareils pour diriger une petite ville. Sur le mur se trouvait une grande carte électronique sur laquelle se déplaçait un petit bateau indiquant la position du yacht. Par des portes vitrées coulissantes on accédait de la suite à une véranda extérieure meublée d'une chaise longue ainsi

que d'une table et de quatre chaises. Un bastingage en
teck en bordait l'extérieur sur toute sa longueur. Stanford avait coutume, par beau temps, d'y prendre son
petit déjeuner.

Il y avait six cabines pour les invités, chacune tapissée
de soie peinte à la main, munie de fenêtres panora-
miques et équipée d'un jacuzzi. La bibliothèque, de
belles dimensions, était lambrissée de bois de koa.

La salle à manger pouvait accueillir seize convives.
Sur le pont inférieur, on trouvait une salle de gymnas-
tique complètement équipée. Le yacht contenait aussi
une cave à vin et une salle de projection cinémato-
graphique. Harry Stanford possédait l'un des plus
importants fonds de films pornographiques au monde.
Chaque pièce du mobilier de ce bateau avait été choisie
avec un goût exquis et sa collection de tableaux eût fait
la fierté de n'importe quel musée.

« Voilà, vous avez presque fait le tour du propriétaire, dit Stanford à Sophia au terme de la visite. Je
vous ferai voir le reste demain. »

Elle n'en revenait pas. « Je n'ai jamais rien vu de
pareil ! C'est... on dirait une ville. »

Son enthousiasme fit sourire Harry Stanford. « Le
steward va vous montrer votre cabine. Mettez-vous à
l'aise. Moi, j'ai du travail. »

Harry Stanford revint à son bureau et vérifia la position du bateau sur la carte électronique. Le *Blue Skies*
se trouvait dans le golfe de Gênes, faisant route vers le
nord. *Ils vont perdre ma trace*, pensa-t-il. *Ils vont
m'attendre à l'aéroport Kennedy. Lorsque nous serons à
Portofino, je vais régler tout ça.*

A dix mille mètres dans les airs, le pilote du 727 rece-
vait de nouvelles instructions. « Boeing huit neuf cinq
papa, la voie est libre sur la route supérieure de Delta
India November comme convenu.

— Roger. La voie de Boeing huit neuf cinq papa est
libre sur Delta India November. » Il se tourna vers le
copilote. « On peut y aller. »

Le pilote s'étira, se leva et alla vers la porte du cockpit. Il regarda dans la cabine.

« Comment va notre passager ? demanda le copilote.

— Il m'a l'air d'avoir faim. »

CHAPITRE TROIS

La côte de Ligurie, autrement dit la Riviera italienne, s'étend en un vaste demi-cercle de la frontière franco-italienne jusqu'à Gênes, puis s'étire vers le sud jusqu'au golfe de La Spezia. Ce magnifique ruban côtier aux eaux étincelantes contient les ports pittoresques de Portofino et de Vernazza. Les îles d'Elbe et de Sardaigne ainsi que la Corse baignent à quelque distance dans les mêmes eaux.

Le *Blue Skies* approchait de Portofino qui, même de loin, offrait un spectacle impressionnant avec ses collines aux flancs couverts d'oliviers, de pins, de cyprès et de palmiers. Harry Stanford, Sophia et Dmitri étaient sur le pont en train d'observer la côte qui se rapprochait.

« Vous êtes souvent venu à Portofino ? demanda Sophia.

— Quelquefois.

— Où est votre résidence principale ? »

Question trop personnelle. « Portofino va vous plaire, Sophia. C'est vraiment un endroit superbe. »

Le capitaine Vacarro s'approcha d'eux. « Mangerez-vous à bord, Signor Stanford ?

— Non. Nous allons déjeuner au Splendido.

— Très bien. Dois-je me préparer à lever l'ancre aussitôt après le déjeuner ?

— Je ne pense pas. Nous allons jouir un peu de la beauté des lieux. »

Le capitaine Vacarro l'examina, stupéfait. Tantôt Harry Stanford ne tenait pas en place, tantôt on eût dit qu'il avait toute la vie devant lui. Sans parler du silence radio ! On n'avait jamais vu ça ! *Pazzo !*

Lorsque le *Blue Skies* eut jeté l'ancre dans les eaux du port, Stanford, Sophia et Dmitri empruntèrent la vedette du yacht pour se rendre à terre. Le charmant petit port de pêche était animé de boutiques et de *trattorie* en terrasses qui bordaient l'unique route montant vers les collines. Une douzaine de petits bateaux de pêche étaient tirés à sec sur la plage de galets.

Stanford se tourna vers Sophia. « Nous allons déjeuner à l'hôtel qui se trouve au sommet de la colline. On a une très belle vue de là-haut. » Il fit signe à un taxi arrêté au-delà des quais. « Montez là-haut en taxi et je vous rejoindrai dans quelques minutes. » Il lui tendit quelques lires.

« Très bien, *caro*. »

Il la suivit des yeux tandis qu'elle s'éloignait. Puis il se tourna vers Dmitri. « Il faut que je passe un coup de fil. »

Mais pas du bateau, pensa Dmitri.

Les deux hommes se dirigèrent vers deux cabines téléphoniques qui se trouvaient à proximité des quais. Dmitri surveilla les alentours tandis que Stanford entrait dans l'une des cabines, décrochait et mettait une pièce dans l'appareil.

« Opératrice, pouvez-vous me donner la Banque Unie de Suisse à Genève. »

Une femme se dirigeait vers la deuxième cabine téléphonique. Dmitri alla se placer devant la cabine de
manière à lui bloquer le chemin.

« Excusez-moi, dit-elle. Je...

— J'attends un appel. »

Elle lui jeta un regard étonné. « Oh ! » Elle lorgna du
côté de la cabine dans laquelle se trouvait Stanford.

« Si j'étais vous, je n'attendrais pas, grommela Dmitri. Il risque d'en avoir pour un bon moment. »

La femme haussa les épaules et s'en alla.

« Allo ? »

Dmitri vit Stanford parler dans l'appareil.

« Peter ? Nous avons un petit problème. » Stanford
ferma la porte de la cabine. Il parlait très vite et Dmitri
ne put entendre ce qu'il disait. La conversation terminée, Stanford raccrocha et ouvrit la porte de la cabine.

« Tout va bien, monsieur Stanford ? demanda Dmitri.

— Allons manger quelque chose. »

De l'hôtel Splendido, le joyau de Portofino, on a une
magnifique vue panoramique sur toute la baie couleur
d'émeraude qui s'étend en contrebas. L'hôtel, réservé
aux nantis de ce monde, veille jalousement sur sa réputation. Harry Stanford et Sophia déjeunèrent sur la terrasse.

« Je commande pour vous ? demanda Stanford. Ils
ont ici des spécialités qui vous plairont, j'en suis sûr.

— Je vous en prie », dit Sophia.

Stanford commanda des *trenette al pesto*, une spécialité de pâtes locale, du veau et de la *focaccia*, le pain
salé de la région.

« Et apportez-nous une bouteille de Schram 88. » Il
se tourna vers Sophia. « Il a reçu une médaille d'or au
Concours International des Vins à Londres. Le
vignoble m'appartient. »

Elle sourit. « Vous avez de la chance. »

La chance n'avait rien à voir là-dedans. « Je crois que l'homme est sur la terre pour en savourer les délices gustatives. » Il lui prit la main. « Et d'autres délices aussi.

— Vous êtes un homme étonnant.

— Je vous remercie. »

Cela excitait Stanford que d'être admiré par de jeunes femmes. Et celle-ci aurait pu être sa fille, ce qui l'excitait encore davantage.

Lorsqu'ils eurent fini de déjeuner, Stanford adressa un sourire entendu à Sophia.

« Retournons sur le yacht.

— Oh, oui ! »

Harry Stanford était un amant protéiforme, passionné et compétent. Son égocentrisme énorme l'incitait davantage à satisfaire les femmes qu'à prendre son propre plaisir. Sachant exciter les zones érogènes féminines, il orchestrait ses caresses en une symphonie sensuelle qui amenait ses partenaires à des sommets jamais atteints par elles auparavant.

Ils passèrent l'après-midi dans la suite de Stanford et, lorsqu'ils eurent fini de faire l'amour, Sophia était épuisée. Harry Stanford s'habilla et alla voir le capitaine Vacarro sur le pont.

« Que diriez-vous d'aller en Sardaigne, Signor Stanford ? demanda le capitaine.

— Faisons d'abord halte à l'île d'Elbe.

— Très bien, monsieur. Tout se passe comme vous le souhaitez ?

— Oui, répondit Stanford. Rien à redire. » Il avait encore envie de faire l'amour. Il retourna à la cabine de Sophia.

Ils atteignirent l'île d'Elbe le lendemain après-midi et mouillèrent à Portoferraio.

En entrant dans l'espace aérien nord-américain, le pilote prit contact avec la tour de contrôle.

« Tour de contrôle de New York, ici Boeing huit neuf cinq papa passant à palier de vol deux six zéro demande palier de vol deux quatre zéro. »

La voix de l'opérateur new-yorkais se fit entendre. « Roger, accordé à un deux mille, direction JFK. Signalez approche à un deux sept point quatre. »

Un grognement sourd leur parvint de l'arrière de l'avion.

« Tranquille, Prince. Voilà. On va te passer la ceinture de sécurité. »

Quatre hommes attendaient l'atterrissage du 727. Ils étaient postés à divers endroits d'où ils étaient assurés de voir les passagers descendre de l'avion. Ils attendirent une demi-heure. Un seul passager descendit de l'avion : un berger allemand blanc.

Portoferraio est le principal centre commercial de l'île d'Elbe. Les rues y sont bordées d'élégantes boutiques de luxe et, derrière le port, les immeubles du dix-huitième siècle sont blottis sous la citadelle escarpée érigée par les ducs de Florence.

Harry Stanford avait visité l'île à plusieurs reprises et, curieusement, il s'y sentait chez lui : Napoléon n'y avait-il pas été exilé ?

« Nous allons visiter la maison de Napoléon, dit-il à Sophia. Je vous retrouverai là-bas. » Il se tourna vers Dmitri. « Conduis-la à la Villa dei Mulini.

— Oui, monsieur. »

Stanford regarda Sophia et Dmitri s'éloigner. Il jeta un regard à sa montre. Les minutes étaient maintenant comptées. Son avion avait déjà dû atterrir à l'aéroport Kennedy. Lorsque les autres découvriraient qu'il n'était pas à bord, la chasse à l'homme recommencerait. *Il va leur falloir du temps pour retrouver ma piste*, pensa Stanford. *A ce moment-là, tout aura été réglé.*

Il entra dans une cabine téléphonique qui se trouvait à l'autre bout du quai. « Pourriez-vous me passer Londres, demanda-t-il à l'opératrice. La Banque Barclas. Un sept un... »

Une demi-heure plus tard, il passa prendre Sophia et la ramena au port.

« Montez à bord, lui dit-il. Moi, j'ai un autre coup de fil à donner. »

Elle le regarda se diriger à grands pas vers la cabine téléphonique située à proximité du quai. *Pourquoi ne se sert-il pas des téléphones du yacht ?* se demanda-t-elle.

A l'intérieur de la cabine téléphonique, Harry Stanford disait : « La Banque Sumitomo à Tokyo... »

Quinze minutes plus tard, lorsqu'il revint sur le yacht, il était furieux.

« Allons-nous demeurer à l'ancre ici cette nuit ? demanda le capitaine Vacarro.

— Oui, répondit sèchement Stanford. Non ! Prenons la direction de la Sardaigne. Tout de suite ! »

La Costa Smeralda, en Sardaigne, est l'un des plus beaux endroits de la Méditerranée. La petite ville de Porto Cervo est un havre pour nantis et les alentours sont parsemés de villas construites par l'Agha Khan.

La première chose que fit Harry Stanford lorsqu'ils furent à quai fut de se diriger vers une cabine téléphonique.

Dmitri, qui l'avait suivi, monta la garde à proximité de la cabine.

« Pourriez-vous me donner la Banca d'Italia à Rome... » Il referma la porte de la cabine.

La conversation dura presque une demi-heure. En sortant de la cabine, Stanford n'avait pas l'air du tout content. Dmitri se demanda ce qui se passait.

Stanford et Sophia déjeunèrent sur la plage de Liscia di Vacca. Ce fut Stanford qui fit le menu. « On va commencer par du *mallo-reddus*. » Des flocons de pâte au blé dur. « Puis nous prendrons du *porceddu*. » Du cochon de lait cuit avec du myrte et du laurier. « Comme vin, nous prendrons le Vernaccia et, pour dessert, des *sebadas*. » Des beignets farcis de fromage blanc et de zeste de citron et recouverts de miel amer et de sucre.

« *Bene*, Signor. » Le garçon s'éloigna, impressionné.

Stanford allait se tourner pour adresser la parole à Sophia lorsqu'il eut un choc : deux hommes, qui venaient de prendre place à une table à l'entrée du restaurant, avaient les yeux posés sur lui. Vêtus de costumes sombres dans le chaud soleil d'été, ils ne feignaient même pas d'être touristes. *Sont-ils sur mes traces ou s'agit-il d'inconnus inoffensifs ? Il ne faut pas que je laisse mon imagination me jouer des tours.*

Sophia lui parlait. « Il y a une question que je voulais vous poser. Dans quoi travaillez-vous ? »

Stanford l'examina. Cela faisait du bien d'être en compagnie de quelqu'un qui ignorait tout de lui. « Je suis retraité, lui répondit-il. Je voyage et je profite de la vie.

« — Et vous vivez seul ? » Sa voix était empreinte de sympathie. « Vous devez être très seul. »

Il dut se retenir pour ne pas éclater de rire. « Oui, c'est vrai. Je suis heureux de vous avoir à mes côtés. »

Elle posa sa main sur la sienne. « Moi aussi, *caro*. »

Du coin de l'œil, Stanford vit les deux hommes s'en aller.

Le déjeuner terminé, Stanford, Sophia et Dmitri revinrent en ville.

Stanford se dirigea vers une cabine téléphonique. « Je voudrais le Crédit Lyonnais à Paris... »

Sophia, qui l'observait, dit à Dmitri : « Il est vraiment merveilleux, non ?

— Il n'y en a pas deux comme lui.

— Il y a longtemps que vous travaillez pour lui ?

— Deux ans, répondit Dmitri.

— Vous avez de la chance.

— Je le sais. » Dmitri alla monter la garde près de la cabine téléphonique. Il entendit Stanford dire : « René ? Vous savez pourquoi j'appelle... Oui... Oui... Vous feriez ça ?... Merveilleux ! » Sa voix exprima du soulagement. « Non... pas ici. Retrouvons-nous en Corse... C'est parfait... Après notre rencontre, je pourrai rentrer directement... Merci, René. »

Stanford raccrocha. Il resta un moment immobile, un sourire aux lèvres, puis composa un appel pour Boston.

Une secrétaire répondit. « Le bureau de M. Fitzgerald.

— Ici Harry Stanford. Passez-le-moi.

— Oh, monsieur Stanford ! Je regrette, mais M. Fitzgerald est en vacances. Est-ce que quelqu'un d'autre...

— Non. Je rentre aux Etats-Unis. Dites-lui que je veux le voir à Boston, à ma résidence de Rose Hill, à neuf heures lundi matin. Dites-lui de venir avec un exemplaire de mon testament et accompagné d'un notaire.

— Je vais essayer de...

— N'essayez pas. Faites-le, ma chère. » Il raccrocha et resta immobile, l'esprit fiévreux. Lorsqu'il sortit de la cabine téléphonique, sa voix était calme. « J'ai une petite affaire à régler, Sophia. Allez m'attendre à l'hôtel Pitrizza.

— Très bien, dit-elle d'une voix aguicheuse. Mais faites vite.

— Promis. »

Les deux hommes la regardèrent s'éloigner.

« Retournons sur le yacht, dit Stanford à Dmitri. On s'en va. »

Dmitri le regarda avec surprise. « Mais, et...

— Elle se débrouillera bien pour rentrer chez elle. »

Dès leur retour sur le *Blue Skies*, Harry Stanford alla voir le capitaine Vacarro. « Nous partons pour la Corse, dit-il. Fichons le camp.

— Je viens de recevoir les derniers rapports météo, Signor Stanford. On annonce une grosse tempête. On ferait peut-être mieux de la laisser passer et de...

— Je veux partir tout de suite, capitaine. »

Le capitaine Vacarro hésita. « La mer va être très dure, monsieur. C'est un *libeccio*, un vent de sud-ouest. Nous allons être secoués.

— Ça m'est égal. » Ce rendez-vous en Corse allait résoudre tous ses problèmes. Il se tourna vers Dmitri. « Toi, je veux que tu t'arranges pour qu'un hélicoptère nous prenne en Corse et nous transporte à Naples. Téléphone de la cabine sur le quai.

— Oui, monsieur. »

Dmitri Kaminsky redescendit sur le quai et entra dans la cabine téléphonique.

Vingt minutes plus tard, le *Blue Skies* levait l'ancre.

CHAPITRE QUATRE

Son idole était Dan Quayle auquel il se référait souvent dans ses conversations.

« Je me fiche de ce qu'on raconte sur Quayle *. C'est le seul homme politique qui défende les vraies valeurs. La famille – y a que ça. Sans les valeurs familiales, le pays serait dans un pétrin encore pire. Tous ces jeunes qui vivent ensemble sans être mariés et qui font des enfants. C'est scandaleux. Pas étonnant qu'il y ait une telle criminalité. Si jamais Dan Quayle se présente à la présidence, il peut compter sur mon vote. » C'était une honte, pensait-il, qu'il ne puisse voter à cause d'une loi stupide, mais n'empêche, il était un ardent partisan de Quayle.

Il avait quatre enfants : Bill, huit ans, et les filles, Amy, Clarissa et Susan, âgées respectivement de dix, douze et quatorze ans. C'étaient des enfants merveilleux et sa plus grande joie était de passer avec eux ce qu'il aimait appeler des moments privilégiées. Il leur consacrait tous ses week-ends. Il leur faisait des barbe-

* Dan Quayle a été vice-président des Etats-Unis sous George Bush. Il appartient à l'aile la plus conservatrice du parti républicain. *(N.d.T.)*

cues, jouait avec eux, les emmenait au cinéma et au base-ball, les aidait à faire leurs devoirs. Tous les gosses du quartier l'adoraient. Il réparait leurs vélos et leurs jouets, les invitait à des pique-niques avec sa famille. Ils l'avaient surnommé Papa.

Par un samedi matin ensoleillé, assis dans les gradins, il assistait à un match de base-ball. C'était une journée idyllique. Le soleil était chaud et des cumulus pommelaient le ciel de leur fin duvet. Son fils Billy était à la batte. Il avait l'air d'un vrai joueur professionnel dans son uniforme. Papa était accompagné de ses trois filles et de son épouse. _Que peut-on demander de mieux ?_ se dit-il, ravi. _Pourquoi toutes les familles ne seraient-elles pas comme nous ?_

On était dans la deuxième moitié de la huitième manche, les deux équipes étaient à égalité, il y avait deux hommes de retirés et les bases étaient remplies. C'était donc au tour de Billy de frapper, avec trois balles et deux _strikes_ contre lui *. Papa lui lança des appels d'encouragement : « Vas-y, Billy ! Par-dessus la clôture ** ! »

Billy attendit le lancer. On lui servit une balle rapide et basse. Il s'élança et la rata.

L'arbitre cria : « _Strike_ trois ! »

La manche était terminée.

Des murmures de mécontentement et des applaudissements s'élevèrent de l'assistance composée de

---

* Situation extrême au base-ball : Billy tient en main le sort de son équipe. Il doit réussir cette balle. Avec trois hommes sur les bases, s'il frappe la balle par-dessus la clôture qui entoure le terrain _(home-run)_, son équipe marquera quatre points. _(N.d.T.)_

** Un terrain de base-ball est bordé à gauche et à droite d'un mur. Une balle frappée au-delà de ce mur est un _home-run_, le coup le plus prestigieux du base-ball. _(N.d.T.)_

parents et d'amis de la famille des jeunes joueurs. Billy resta sans bouger, démoralisé, tandis que les équipes changeaient de côté.

Papa lui cria : « Ce n'est rien, petit. Tu feras mieux la prochaine fois. »

Billy s'efforça de sourire.

John Cotton, le manager de l'équipe, l'attendait. « Toi, tu ne joues plus ! dit-il.

— Mais, monsieur Cotton...

— Allez. Quitte le terrain. »

Le père de Billy vit avec stupéfaction son fils quitter le terrain. *Il ne peut pas faire ça*, pensa-t-il. *M. Cotton doit donner une autre chance à Billy. Il faut que je lui parle et qu'on s'explique.* A cet instant, le téléphone cellulaire qu'il portait sur lui se mit à sonner. Une seule personne en connaissait le numéro. *Il sait que je déteste être dérangé durant le week-end*, pensa-t-il avec irritation.

A contrecœur, il tira l'antenne, appuya sur un bouton et parla dans le combiné. « Allo ? »

La voix à l'autre bout parla plusieurs minutes d'un ton calme. Papa écoutait, acquiesçant de temps à autre. Finalement, il dit : « Oui. Je comprends. Je vais m'en occuper. » Il remit le téléphone dans sa poche.

« Tout va bien, chéri ? demanda sa femme.

— Non, hélas ! Ils veulent que je travaille ce week-end. Et moi qui avais prévu un beau barbecue pour demain. »

Sa femme lui prit la main et dit avec tendresse : « Ne t'en fais pas pour ça. Ton travail est plus important. »

Pas aussi important que ma famille, pensa-t-il avec entêtement. *Dan Quayle comprendrait, lui.*

Il ressentit une violente démangeaison à la main et se mit à la gratter. *Qu'est-ce qu'elle a, cette main ? Il faudra que je me décide à voir un dermatologue.*

John Cotton était le directeur adjoint du super-marché local. C'était un quinquagénaire de forte carrure qui avait accepté de diriger l'équipe de base-ball des poussins parce que son fils en faisait partie. C'était à cause du petit Billy que son équipe avait perdu ce samedi-là.

Le supermarché venant de fermer, John Cotton se dirigeait vers sa voiture sur l'aire de stationnement lorsqu'un inconnu portant un paquet l'aborda.

« Je vous prie de m'excuser, monsieur Cotton.

— Oui ?

— Pourriez-vous me consacrer un instant ?

— Le magasin est fermé.

— Oh, il ne s'agit pas de ça. Je voulais vous parler de mon fils. Billy a très mal pris que vous le chassiez de la partie et que vous lui disiez qu'il ne pourrait plus jouer.

— Billy est votre fils ? Je regrette même de l'avoir laissé jouer. Il ne fera jamais un joueur de base-ball. »

Le père de Billy insista. « Vous n'êtes pas juste, monsieur Cotton. Je connais Billy. C'est vraiment un bon joueur. Vous verrez. Lorsqu'il jouera, dimanche prochain...

— Il *ne va pas* jouer dimanche prochain. Il n'est plus dans l'équipe.

— Mais...

— Il n'y a pas de mais. C'est comme ça. Maintenant, si vous avez encore quelque chose à...

— Oh, tenez. » Le père de Billy avait défait l'emballage du paquet qu'il tenait à la main : il contenait une batte de base-ball. Il dit d'un ton suppliant : « C'est la batte dont s'est servi Billy. Vous voyez bien qu'elle est abîmée. Aussi ce n'est pas juste de le punir uniquement parce que...

— Ecoutez, monsieur, je ne veux rien savoir au sujet de cette batte. Votre fils est viré, un point, c'est tout ! »

Le père de Billy soupira d'un air malheureux. « Vous êtes sûr que vous ne changerez pas d'avis ?

— Ça ne risque pas. »

Au moment où Cotton allait saisir la poignée de la portière de sa voiture, le père de Billy assena un coup de batte contre la lunette arrière du véhicule qu'il fracassa.

Cotton le dévisagea, stupéfait. « Mais... ça va pas non, mais qu'est-ce que vous faites ?

— Je m'entraîne », expliqua Papa. Il leva la batte qu'il abattit de nouveau, sur la rotule de Cotton cette fois.

John Cotton poussa un cri et s'écroula sur le sol en se tordant de douleur. « Vous êtes fou, hurla-t-il. Au secours ! »

Le père de Billy s'agenouilla à côté de lui et dit d'une voix douce : « Encore un son et je vous brise l'autre rotule. »

Cotton, terrifié, leva vers lui un regard de martyr.

« Si mon fils ne joue pas dimanche prochain, je vous tuerai et je tuerai votre fils. Est-ce que je me fais bien comprendre ? »

Cotton plongea son regard dans celui de son agresseur et fit signe que oui tout en s'efforçant de lutter contre la douleur.

« Parfait. Oh, je tiens à ce que tout ceci demeure entre nous. J'ai des amis. » Il jeta un coup d'œil à sa montre. Il avait tout juste le temps de prendre le prochain vol pour Boston.

Sa main recommença à le démanger.

Le dimanche matin, à sept heures, vêtu d'un costume trois-pièces et portant un coûteux attaché-case, il remonta Vendome Street, traversa Copley Square et déboucha dans Stuart Street. A une centaine de mètres après le Park Plaza Castle, il pénétra dans le Boston Trust Building et se dirigea vers le vigile. L'immense édifice abritant des dizaines de locataires, il était impossible que le vigile de garde à la réception puisse l'identifier.

« Bonjour, dit l'inconnu.

— Bonjour, monsieur. Puis-je faire quelque chose pour vous ? »

Il poussa un soupir. « Même Dieu ne pourrait rien pour moi. Ils pensent que je n'ai rien d'autre à faire qu'à passer mes dimanches à faire un travail dont quelqu'un d'autre aurait dû se charger. »

Le vigile dit d'un ton compatissant : « Oh, je connais ça. » Il fit glisser vers son interlocuteur le registre des visiteurs. « Vous voulez bien signer là, je vous prie ? »

Il signa et se dirigea vers les ascenseurs. Le bureau qu'il cherchait était au quatrième étage. Il prit l'ascenseur jusqu'au cinquième, descendit un étage à pied et s'engagea dans le couloir. L'inscription sur la porte indiquait : RENQUIST, RENQUIST & FITZGERALD, AVOCATS. Il examina les alentours pour s'assurer que le couloir était vide puis ouvrit son attaché-case d'où il sortit un petit pic et un appareil servant à mesurer la tension. Il lui fallut cinq secondes pour forcer la serrure. Il pénétra à l'intérieur et referma la porte derrière lui.

La salle d'attente était meublée dans un style traditionnel, ainsi qu'il convenait à l'un des principaux cabinets juridiques de Boston. L'homme resta un moment sans bouger, le temps de s'orienter, puis se dirigea vers le fond, vers la salle des archives où l'on conservait les procès-verbaux. La pièce était remplie de classeurs en métal rangés par ordre alphabétique. Il tenta d'ouvrir le classeur marqué R-S. Il était fermé à clé.

Il prit dans son attaché-case une clé non taillée, une

lime et une paire de pinces. Il poussa la clé vierge dans la serrure du classeur en la faisant pivoter doucement d'un côté et de l'autre. Après un moment, il la retira et examina les marques noires qu'il y avait dessus. Tenant la clé avec les pinces, il lima soigneusement les taches noires. Il remit la clé dans la serrure et répéta l'opération. Il chantonnait doucement en crochetant la serrure et il sourit en se rendant compte de ce qu'il fredonnait. *Far Away Places* *. Je vais emmener la famille en vacances, se dit-il, tout heureux. *De vraies vacances. Je parie que les gosses aimeraient Hawaii.*

Le tiroir du classeur s'ouvrit et il le tira vers lui. Il ne lui fallut qu'un instant pour trouver la chemise qu'il voulait. Il prit un petit appareil-photo Pentax dans sa valise et se mit au travail. Dix minutes plus tard, il avait fini. Il prit plusieurs mouchoirs en papier dans sa valise, alla vers le lave-mains et les humecta. Il revint à la salle des archives et essuya les copeaux de métal sur le sol. Il referma le classeur à clé, se dirigea vers le couloir, ferma la porte des bureaux et quitta les lieux.

---

* Des endroits loin d'ici. *(N.d.T.)*

CHAPITRE CINQ

En mer, plus tard dans la soirée, le capitaine Vacarro vint voir Harry Stanford dans sa cabine.

« Signor Stanford...

— Oui ? »

Le capitaine montra la carte électronique sur le mur. « Je crains que les vents n'empirent. Le *libeccio* est concentré dans le détroit de Bonifacio. Je propose que l'on s'abrite dans un port jusqu'à ce que... »

Stanford lui coupa la parole. « On a un bon bateau et vous êtes bon capitaine. Je suis sûr que vous saurez vous débrouiller. »

Le capitaine Vacarro hésita. « A votre guise, Signor. Je ferai de mon mieux.

— Je n'en doute pas, capitaine. »

Harry Stanford était assis dans le bureau de sa suite, en train de mettre sa stratégie au point. En Corse, il verrait René et mettrait de l'ordre dans toute cette histoire. Ensuite, l'hélicoptère le déposerait à Naples où il fréterait un avion pour rentrer à Boston. *Tout va bien se*

passer, décida-t-il. *J'ai besoin de quarante-huit heures.
De quarante-huit heures seulement.*

Il fut réveillé à deux heures du matin par le fort tangage du yacht et par la bourrasque qui hurlait dehors.
Stanford avait déjà vu des tempêtes, mais celle-ci était
la pire. Le capitaine Vacarro avait eu raison. Harry
Stanford se leva en se retenant au cadre de la couchette
pour ne pas tomber et il alla tant bien que mal vers la
carte murale. Le navire était dans le détroit de Bonifacio. *On devrait être à Ajaccio dans quelques heures,*
pensa-t-il. *Une fois là-bas, on sera en sécurité.*

On se perdait en conjectures sur les événements qui
s'étaient produits plus tard cette nuit-là. Les papiers
éparpillés sur la véranda permettaient de penser qu'il y
en avait eu d'autres entraînés par le vent et que Harry
Stanford avait essayé de les rattraper. Le tangage du
navire lui ayant fait perdre l'équilibre, il était passé par-
dessus bord. Dmitri Kaminsky l'avait vu tomber à l'eau
et avait aussitôt saisi l'intercom.
« Un homme à la mer. »

CHAPITRE SIX

Le capitaine François Durer, le chef des forces de police corses, était d'une humeur massacrante. L'île était envahie de ces idiots d'estivants incapables de veiller sur leurs passeports, leurs portefeuilles ou leurs enfants. Les plaintes affluaient à longueur de journée dans le petit commissariat du cours Napoléon près de la rue du Sergent-Casalonga.

« Un homme m'a arraché mon sac à main... »

« J'ai raté mon bateau. Et ma femme qui est à bord... »

« J'ai acheté cette montre à quelqu'un dans la rue. Il n'y a rien à l'intérieur... »

« Les pharmacies locales n'ont pas le médicament qu'il me faut... »

Et voilà que le capitaine avait un cadavre sur les bras.

« Je n'ai pas le temps de m'occuper de ça pour le moment.

— Mais ils attendent dans le couloir, lui apprit son adjoint. Qu'est-ce que je leur dis ? »

Le capitaine Durer était impatient d'aller rejoindre sa maîtresse. Il fut tenté de dire à l'agent de se débarrasser sans manière du corps mais, après tout, cette affaire relevait de ses compétences.

« Bon, d'accord. » Il soupira. « Je vais les recevoir rapidement. »

Un instant plus tard, on fit pénétrer le capitaine Vacarro et Dmitri Kaminsky dans le bureau.

« Asseyez-vous », dit le capitaine Durer d'une voix peu affable.

Les deux hommes s'assirent.

« Dites-moi ce qui s'est passé exactement.

— Je ne sais pas au juste, répondit le capitaine Vacarro. Je n'ai pas moi-même assisté à la chose... » Il se tourna vers Dmitri Kaminsky. « Lui a tout vu. Il pourra peut-être vous expliquer. »

Dmitri prit une respiration profonde. « Ç'a été terrible. Je travaille... je travaillais pour lui.

— Quelles étaient vos fonctions ?

— Garde du corps, chauffeur, masseur. Notre yacht a été pris dans la tempête la nuit dernière. Une mer très dure. Il m'a demandé de le masser pour le détendre. Après, il m'a demandé d'aller lui chercher un somnifère. Les cachets étaient dans la salle de bains. Quand je suis revenu, il était debout sur la véranda, près du bastingage. La tempête faisait tanguer le yacht. Il tenait des papiers à la main. L'un d'eux s'est envolé et, en voulant le rattraper, il a perdu l'équilibre et est passé par-dessus bord. Je me suis précipité pour lui venir en aide, mais je n'ai rien pu faire. J'ai appelé au secours. Le capitaine Vacarro a aussitôt fait stopper le bateau et, grâce aux efforts héroïques du capitaine, nous avons pu le récupérer. Mais il était trop tard. Il s'était noyé.

— Je suis vraiment désolé. » Il s'en fichait comme de sa dernière chemise.

Le capitaine Vacarro prit la parole. « Le hasard a voulu que le vent et la mer ramènent son corps près du yacht. Maintenant, nous sollicitons l'autorisation de le rapatrier.

— Je ne vois pas d'objection. » Il aurait encore le

temps de boire un verre avec sa maîtresse avant de rentrer retrouver sa femme. « Je vais faire établir sur-le-champ un certificat de décès et un permis de levée du corps. » Il prit un bloc de papier jaune. « Le nom de la victime ?

— Harry Stanford. »

Le capitaine Durer s'immobilisa brusquement. « Harry Stanford ?

— Oui.

— Le fameux Harry Stanford ?

— Oui. »

Les perspectives d'avenir du capitaine Durer prirent alors un éclat particulier. Les dieux lui apportaient cette occasion en or sur un plat. Harry Stanford était une légende internationale vivante ! La nouvelle de sa mort allait faire le tour du monde et c'était lui, le capitaine Durer, qui tenait la situation en main. La question, pour l'heure, était de savoir comment l'exploiter à son avantage. Durer resta un moment silencieux, le regard absent, plongé dans ses pensées.

« Quand pouvez-vous laisser partir le corps ? » demanda le capitaine Vacarro.

Le capitaine Durer leva les yeux. « Ah ! C'est une bonne question. » *Combien de temps les journalistes mettront-ils pour se manifester ? Est-ce que je dois demander au capitaine du yacht de participer aux interviews ? Non. Pourquoi partager les bénéfices de la chose avec lui ? Il faut que je m'occupe de ça tout seul.* « Ce n'est pas si simple que ça », dit-il sur un ton de regret. « Il faut établir les papiers... » Il soupira. « Ça risque de demander au moins une semaine. »

Le capitaine Vacarro n'en revenait pas. « Au moins une semaine ? Mais vous avez dit...

— Il y a certaines formalités à respecter, dit Durer d'une voix sévère. Ce n'est pas le genre de choses qu'on expédie à la légère. » Il reprit son bloc. « Il a de la famille ? »

Le capitaine Vacarro adressa un regard interrogatif à Dmitri.

« Vous devriez sans doute voir ça avec ses avocats de Boston.

— Comment s'appellent-ils ?

— Renquist, Renquist et Fitzgerald. »

CHAPITRE SEPT

Bien que la plaque sur la porte indiquât RENQUIST, RENQUIST & FITZGERALD, les deux Renquist n'étaient plus de ce monde depuis longtemps. Simon Fitzgerald, lui, était encore bien vivant et, à soixante-seize ans, il était l'âme vive du cabinet juridique, avec soixante hommes de loi sous ses ordres. C'était un individu d'une minceur inquiétante, à la crinière blanche, qui marchait avec une raideur toute militaire. Il faisait pour l'instant les cent pas, profondément bouleversé.

Il s'arrêta devant sa secrétaire. « Lorsque M. Stanford a téléphoné, vous a-t-il indiqué la raison pour laquelle il voulait me voir de manière si urgente ?

— Non, monsieur. Il a seulement dit qu'il voulait vous voir chez lui à neuf heures lundi matin, d'apporter son testament et d'emmener un notaire.

— Merci. Demandez à M. Sloane de venir. »

Steve Sloane était l'un des avocats les plus brillants et les plus dynamiques du bureau. C'était un élégant quadragénaire diplômé de la faculté de droit de Harvard, grand et maigre, blond, l'œil bleu et inquisiteur, dont toute la personne respirait l'aisance naturelle. Sloane était l'homme des situations délicates et Fitzgerald l'avait choisi pour lui succéder éventuellement. *Si j'avais eu un fils*, pensa Fitzgerald, *j'aurais voulu qu'il ressemble à Steve.* Il leva les yeux à son entrée dans le bureau.

« Je vous croyais en train de pêcher le saumon à Terre-Neuve, dit Steve.

— Il y a du nouveau. Asseyez-vous, Steve. Nous avons un problème. »

Steve soupira. « De quoi s'agit-il cette fois ?

— De Harry Stanford. »

Celui-ci était l'un de leurs clients les plus prestigieux. Une demi-douzaine de cabinets juridiques s'occupaient des filiales de Stanford Enterprises mais c'était Renquist, Renquist & Fitzgerald qui traitait les affaires personnelles de Stanford. Personne du cabinet, Fitzgerald excepté, n'avait jamais vu Stanford mais celui-ci était néanmoins une figure légendaire dans la maison.

« Qu'est-ce qu'il a encore fait ? demanda Sloane.

— Il s'est tué. »

Steve le regarda, stupéfait. « Il s'est *quoi* ?

— Je viens de recevoir un fax de la police corse. Il semblerait que Stanford est tombé de son yacht et s'est noyé hier.

— Ça alors !

— Je sais que vous ne le connaissiez pas personnellement mais, moi, ça fait plus de trente ans que je le représente. Ce n'était pas un homme facile. » Fitzgerald se renversa dans son fauteuil. Il songeait au passé. « Il y avait en réalité deux Stanford – le personnage public qui avait le génie des affaires et le salopard qui prenait plaisir à ruiner les gens. C'était un séducteur capable de se transformer en serpent à sonnettes. Il avait une personnalité double – il était à la fois le charmeur de serpents et le serpent.

— Quel type !

— Je suis entré dans la maison il y a trente ans – trente et un, pour être précis. A l'époque, c'était le vieux Renquist qui s'occupait de Stanford. Il y a des gens dont on dit qu'ils sont plus grands que nature. Eh bien, Harry Stanford était plus grand que nature. S'il n'avait pas existé, il aurait fallu l'inventer. C'était un colosse. Il avait une énergie et une ambition incroyables. C'était un grand sportif. A l'université, il faisait de la boxe et jouait au polo. Mais même dans sa jeunesse, Harry Stanford était impossible. Je n'ai jamais vu d'homme aussi totalement dépourvu de compassion. Il était sadique et rancunier, il avait des instincts de charognard. Il aimait acculer ses concurrents à la banqueroute. On racontait qu'il était responsable de plus d'un suicide.

— On dirait un monstre.

— D'un certain côté, oui. D'un autre côté, il avait fondé un orphelinat en Nouvelle-Guinée et un hôpital à Bombay. Il donnait des millions de dollars aux œuvres de charité – anonymement. Avec lui, on ne savait jamais à quoi s'attendre.

— D'où tenait-il toute sa fortune ?

— Vous êtes versé en mythologie grecque ?

— Je suis un peu rouillé.

— Vous connaissez l'histoire d'Œdipe ? »

Steve acquiesça. « Il a tué son père pour épouser sa mère.

— Juste. Eh bien, c'était Harry Stanford tout craché. Sauf que lui, il a tué son père pour obtenir le *vote* de sa mère. »

Steve lui adressa un regard interrogatif. « Quoi ? »

Fitzgerald se pencha en avant. « Au début des années trente, le père de Harry tenait une épicerie, ici, à Boston. Il réussit si bien qu'il en ouvrit une deuxième et, en peu de temps, il se trouva à la tête d'une chaîne de magasins d'alimentation. Lorsque Harry sortit de l'université, son père le prit comme associé dans son affaire et le fit entrer au conseil d'administration. Comme je l'ai dit, Harry était ambitieux. Il voyait grand. Au lieu que la chaîne achète la viande aux grossistes, il voulait qu'elle élève son propre bétail. Il voulait que l'entreprise achète de la terre, cultive ses propres légumes et fabrique ses propres conserves. Son père n'était pas d'accord et ce fut la bagarre.

« Harry eut alors son idée de génie. Il annonça à son père son intention de faire construire par leur société une chaîne de grandes surfaces *discount* où l'on vendrait de tout, depuis des voitures et des meubles en passant par de l'assurance vie, et où les clients recevraient une carte leur donnant droit à des tarifs préférentiels. Son père le traita de fou et refusa tout net. Mais Harry n'allait pas se laisser mettre des bâtons dans les roues. Il décida se débarrasser du vieux. Il convainquit son père de prendre de longues vacances et, durant son absence, il entreprit d'amener les membres du conseil d'administration à ses vues.

« C'était un vendeur brillant et il leur vendit son idée. Il persuada son oncle et sa tante, qui faisaient partie du conseil d'administration, de voter pour lui. Il embobina les autres membres du conseil d'administration. Il les invitait à déjeuner, il chassait le renard avec l'un, jouait au golf avec l'autre. Il coucha avec la femme de l'un des membres du conseil d'administration qui avait de l'influence sur son mari. Mais c'était sa mère qui détenait le plus grand nombre d'actions et c'était sa voix qui était majoritaire. Harry la convainquit de la lui donner et de voter contre son mari.

— C'est incroyable !

— A son retour, le père de Harry apprit que sa propre famille avait voté sa mise au ban de la société.

— Ça alors !

— Ce n'est pas tout. Harry n'allait pas en rester là. Lorsque son père voulut se rendre à son bureau, il se vit interdire l'accès de l'immeuble. Il ne faut pas oublier que Harry avait à peine trente ans à l'époque. Dans la société on l'avait surnommé le Glaçon. Mais il faut rendre à César ce qui est à César, Steve. A lui tout seul, il a fait de Stanford Enterprises l'un des plus gros groupes privés du monde. Il a développé l'entreprise dans des secteurs aussi divers que le bois, la chimie, les communications, l'électronique et l'immobilier. Et il a fini propriétaire de toutes les actions.

— Ce devait être un type incroyable, dit Steve.

— En effet. Il en imposait à tout le monde, aux femmes comme aux hommes.

— Il était marié ? »

Simon Fitzgerald demeura un long moment sans parler, plongé dans ses souvenirs. Lorsqu'il reprit enfin la parole, il dit : « Harry Stanford avait épousé l'une des plus belles femmes que j'aie jamais vues. Emily Temple. Ils ont eu trois enfants, deux fils et une fille. Emily venait d'une famille en vue de Hobe Sound en Floride. Comme elle adorait Harry, elle fermait les yeux sur ses infidélités mais, un jour, il passa les bornes. Elle avait une gouvernante d'enfants, une femme du nom de Rosemary Nelson. Jeune et séduisante. Elle était d'autant plus séduisante aux yeux de Harry Stanford qu'elle refusait de coucher avec lui. Ça le rendait fou. Il n'était pas habitué à ce qu'on le repousse. Mais quand Harry Stanford faisait du charme, il était irrésistible. Il réussit finalement à se gagner les faveurs de Rosemary. Elle se retrouva enceinte de lui et alla voir un médecin. Malheureusement, le gendre du médecin, un journaliste, eut vent de l'histoire et la publia. Ça a fait un de ces scandales. Vous connaissez Boston. C'était dans tous les journaux. J'ai encore des coupures de presse quelque part.

— Elle s'est fait avorter ? »

Fitzgerald fit un signe de dénégation. « Non. C'est ce qu'aurait voulu Harry, mais elle a refusé. Ils ont eu une scène terrible. Il lui a dit qu'il l'aimait et qu'il voulait l'épouser. Evidemment, il avait déjà raconté la même chose à des dizaines de femmes. Mais Emily avait entendu leur conversation et elle s'est suicidée la nuit même.

— C'est épouvantable. Et la gouvernante, qu'est-ce qu'elle est devenue ?

— Rosemary Nelson a disparu. On sait qu'elle a accouché à l'hôpital Saint-Joseph de Milwaukee d'une fille qu'elle a nommée Julia. Elle avait envoyé un mot à Stanford mais je crois qu'il n'a même pas pris la peine de répondre. Il était déjà avec quelqu'un d'autre à ce moment-là. Rosemary ne l'intéressait plus.

— Charmant...

— C'est la suite qui est vraiment tragique. Les enfants avaient rendu à juste titre leur père responsable du suicide de leur mère. Ils avaient dix, douze et quatorze ans à l'époque. Assez âgés pour souffrir, mais trop jeunes pour se dresser contre leur père. Ils le haïssaient. La plus grande peur de Harry, c'était qu'ils ne lui fassent un jour ce qu'il avait lui-même fait à son père. Il avait donc pris toutes ses précautions en ce sens. Il les envoyait dans des écoles privées et des colonies de vacances différentes et faisait en sorte qu'ils se voient le moins possible. Il ne leur donnait pas d'argent. Ils vivaient d'un petit legs que leur avait laissé leur mère. Toute leur vie, il a recouru envers eux à la politique de la carotte et du bâton. La carotte, c'était sa fortune qu'il leur faisait miroiter pour les amadouer et qu'il reprenait s'il n'était pas content d'eux.

— Qu'est-ce qu'ils sont devenus ?

— Tyler est juge d'assises à Chicago. Woodrow ne fait rien. C'est un play-boy. Il habite à Hobe Sound, fré-

quente les salles de jeu et pratique le polo. Il y a quelques années, il a levé une serveuse lors d'un dîner, lui a
fait un enfant et, à la surprise générale, l'a épousée.
Kendall est styliste. Elle est mariée à un Français et
réussit bien. Ils habitent New York. » Il se leva. « Steve,
êtes-vous déjà allé en Corse ?

— Non.

— J'aimerais que vous y alliez. On y retient le corps
de Harry Stanford et la police refuse de le rendre. Je
voudrais que vous alliez régler cette histoire.

— D'accord.

— Si vous pouviez partir aujourd'hui...

— Parfait. Je vais arranger ça.

— Merci. Je vous en sais gré. »

Durant le vol qui l'amenait de Paris à Ajaccio, Steve
Sloane parcourut un guide touristique sur la Corse. Il y
apprit que l'île était en grande partie montagneuse, que
sa capitale était le port d'Ajaccio, ville natale de Napoléon. Le livre était rempli de statistiques intéressantes
mais qui ne préparèrent pas du tout Steve à trouver une
île d'une telle beauté. Lorsque l'avion arriva à sa hauteur, il aperçut tout en bas une haute muraille blanche
qui ressemblait aux falaises de Douvres. C'était impressionnant.

L'avion se posa à l'aéroport d'Ajaccio et un taxi le
conduisit cours Napoléon, la rue principale qui, vers le
nord, va de la place du Général-de-Gaulle à la gare. Il
avait pris des dispositions pour qu'un avion se tienne
prêt à ramener le corps de Harry Stanford à Paris d'où
le cercueil serait transféré sur un avion jusqu'à Boston.
Il ne lui manquait plus que l'autorisation d'enlever le
corps.

Steve se fit déposer à la préfecture sur le cours Napoléon. Il monta un escalier et se présenta à l'accueil. Un agent en uniforme était assis à la réception.

« Bonjour. Que puis-je faire pour vous ?

— Quel est le responsable ici ?

— Le capitaine Durer.

— J'aimerais le voir, s'il vous plaît.

— *And what is it of concern in relationship to ?* » L'agent était fier de son anglais.

Steve sortit sa carte de visite. « Je suis l'avocat de Harry Stanford. Je suis venu prendre son corps pour le ramener aux Etats-Unis. »

L'agent eut l'air mécontent. « Attendez, s'il vous plaît. » Il disparut dans le bureau du capitaine Durer en refermant soigneusement la porte derrière lui. Le bureau était bondé, plein de journalistes de télévisions et d'agences de presse du monde entier. Tout le monde semblait parler en même temps.

« Capitaine, pourquoi était-il sorti par une tempête pareille alors que... »

« Comment a-t-il pu tomber de son yacht au beau milieu de... »

« Avez-vous ordonné une autopsie ? »

« Qui d'autre était sur le bateau avec... »

« Messieurs, je vous en prie. » Le capitaine Durer leva la main. « Je vous en prie, messieurs. S'il vous plaît. » Ravi, il fit, des yeux, le tour de la pièce où tous les journalistes étaient suspendus à ses lèvres. Il avait rêvé de moments comme celui-là. *Si je suis malin, ça me vaudra une bonne promotion et...*

L'agent interrompit ses méditations. « Capitaine... » Il chuchota quelque chose à l'oreille de Durer et lui tendit la carte de Steve Sloane.

Le capitaine Durer l'examina et s'assombrit. « Je ne peux pas le recevoir maintenant, fit-il d'un ton sec. Dites-lui de revenir demain à dix heures.

— Oui, monsieur. »

Le capitaine Durer, songeur, regarda l'agent quitter la pièce. Il n'allait pas se laisser voler son heure de gloire aussi facilement. Il reporta son attention sur les journalistes à qui il adressa un sourire. « Où en étions-nous déjà... »

A la réception, l'agent était en train de dire à Sloane : « Je regrette, mais le capitaine Durer est très occupé pour l'instant. Il vous recevra demain matin à dix heures. » Tout cela débité selon de vagues réminiscences d'anglais scolaire.

Sloane lui jeta un regard consterné. « Demain matin ? Mais c'est ridicule. Je ne veux pas attendre aussi longtemps. »

L'agent haussa les épaules. « Comme vous voudrez, monsieur. »

Steve fronça les sourcils. « Très bien. Je n'ai pas réservé de chambre d'hôtel. Pouvez-vous m'en indiquer un ?

— Mais oui. Je vous recommande le Colomba, huit avenue de Paris. »

Steve hésita. « Il n'y aurait pas moyen de...

— Dix heures demain matin. »

Steve fit demi-tour et quitta les lieux.

Dans son bureau, le capitaine, tout heureux, répondait aux questions des journalistes.

Un reporter de télévision demanda : « Comment pouvez-vous être sûr que c'était un accident ? »

Durer regarda l'objectif de la caméra. « Ce terrible accident a heureusement eu un témoin oculaire. La cabine de M. Stanford donnait sur une véranda. Des papiers importants qu'il tenait à la main se seraient envolés et il aurait couru pour les rattraper. En se penchant pour les ramasser, il aurait perdu l'équilibre et serait tombé à l'eau. Son garde du corps a tout vu et a immédiatement appelé au secours. On a fait stopper le bateau et on a pu récupérer le corps.

— Qu'est-ce qu'on a trouvé à l'autopsie ?

— La Corse est une petite île, messieurs. Nous n'avons pas l'équipement requis pour faire une autopsie complète. L'enquête médicale indique toutefois que la mort est due à la noyade. On a trouvé de l'eau de mer dans ses poumons. Il n'y avait pas de contusions ni de signes d'agression.

— Où est le corps maintenant ?

— Nous le gardons dans une chambre froide en attendant l'autorisation de l'enlever. »

L'un des photographes demanda : « Vous n'avez pas d'objection à ce qu'on vous photographie, capitaine ? »

Le capitaine Durer fit attendre sa réponse, puis, d'un air compassé, dit : « Non. Je vous en prie, messieurs, faites votre devoir. »

Et les caméras se mirent à crépiter.

Le Colomba était un petit hôtel, propre et clair cependant, et la chambre pouvait aller. Le premier geste de Steve fut de téléphoner à Simon Fitzgerald.

« J'ai bien peur que ça prenne plus de temps que je ne pensais, dit-il.

— Qu'est-ce qui cloche ?

— La paperasse. Je rencontre la personne responsable demain matin et je vais régler ça. Je devrais être de retour à Boston dans l'après-midi.

— Très bien, Steve. A demain. »

Il déjeuna au Fontana, rue Notre-Dame, et, n'ayant rien à faire du reste de la journée, entreprit d'explorer la ville.

Ajaccio est une ville méditerranéenne colorée qui

jouit du privilège d'être le berceau de Napoléon. *Voilà un endroit auquel Harry Stanford aurait pu s'identifier*, pensa Steve.

On était en pleine saison touristique et les rues grouillaient de visiteurs qui conversaient en français, en italien, en allemand et en japonais.

Le soir, Steve fit un repas italien au Boccaccio et rentra à son hôtel.

« Des messages ? demanda-t-il avec optimisme au réceptionniste.

— Non, monsieur. »

Il se coucha, la tête pleine de ce que Simon Fitzgerald lui avait dit au sujet de Harry Stanford. « *Elle s'est fait avorter ?*

— *Non. C'est ce qu'aurait voulu Harry, mais elle a refusé. Ils ont eu une scène terrible. Il lui a dit qu'il l'aimait et qu'il voulait l'épouser. Evidemment, il avait déjà raconté la même chose à des dizaines de femmes. Mais Emily avait entendu leur conversation et elle s'est suicidée la nuit même.* » Il se demanda comment elle s'y était prise.

Finalement, il s'endormit.

A dix heures, le lendemain matin, Steve Sloane se présenta de nouveau à la préfecture. Le même agent était assis à la réception.

« Bonjour, dit Steve.

— Bonjour, monsieur. Puis-je faire quelque chose pour vous ? »

Steve lui tendit une nouvelle fois sa carte de visite. « Je viens voir le capitaine Durer.

— Un moment. » L'agent se leva et entra dans le bureau dont il referma la porte derrière lui.

Le capitaine Durer, sanglé dans un uniforme tout

neuf, répondait aux questions d'une équipe de la télévision italienne. Il s'adressait à la caméra. « Lorsque j'ai pris cette affaire en main, la première chose que j'ai faite a été de m'assurer que la mort de M. Stanford n'était pas d'origine criminelle. »

L'interviewer de la RAI demanda : « Et vous êtes convaincu qu'elle ne l'est pas, capitaine ?

— Tout à fait convaincu. Il ne fait nul doute qu'il s'est agi d'un accident regrettable. »

Le réalisateur dit : « *Bene*. On va faire un raccord en plan rapproché. »

L'agent en profita pour tendre la carte de Sloane au capitaine Durer. « Il attend dehors.

— Non mais, ça va pas ? grommela Durer. Vous ne voyez donc pas que je suis occupé ? Faites-le revenir demain. » Il venait tout juste d'apprendre qu'une douzaine de journalistes allaient bientôt débarquer, certains venant même de Russie et d'Afrique du Sud. « Demain.

— Oui.

— Vous êtes prêt, capitaine ? » demanda le réalisateur.

Le capitaine Durer prit son plus beau sourire. « Je suis prêt. »

L'agent retourna à l'accueil. « Je regrette, monsieur. Le capitaine Durer n'est pas de service aujourd'hui.

— Moi je le suis, jeta sèchement Steve. Dites-lui qu'il n'a rien d'autre à faire qu'à signer un document autorisant la levée du corps de M. Stanford. Je repars aussitôt. Ce n'est pas trop demander, non ?

— J'ai bien peur que oui. Le capitaine est très pris et...

— Quelqu'un d'autre peut me donner cette autorisation ?

— Oh, non, monsieur. Il n'y a que le capitaine qui ait autorité pour le faire. »

Steve Sloane demeura un instant silencieux, bouillant de rage. « Quand est-ce que je peux le voir ?

— Je vous conseille d'essayer de nouveau demain matin. »

L'expression *essayer de nouveau* écorcha les oreilles de Steve. « C'est ce que je vais faire, dit-il. A propos, si je comprends bien, quelqu'un a été témoin de l'accident – le garde du corps de M. Stanford, un certain Dmitri Kaminsky.

— Oui.

— J'aimerais lui parler. Vous savez où je peux le trouver ?

— A l'Australie », répondit-il en mauvais anglais.

— Qu'est-ce que c'est que ça ? Un hôtel ?

— Non, monsieur. » Une note d'apitoiement perça dans la voix de l'agent. « Un pays. »

Steve haussa la voix d'une octave. « Vous voulez dire que la police a laissé partir d'ici le seul témoin de la mort de Stanford avant même que quelqu'un ne l'interroge ?

— Le capitaine Durer l'a interrogé. »

Steve prit une profonde respiration. « Je vous remercie.

— De rien, monsieur. »

De retour à son hôtel, Steve fit son rapport à Simon Fitzgerald.

« J'ai comme l'impression que je vais devoir passer une autre nuit ici.

— Qu'est-ce qui se passe, Steve ?

— Le type responsable de l'affaire m'a tout l'air d'être débordé. C'est la saison touristique. Il est sans doute à la recherche de sacs à main perdus. Je devrais être de retour demain.

— Tenez-moi au courant. »

Malgré son irritation, Steve était enchanté par la Corse. L'île avait près de mille cinq cents kilomètres de côtes au-dessus desquelles se dressaient des montagnes de granit dont les sommets restaient enneigés jusqu'en juillet. L'île avait appartenu à l'Italie jusqu'à son rattachement à la France et l'association des deux cultures avait quelque chose de fascinant.

Tout en dînant à la crêperie U San Carlu, il se remémora la manière dont Simon Fitzgerald lui avait décrit Harry Stanford. *« Je n'ai jamais vu d'homme aussi totalement dépourvu de compassion... sadique et rancunier... »*

Et même mort, Harry Stanford continue de faire des siennes, pensa Steve.

En rentrant à son hôtel, il s'arrêta à un kiosque et prit l'*International Herald Tribune*. La manchette demandait : QU'ADVIENDRA-T-IL DE L'EMPIRE STANFORD ? Il paya le journal et il allait s'éloigner lorsque son regard fut attiré par les manchettes d'autres journaux étrangers dans le kiosque. Il les prit et les parcourut, abasourdi. Tous les journaux consacraient leur une à la mort de Harry Stanford et, dans chacun, la photo du capitaine Durer figurait en bonne place. *C'est donc ça qui le tient si occupé ! On va y mettre bon ordre.*

A neuf heures quarante-cinq, le lendemain matin, Steve se présenta de nouveau à la réception du bureau du capitaine Durer. L'agent n'était pas à l'accueil et la porte du bureau était entrouverte. Steve la poussa et entra. Le capitaine était en train d'enfiler un nouvel uniforme en vue de ses interviews du matin avec la presse. Il leva les yeux à l'entrée de Steve.

« Qu'est-ce que vous faites ici ? C'est un bureau privé ! Allez-vous-en !

— Je suis du *New York Times* », dit Steve Sloane.

Le visage de Durer s'éclaira aussitôt. « Ah, entrez, entrez. Quel est votre nom déjà...

— Jones. John Jones.

— Puis-je vous offrir quelque chose ? Café ? Cognac ?

— Rien, merci, répondit Steve.

— Je vous en prie, asseyez-vous. » Durer prit une voix de circonstance. « C'est sans doute le drame épouvantable qui affecte notre petite île qui vous amène. Pauvre M. Stanford.

— Quand comptez-vous rendre le corps ? » demanda Steve.

Le capitaine Durer soupira. « Ah, pas avant plusieurs jours, j'en ai bien peur. Dans le cas d'un homme aussi important que M. Stanford, il y a un grand nombre de formulaires à remplir. Il faut faire les choses dans les règles, vous comprenez.

— Je crois comprendre, dit Steve.

— Peut-être dix jours. Peut-être deux semaines. » *A ce moment-là, l'intérêt des médias sera retombé.*

« Voici ma carte », dit Steve. Il tendit une carte au capitaine Durer.

Celui-ci y jeta d'abord un bref coup d'œil, puis la regarda de plus près. « Vous êtes avocat ? Vous n'êtes pas journaliste ?

— Non. Je suis l'avocat de Harry Stanford. » Steve Sloane se leva. « Je désire votre autorisation d'enlever le corps.

— Ah, je voudrais bien vous le remettre, dit le capitaine Durer d'un ton de regret. Malheureusement, ça ne dépend pas de moi. Je ne vois pas comment...

— Demain.

— C'est impossible ! Il n'est pas question de...

— Je vous conseille de contacter vos supérieurs à Paris. Les entreprises Stanford ont plusieurs grosses usines en France. Ce serait dommage que notre conseil d'administration décide de les fermer et d'aller s'implanter dans d'autres pays. »

Le capitaine le regardait, les yeux écarquillés. « Je...
ces affaires ne sont pas de mon ressort, monsieur.

— Elles sont du *mien*, l'assura Steve. Veillez à ce
que le corps de M. Stanford me soit rendu demain,
sinon vous allez vous retrouver dans un pétrin dont
vous n'avez pas idée. » Steve fit demi-tour pour partir.

« Attendez ! Il se peut que dans quelques jours je
puisse...

— Demain. » Et Steve s'en alla.

Trois heures plus tard, Steve Sloane reçut un appel
téléphonique à son hôtel.

« Monsieur Sloane ? Ah, j'ai d'excellentes nouvelles
pour vous ! Je me suis débrouillé pour faire en sorte
que le corps de M. Stanford vous soit rendu immédiatement. J'espère que vous apprécierez la peine que
je...

— Merci. Un avion privé partira d'ici à huit heures
demain matin pour nous ramener. Je compte que
toutes les formalités seront remplies d'ici là.

— Oui, bien sûr. Ne vous en faites pas. Je vais
faire en sorte que...

— Bien. » Steve raccrocha.

Le capitaine resta un long moment sans bouger.
*Merde ! Quelle poisse ! Dire que j'aurais pu rester
célèbre au moins une semaine encore.*

Lorsque l'avion qui transportait le corps de Harry
Stanford se posa à l'aéroport international Logan de
Boston, un corbillard l'attendait. Les obsèques
devaient avoir lieu trois jours plus tard.

Steve Sloane alla faire son rapport à Simon Fitzgerald.

« Voilà donc le vieux de retour, dit Fitzgerald. Ça
va faire une belle réunion de famille.

— Une réunion de famille ?

— Oui. Ça risque d'être intéressant. Les enfants de
Harry Stanford sont en route pour venir fêter la mort
de leur père. Tyler, Woody et Kendall. »

CHAPITRE HUIT

Le juge Tyler Stanford avait appris la nouvelle sur la chaîne WBBM de Chicago. Il était resté figé de stupeur, le cœur battant. On voyait le *Blue Skies* tandis que le commentateur disait : « ... au milieu d'une tempête dans les eaux corses lorsque la tragédie s'est produite. Dmitri Kaminsky, le garde du corps de Harry Stanford, a été témoin du drame mais a été dans l'incapacité de sauver son employeur. Harry Stanford était connu dans les milieux financiers comme l'un des plus habiles... »

Tyler était resté sans bouger, à regarder défiler les images, tandis que les souvenirs remontaient en lui.

C'étaient les bruits de voix qui l'avaient réveillé au milieu de la nuit. Il avait quatorze ans. Il avait tendu l'oreille pendant une minute ou deux aux voix colériques puis s'était glissé sur le palier vers l'escalier. En bas, dans l'entrée, sa mère et son père se disputaient. Sa mère avait hurlé et il avait vu son père la gifler.

L'image sur l'écran de télévision avait changé. On voyait maintenant Harry Stanford à la Maison-Blanche, dans le Bureau Ovale, en train d'échanger une poignée de main avec le président Reagan. « ... L'une des pièces maîtresses de la nouvelle politique économique du président, Harry Stanford aura été un important conseiller de... »

Ils jouaient au football dans le jardin et Woody, son frère, avait lancé le ballon en direction de la maison. Tyler avait couru à sa poursuite et, au moment où il le ramassait, il avait entendu son père de l'autre côté de la haie. « Je t'aime. Tu le sais ! »

Il s'était arrêté, tout content que ses parents ne soient pas en train de se chamailler, lorsqu'il avait entendu la voix de leur gouvernante, Rosemary. « Vous êtes marié. Je veux que vous cessiez de m'importuner. »

Il en avait été tout retourné. Il aimait sa mère et il aimait Rosemary. Son père, lui, était un inconnu terrifiant.

Des instantanés s'enchaînaient sur l'écran, Harry Stanford en compagnie de Margaret Thatcher... du président Mitterrand... de Mikhaïl Gorbatchev... Le commentateur disait : « Ce milliardaire de légende fréquentait aussi bien les ouvriers que les grands de ce monde. »

Il passait devant la porte du bureau de son père lorsqu'il avait entendu la voix de Rosemary. « Je m'en vais. » Puis la voix de son père : « Je ne veux pas que tu partes. Mais sois raisonnable, Rosemary. Il n'y a que de cette manière que toi et moi...

— Je ne veux plus rien entendre. Et je vais garder l'enfant ! »

Puis Rosemary avait disparu.

Une autre scène était apparue sur l'écran. C'étaient de vieux clichés où l'on voyait la famille Stanford devant l'église, les yeux fixés sur un cercueil que l'on glissait dans un corbillard. Le commentateur disait : « ... Harry Stanford et les enfants près du cercueil... Le suicide de Mme Stanford avait été attribué à des ennuis de santé. Selon l'enquête de police, Harry Stanford... »

Il avait été réveillé par son père au milieu de la nuit. « Lève-toi, petit. J'ai de mauvaises nouvelles pour toi. »

L'adolescent de quatorze ans s'était mis à trembler.

« Ta mère a eu un accident, Tyler. »

Il mentait. C'était lui qui l'avait tuée. Elle s'était suicidée à cause de son père et de sa liaison avec Rosemary.

Les journaux avaient fait des choux gras de cette histoire. Le scandale avait secoué Boston et la presse à sensation avait exploité l'affaire au maximum. Il avait été impossible de cacher la nouvelle aux enfants Stanford. Leurs camarades de classe leur rendaient la vie infernale. En moins de vingt-quatre heures, ils avaient tous les trois perdu les deux êtres qu'ils chérissaient le plus. Et tout cela par la faute de leur père.

« Ça m'est égal que ce soit notre père, sanglotait Kendall. Je le déteste.

— Moi aussi !

— Moi aussi ! »

Ils avaient songé à s'enfuir mais ils ne savaient où aller. Ils choisirent la rébellion.

Tyler avait été envoyé en délégation pour lui parler. « Nous voulons d'un père différent. Nous ne voulons pas de toi. »

Harry Stanford l'avait toisé et avait dit, froidement : « Ça devrait pouvoir s'arranger. »

Trois semaines plus tard, on les expédiait chacun dans une école privée différente.

Les années passant, les enfants avaient très peu vu leur père. Ils entendaient parler de lui par les journaux ou le voyaient à la télévision accompagné de jolies femmes ou en conversation avec des célébrités, mais les seuls moments où ils le retrouvaient étaient ceux qu'il appelait les « grandes occasions » – occasions de prendre des photos, aux fêtes de Noël ou aux vacances – qu'il mettait à profit pour jouer les pères dévoués. Après cela, les enfants repartaient vers leurs écoles ou leurs colonies de vacances respectives jusqu'à la prochaine « occasion ».

Tyler ne parvenait pas à détacher les yeux de ce qu'il voyait. Sur l'écran défilait un montage d'usines en divers endroits du monde, avec des images de son père. « ... l'un des plus grands groupes privés au monde. Harry Stanford, qui l'avait bâti, était un personnage légendaire... Les spécialistes de Wall Street s'interrogent sur l'avenir de cette entreprise familiale maintenant que son fondateur n'est plus. Harry Stanford laisse trois enfants mais on ignore qui héritera de sa fortune estimée à plusieurs milliards de dollars et qui prendra la direction du groupe... »

Il avait six ans. Il aimait errer dans la grande maison, en explorer les pièces chargées de mystère. Le seul endroit qui lui fût interdit était le bureau de son père. Tyler savait que d'importantes réunions s'y tenaient. Des hommes impressionnants, vêtus de costumes sombres, ne cessaient d'aller et venir, reçus par son père. Le fait même que le bureau lui fût interdit le rendait irrésistible.

Un jour que son père était absent, Tyler s'y aventura. La pièce, immense, était suffocante, terrible. Tyler s'était immobilisé, les yeux fixés sur le grand bureau et l'énorme fauteuil de cuir dans lequel son père s'asseyait. *Un jour, je m'assoirai dans ce fauteuil et je serai quelqu'un d'important comme père.* Il s'était approché du bureau pour l'examiner. Il y avait dessus des dizaines de documents d'apparence officielle. Il en avait fait le tour et s'était assis dans le fauteuil de son père. Quelle sensation merveilleuse ! *Maintenant, moi aussi je suis quelqu'un d'important !*

« Qu'est-ce que tu fais là, toi ! »

Tyler avait levé les yeux, surpris.

« Qui t'a autorisé à t'asseoir derrière ce bureau ? »

Le gamin tremblait. « Je... je voulais seulement voir quelle impression ça faisait... »

Son père s'était emporté contre lui. « Cette impression, tu ne la connaîtras jamais ! *Jamais !* Et maintenant, dehors et *restes-y !* »

Tyler, en pleurs, était monté en courant à l'étage et sa mère était venue le voir dans sa chambre. « Ne pleure pas, mon chéri. Tout va s'arranger, tu verras.

— Non, ça... ça ne s'arrangera pas, disait-il à travers ses larmes. Il... il me déteste.

— Non. Il ne te déteste pas.

— Je n'ai fait que m'asseoir dans son fauteuil.

— C'est *son* fauteuil, mon chéri. Il ne veut pas qu'on s'y assoie. »

Il ne pouvait pas s'arrêter de pleurer. Elle l'avait pris contre elle et avait dit : « Tyler, lorsque ton père et moi nous sommes mariés, il a dit qu'il voulait que je fasse partie de l'entreprise. Il m'a donné une action. C'était une sorte de plaisanterie dans la famille. Cette action, je vais te la donner. Je vais la déposer sur un compte pour toi. Comme ça, tu feras partie de la société toi aussi. Ça te va ? »

Il y avait cent actions des Stanford Enterprises en Bourse et Tyler, tout fier, s'était retrouvé propriétaire de l'une d'elles.

En apprenant le geste de sa femme, Harry Stanford avait dit d'un ton méprisant : « Mais qu'est-ce que tu veux qu'il fasse d'une seule action ? Mettre la main sur la société ? »

Tyler avait éteint le poste et était resté sans bouger, le temps de s'habituer à la nouvelle. Il éprouvait un sentiment de profonde satisfaction. La coutume veut que les fils réussissent pour faire plaisir à leur père. Tyler Stanford, lui, avait voulu réussir afin de pouvoir *détruire* son père.

Enfant, il rêvait souvent que son père était reconnu coupable du meurtre de sa mère et que c'était lui, Tyler, qui prononçait la sentence. *Je vous condamne à mourir sur la chaise électrique !* Dans d'autres variantes du même rêve, Tyler condamnait son père à être pendu, empoisonné ou abattu par balles. Ces rêves avaient failli se réaliser.

L'école militaire où on l'avait envoyé se trouvait dans le Mississippi. Pendant quatre ans, il y avait connu l'enfer à l'état pur. Tyler détestait la discipline et la rigidité de la vie militaire. Pendant sa première année, il avait sérieusement songé au suicide mais cela eût trop fait plaisir à son père. *Il a tué ma mère. Moi, il ne me tuera pas.*

Tyler, qui trouvait les officiers instructeurs particulièrement durs à son égard, était convaincu que son père était responsable de la chose. Il avait refusé de se laisser briser par l'école. Bien qu'obligé de rentrer chez lui aux vacances, ses séjours chez son père étaient devenus de plus en plus pénibles.

Son frère et sa sœur rentraient aussi à la maison pour les vacances mais leur père avait détruit le lien fraternel qu'il pouvait y avoir entre eux. Ils étaient les uns pour les autres des étrangers qui attendaient la fin des vacances pour pouvoir s'échapper.

Tyler savait que son père était milliardaire mais la petite allocation que Woody, Kendall et lui-même recevaient leur venait de l'héritage de leur mère. En grandissant, Tyler se demanda s'il avait droit à la fortune familiale. Il était convaincu qu'on les escroquait, son frère, sa sœur et lui. *Il me faut un avocat.* C'était naturellement hors de question, mais sa pensée suivante avait été : *Je vais devenir avocat.*

En apprenant les projets de Tyler, son père avait dit : « Comme ça, tu veux devenir avocat, hein ? Tu penses peut-être que je te donnerai du travail dans les Entreprises Stanford. Eh bien, détrompe-toi. Je ne te laisserais même pas t'en approcher à un kilomètre ! »

A sa sortie de la faculté de droit, Tyler eût pu prati-
quer à Boston où le nom qu'il portait lui eût ouvert le
conseil d'administration de dizaines de sociétés, mais il
avait préféré mettre de la distance entre son père et lui.

Il avait décidé d'ouvrir un cabinet d'avocat à
Chicago. Il refusait d'exploiter son nom de famille et les
clients étaient rares. La politique, à Chicago, était entre
les mains de la Machine et Tyler comprit vite qu'un
jeune avocat avait intérêt à lier son destin à la puissante
Cook County Lawyers Association qui tenait tous les
fils. On lui avait donné du travail au bureau du procureur général. Il avait l'esprit vif et apprenait rapidement, si bien qu'il avait su en peu de temps se rendre
indispensable. Il avait poursuivi des criminels accusés
de tous les crimes possibles et imaginables et son pal-
marès de condamnations était phénoménal.

Il monta rapidement dans la hiérarchie et le jour de
la récompense arriva enfin : il fut élu juge d'assises pour
le comté de Cook. Il avait cru que son père serait enfin
fier de lui. Il se trompait.

« Toi ? Juge d'assises ? C'est la meilleure. Moi, je ne
te laisserais même pas arbitrer un concours de pâtisse-
ries ! »

Le juge Tyler Stanford était un homme de petite
taille, un peu fort, l'œil calculateur et la bouche dure. Il
était dépourvu du charisme ou de la séduction de son
père. Il se faisait surtout remarquer par sa voix grave,
sonore, idéale pour prononcer des sentences.

Personnage secret, Tyler Stanford ne se livrait pas. Il
avait quarante ans mais faisait plus vieux que son âge. Il
se flattait de n'avoir aucun sens de l'humour. La vie
était trop sinistre pour être prise à la légère. Il avait
pour unique passe-temps les échecs auxquels il jouait

une fois par semaine dans un club local où il gagnait à tous coups.

Tyler Stanford était un juriste brillant, fort estimé de ses collègues qui prenaient souvent conseil auprès lui. Très peu de gens savaient qu'il appartenait à la fameuse famille Stanford. Il ne mentionnait jamais le nom de son père.

Il siégeait dans le grand tribunal du comté de Cook, au coin de la Vingt-sixième Rue et de California Street, un édifice en pierre de quatorze étages précédé d'un imposant escalier conduisant à l'entrée principale. Le quartier était dangereux et on pouvait lire à l'extérieur un écriteau : PAR ORDRE DU TRIBUNAL, TOUTE PERSONNE PÉNÉTRANT DANS CET ÉDIFICE DOIT SE SOUMETTRE À UNE FOUILLE.

C'était là que Tyler passait ses journées, à juger des affaires de vol, de cambriolage, de viol, d'agression à main armée et de meurtre. Connu pour la sévérité de se sentences, on l'appelait le Juge la Terreur. A longueur de journée, il entendait les accusés plaider la pauvreté, une enfance malheureuse, un foyer brisé, et mille autres excuses. Aucune d'elles ne trouvait grâce à ses yeux. Un crime était un crime et devait être puni. L'image de son père ne le quittait jamais.

Les collègues de Tyler Stanford ignoraient presque tout de sa vie privée. Ils savaient qu'il avait eu un mariage malheureux, qu'il était divorcé et qu'il vivait seul dans une petite maison de style géorgien de Kimbark Avenue dans le quartier de Hyde Park. On trouvait encore d'anciennes demeures superbes dans ce quartier que l'incendie qui avait rasé Chicago, en 1871, avait curieusement épargné. Il ne s'était pas fait d'amis dans le voisinage et ses voisins ne savaient rien de lui.

Une femme de ménage venait chez lui trois fois par semaine mais il faisait ses courses lui-même. C'était un homme rangé dont l'emploi du temps était réglé comme une horloge. Le samedi, il allait dans Harper Court, un petit centre d'achat près de chez lui, au Mr. G's Fine Food ou encore chez Medici dans la Cinquante-septième Rue.

Il arrivait de temps à autre à Tyler de faire la connaissance, à l'occasion de rencontres officielles, des épouses de ses collègues juristes. Devinant sa solitude, elles lui proposaient de le présenter à des amies ou l'invitaient à dîner. Il déclinait toutes ces invitations.

« Ce soir, je suis occupé. »

Ses soirées paraissaient bien remplies, mais elles n'avaient pas la moindre idée de ce qu'il en faisait.

« Tyler ne s'intéresse qu'au droit, expliqua à sa femme l'un des juges. Les femmes ne l'intéressent pas pour l'instant. Il paraît qu'il a fait un mariage désastreux. »

Ce juge avait raison.

Après son divorce, Tyler s'était juré de ne plus jamais s'engager sentimentalement. Puis il avait rencontré Lee et plus rien n'avait été comme avant. Lee était superbe, sensible et tendre – la personne avec laquelle Tyler eût voulu passer le reste de sa vie. Tyler aimait Lee, mais pourquoi en aurait-il été aimé ? Mannequin en vogue, Lee avait des dizaines d'admirateurs, riches pour la plupart. Sans parler de ses goûts dispendieux.

Tyler sentait bien qu'il n'avait aucune chance. Il n'était pas de taille à rivaliser avec les autres pour l'affection de Lee. Mais voilà que d'un seul coup les choses pouvaient changer, maintenant que son père était mort. Il serait plus riche qu'il ne l'avait rêvé même dans ses rêves les plus fous.

Il donnerait l'univers à Lee.

Tyler entra dans le cabinet du juge en chef. « Keith, j'ai bien peur de devoir passer quelques jours à Boston. Des affaires de famille. Pensez-vous que quelqu'un pourrait se charger de mes dossiers ?
— Bien sûr. Je vais arranger ça.
— Merci. »

Le juge Tyler Stanford s'envola pour Boston l'après-midi même. Dans l'avion, il repensa aux paroles qu'avait prononcées son père en ce jour terrible : *« Je connais tes sales petits secrets. »*

CHAPITRE NEUF

Il pleuvait à Paris, une chaude pluie de juillet qui forçait les passants à courir se mettre à l'abri sous les porches ou à chercher de l'œil des taxis inexistants. Dans l'auditorium d'un grand immeuble gris de la rue du Faubourg-Saint-Honoré, c'était la panique. Une demi-douzaine de mannequins à moitié nus couraient dans tous les sens au milieu d'une sorte d'hystérie collective tandis que les membres du service d'ordre finissaient de disposer les chaises et que les menuisiers exécutaient à coups de marteau des travaux de dernière minute. Tout le monde hurlait et gesticulait fiévreusement dans un bruit éprouvant.

Au centre de l'ouragan, essayant tant bien que mal de tirer un semblant d'ordre de ce chaos, se tenait la directrice elle-même, Kendall Stanford Renaud. On était à quatre heures du défilé et tout allait de travers.

Catastrophe : John Fairchild du magazine *W* serait contre toute attente présent à Paris et on n'avait pas prévu de siège pour lui.

Tragédie : la sono ne marchait pas.

Désastre : Lili, l'une des *top-models*, était malade.

On était en situation d'urgence : deux des maquilleurs, en pleine bagarre dans les coulisses, étaient très en retard sur l'horaire.

Calamité : toutes les coutures des jupes fourreaux se défaisaient.

Autrement dit, pensa Kendall avec une ironie désabusée, *tout se déroule normalement.*

On aurait pu prendre Kendall Stanford Renaud pour un mannequin, ce qu'elle avait d'ailleurs été à une époque. De son chignon à résille dorée à ses chaussures Chanel, une élégance soigneusement concertée se dégageait de toute sa personne. Tout chez elle – le geste, la nuance du vernis à ongles, le timbre du rire – avait une grâce artificielle. Son visage, dépouillé de son savant maquillage, était quelconque, mais elle se donnait tellement de mal pour que cela ne se remarque pas que personne ne s'en apercevait.

Elle était partout à la fois.

« Qui a éclairé cette rampe ? Ray Charles ? »

« Je veux un fond bleu... »

« On voit la doublure. Arrangez-moi ça ! »

« Je ne veux pas voir de mannequins se coiffer ou se maquiller au milieu des cintres. Que Lulu leur trouve un vestiaire ! »

L'administrateur de Kendall se précipita vers elle. « Kendall, trente minutes, c'est trop long ! C'est trop long ! Le défilé ne devrait pas durer plus de vingt-cinq minutes. »

Elle interrompit quelques instants ce qu'elle était en train de faire. « Qu'est-ce que vous proposez, Scott ?

— Qu'on retire quelques modèles et qu'on...

— Non. Je vais tout simplement accélérer le rythme du défilé. »

Elle s'entendit de nouveau appeler et se retourna.

« Kendall, on n'arrive pas à joindre Pia. Voulez-vous que Tami porte le tailleur gris anthracite à sa place ?

— Non. C'est Dana qui va le porter. Donnez le costume de garçon et la cape à Tami.

— Et le tricot gris foncé ?

— A Monique. Et veillez à ce qu'elle mette bien des bas gris. »

Kendall regarda le tableau sur lequel étaient épinglées des photos polaroïd des mannequins dans leurs diverses tenues. Celles-ci une fois attribuées, on disposait les photos dans un ordre précis. « On change ça. Je veux que le cardigan beige passe en premier, puis les pièces dépareillées suivies du jersey de soie sans ganses, ensuite la robe du soir en taffetas, les robes d'après-midi et les vestes assorties... »

Deux de ses assistantes coururent vers elle.

« Kendall, on n'arrive pas à se mettre d'accord sur la façon d'asseoir le public. Voulez-vous que l'on mette les acheteurs ensemble ou qu'on les mêle aux célébrités ? »

L'autre assistante prit la parole. « Est-ce qu'on ne devrait pas plutôt mettre les célébrités avec la presse ? »

Kendall les écoutait à peine. Elle venait de passer deux nuits blanches à veiller au moindre détail pour être bien sûre que tout se passerait sans accroc. « Réglez ça vous-mêmes », dit-elle.

Elle regarda toute l'activité qui se déployait autour d'elle en pensant au défilé qui allait commencer et à toutes les notoriétés venues du monde entier applaudir son talent. *Je devrais remercier mon père pour ça. Lui qui disait que je ne réussirais jamais...*

Elle avait toujours voulu être styliste. Enfant, elle avait déjà un sens inné de la mode. Ses poupées avaient les tenues les plus « moderne » qui fussent. Elle montrait ses dernières créations à sa mère, dont elle cherchait l'approbation. Celle-ci l'embrassait et disait : « Tu es très douée, ma chérie. Un jour, tu seras une grande styliste. »

Kendall n'en doutait pas.

A l'école, elle étudia les arts graphiques, le dessin structurel, les conceptions de l'espace, les agencements de couleurs.

« Le mieux, pour commencer, lui conseilla un de ses professeurs, c'est de devenir mannequin vous-même. Comme ça, vous ferez connaissance des plus grands stylistes, vous resterez en éveil et vous apprendrez d'eux. »

Lorsque Kendall avait fait part de son rêve à son père, celui-ci l'avait regardée et avait dit, « *Toi* ? Mannequin ! Tu veux rire ! »

A sa sortie de l'école, Kendall était revenue vivre à Rose Hill. *Père a besoin de moi pour tenir la maison*, s'était-elle dit. Il y avait une douzaine de domestiques mais personne qui tînt bien les choses en main. Harry Stanford étant absent la plupart du temps, le personnel était livré à lui-même. Kendall essaya de mettre de l'ordre. Elle planifia les tâches domestiques, officia comme maîtresse de maison lors des réceptions que donnait son père, fit tout pour lui faciliter la vie. Elle recherchait son approbation. Au lieu de cela, elle devait subir un déluge de critiques.

« Qui a engagé ce maudit chef ? Débarrasse-t'en... »

« Je n'aime pas les nouvelles assiettes que tu as achetées. Qu'est-ce que c'est que ces goûts... »

« Qui t'a dit de redécorer ma chambre ? Mêle-toi de tes oignons... »

Quoi qu'elle fît, ça n'allait jamais.

C'est la tyrannie cruelle de son père qui lui avait fait

quitter finalement la maison. Ç'avait toujours été un foyer sans amour, son père ne faisant aucun cas de ses enfants si ce n'est pour les tenir en laisse et les mater. Un soir, Kendall avait entendu son père dire à un visiteur : « Ma fille a le visage chevalin. Il va lui falloir mettre le paquet pour dégotter une bonne poire qui voudra bien d'elle. »

Ce fut la goutte qui fit déborder le vase. Le lendemain, Kendall quittait Boston pour New York.

Toute seule dans sa chambre d'hôtel, Kendall s'était dit : *D'accord. Me voici à New York. Que faire pour devenir styliste ? Comment entrer dans le monde de la mode ? Comment me faire remarquer ?* Elle se rappela le conseil que lui avait donné son professeur. *Je vais débuter comme mannequin. C'est la seule façon de démarrer.*

Le lendemain matin, Kendall avait consulté les pages jaunes de l'annuaire, noté le nom d'un certain nombre d'agences de mannequins et avait commencé sa tournée. *Je vais être franche avec eux*, s'était dit Kendall. *Je leur dirai que je ne compte rester avec eux que temporairement, en attendant de faire du stylisme.*

Elle pénétra dans les bureaux de la première agence inscrite sur sa liste. A la réception, une femme d'âge mûr lui demanda : « Puis-je faire quelque chose pour vous ?

— Oui. Je voudrais devenir mannequin.

— Moi aussi, ma petite. Aucune chance.

— Quoi ?

— Vous êtes trop grande. »

Kendall serra les mâchoires. « Je veux voir la directrice.

— C'est à elle que vous parlez. C'est moi qui suis propriétaire de la boîte. »

Les cinq ou six visites suivantes ne furent pas plus fécondes.

« Vous êtes trop petite. »

« Trop mince. »

« Trop grosse. »

« Trop jeune. »

« Trop vieille. »

« Vous n'avez pas le type qu'il faut. »

A la fin de la semaine, Kendall avait commencé à perdre courage. Il ne restait qu'une seule agence sur sa liste.

Paramount Models était la plus grosse agence de mannequins de Manhattan. Il n'y avait personne à l'accueil.

Une voix provenant de l'un des bureaux dit : « Elle sera libre la semaine prochaine. Mais pour une journée seulement. Elle a des engagements fermes pour les trois semaines suivantes. »

Kendall se dirigea vers le bureau et jeta un coup d'œil à l'intérieur. Une femme en tailleur parlait au téléphone.

« Parfait. Je vais voir ce que je peux faire. » Roxanne Marinack raccrocha et leva les yeux. « Je regrette, mais vous n'avez pas le profil que nous cherchons. »

Kendall dit en désespoir de cause : « Je peux prendre le profil que vous voulez. Je peux être plus grande ou plus petite. Je peux être plus jeune ou plus vieille, plus mince... »

Roxanne leva la main. « Holà !

— Tout ce que veux, c'est qu'on me donne une chance. J'en ai vraiment besoin... »

Roxanne hésita. Il y avait quelque chose d'attachant dans l'ardeur de cette jeune fille dont la silhouette était en outre ravissante. Elle n'était pas belle, mais qui sait, avec le maquillage... « Vous avez de l'expérience ?

— Oui. J'ai porté des vêtements toute ma vie. »

Roxanne se mit à rire. « Très bien. Montrez-moi un peu votre *book*.

— Mon *book* ? »

Roxanne soupira. « Ma chère, aucun mannequin qui se respecte ne se déplace sans son *book*. C'est sa bible. C'est la première chose que les clients potentiels regardent. » Roxanne poussa un autre soupir. « Je veux que vous vous fassiez faire deux photos de la tête – une souriante et une sérieuse. Faites quelques pas.

— D'accord. » Kendall s'exécuta.

« Lentement. » Roxanne l'étudiait. « Pas mal. Je veux une photo de vous en maillot de bain ou en slip et soutien-gorge, quelque chose qui vous aille.

— J'en ferai faire de chaque », dit-elle avec empressement.

Roxanne ne put s'empêcher de sourire. « Parfait. Vous êtes... heu... un peu particulière mais on pourra peut-être vous faire faire un essai.

— Je vous remercie.

— Ne remerciez pas trop vite. Travailler comme mannequin pour les magazines de mode est moins simple qu'il ne paraît. C'est un dur métier.

— Je suis partante.

— On verra. Je vais miser sur vous. Je vais vous envoyer à des *go and see*.

— Je vous demande pardon ?

— Un *go and see* est une rencontre où les clients choisissent tous les nouveaux mannequins. Il y aura des mannequins d'autres agences aussi. C'est un peu comme une foire de bétail.

— Je me débrouillerai. »

C'est ainsi que Kendall avait débuté. Elle avait participé à des dizaines de *go and see* avant qu'un styliste ne lui fasse porter ses vêtements. Elle était si tendue qu'elle avait failli tout gâcher en parlant trop.

« J'aime vraiment vos robes. Je pense qu'elles m'iraient bien. Enfin, elles iraient bien à *n'importe quelle* femme, bien sûr. Elles sont magnifiques ! Mais je trouve qu'elles me vont particulièrement bien. » Elle était si nerveuse qu'elle bafouillait.

Le styliste avait acquiescé avec indulgence. « C'est votre premier job, n'est-ce pas ?

— Oui monsieur. »

Il avait souri. « Parfait. Je vais vous prendre à l'essai. Comment vous appelez-vous déjà ?

— Kendall Stanford. » Elle s'était demandé s'il ferait le rapprochement entre elle et les fameux Stanford, mais naturellement il n'y avait aucune raison pour qu'il le fasse.

Roxanne avait raison. Le travail de mannequin était un dur métier. Kendall avait dû se résigner aux rebuffades et aux *go and see* qui ne débouchaient sur rien, elle avait dû apprendre à passer des semaines sans travail. Lorsqu'elle en avait, elle était au maquillage à six heures du matin, passait sans interruption d'une prise de vue à l'autre et finissait souvent bien après minuit.

Un soir, après une longue journée de prises de vue en compagnie d'autres mannequins, Kendall s'était regardée dans une glace et avait gémi : « Je ne pourrai jamais travailler demain. Regardez comme j'ai les yeux gonflés ! »

L'un des mannequins avait dit : « Mets des tranches de concombre sur tes yeux. Ou encore, tu fais infuser des sachets de camomille, tu les laisses refroidir et tu les appliques sur tes yeux quinze minutes. »

Le lendemain matin, ses yeux étaient dégonflés.

Kendall enviait les mannequins qui étaient constamment demandés. Elle entendait Roxanne planifier leurs engagements : « J'avais une option de Scaasi sur Michelle. Appelez-les et dites-leur qu'elle sera disponible et qu'on leur donnera pour cette fois la priorité... »

Kendall comprit rapidement qu'il ne fallait pas critiquer les vêtements qu'elle portait en tant que mannequin. Elle se lia avec quelques-uns des plus grands photographes de la profession et se fit faire un assortiment de photos pour son *book*. Elle se déplaçait avec un sac rempli de tout l'attirail du métier – vêtements, maquillage, trousse de manucure et bijoux. Elle apprit à sécher ses cheveux tête en bas pour leur donner plus de corps et à les friser avec des bigoudis.

Il y avait quantité d'autres choses à apprendre. Elle avait la cote avec les photographes et l'un d'eux l'avait prise à part pour lui donner quelques conseils. « Kendall, garde toujours tes sourires pour les dernières photos. Comme ça, ta bouche aura moins de rides. »

Kendall avait vu sa notoriété croître. Sans avoir la beauté époustouflante qui distingue la plupart des mannequins, elle avait quelque chose d'autre, du charme et de l'élégance.

« Elle a de la classe », avait dit un publicitaire.

Cela la définissait tout entière.

« Je t'ai pris des engagements pour les quatre semaines à venir, lui dit Roxanne. Tout le monde t'aime.

— Roxanne...

— Oui, Kendall ?

— Je ne veux plus faire ça. »

Roxanne l'avait regardée, incrédule. « Quoi ?

— Je veux être mannequin de défilés de mode. »

La plupart des mannequins ambitionnaient de faire des défilés de mode. C'était la forme la plus passionnante et la plus lucrative du métier.

Roxanne était sceptique. « C'est presque impossible d'entrer dans ce monde et...

— Je vais y arriver. »

Roxanne l'examina. « Tu y tiens vraiment, n'est-ce pas ?

— Oui. »

Roxanne hocha la tête. « D'accord. Si tu es sérieuse, il faut que tu apprennes d'abord à faire de la poutre.

— Quoi ? »

Roxanne lui expliqua.

Cet après-midi-là, Kendall acheta une étroite poutre de deux mètres, la passa au papier de verre pour en retirer les échardes et la posa sur son plancher. Les premières fois qu'elle marcha dessus, elle tomba. *Ça ne va pas être facile*, estima Kendall. *Mais je vais y arriver.*

Le matin, elle se levait tôt et s'entraînait à marcher sur la poutre sur la plante des pieds. *Laisse-toi guider par les hanches. Repère-toi avec tes orteils. Baisse le talon.* Son équilibre était de jour en jour meilleur.

Elle faisait à grands pas des allers et retours devant un miroir en pied. Elle apprit à marcher avec un livre sur la tête. Elle s'entraîna à changer rapidement de vêtements, quittant des tennis et des shorts pour mettre des talons hauts et une robe du soir.

Lorsqu'elle se jugea prête, elle revint voir Roxanne.

« Je me mouille pour toi, lui dit Roxanne. Ungaro recherche un mannequin pour ses défilés. Je t'ai recommandée. Il va te donner une chance. »

Kendall était folle de joie. Ungaro était l'un des plus brillants stylistes de la profession.

La semaine suivante, Kendall s'était présentée au défilé. Elle s'était efforcée d'avoir l'air aussi naturelle que les autres mannequins.

Ungaro lui avait tendu avec un sourire la tenue qu'elle devait porter. « Bonne chance.

— Merci. »

Lorsque Kendall entra en piste, on eût dit qu'elle avait fait cela toute sa vie. Même les autres mannequins avaient été impressionnés. Le défilé avait connu un immense succès et, à partir de ce jour, Kendall avait fait partie de l'élite. Elle avait commencé à travailler avec les grands noms de la mode – Yves Saint Laurent, Halston, Christian Dior, Donna Karan, Calvin Klein, Ralph Lauren, St. John. Très sollicitée, elle allait de défilés en défilés de par le monde. A Paris, les défilés de haute couture avaient lieu en février et en juillet. A Milan, les périodes de pointe étaient mars, avril, mai et juin, tandis qu'à Tokyo les défilés se tenaient surtout en avril et en octobre. C'était une vie trépidante, active, dont elle savourait chaque instant.

Kendall ne cessait de travailler et d'apprendre. Travaillant comme mannequin pour les plus grands stylistes, elle réfléchissait aux changements qu'elle apporterait si c'était *elle* qui était styliste. Elle apprit comment les vêtements étaient censés être portés, comment le tissu était censé tomber autour du corps. Elle découvrit ce qu'était un vêtement bien coupé et bien ajusté, quelles parties du corps les femmes voulaient montrer et cacher. Elle faisait des croquis chez elle et les idées lui venaient comme par enchantement. Un jour, elle présenta un *book* de ses croquis à la responsable des achats de chez Magnin's. Celle-ci n'en revenait pas. « Qui a dessiné ça ? demanda-t-elle.

— C'est moi.

— Ils sont bons. Ils sont très bons. »

Deux semaines plus tard, Kendall entrait comme assistante chez Donna Karan pour s'initier aux aspects commerciaux de l'industrie du vêtement. Chez elle, elle continuait à dessiner des vêtements. Un an plus tard, elle présentait son premier défilé. Ce fut un désastre.

Ses modèles étaient quelconques et passèrent inaperçus. Elle fit un deuxième défilé et personne ne se déplaça.

Je me suis trompée de métier, pensa-t-elle.

« Un jour, tu seras une grande styliste. »

Je dois mal m'y prendre, pensa-t-elle.

La révélation lui vint au milieu de la nuit. Kendall se réveilla et resta étendue dans son lit à réfléchir. *Je dessine des vêtements pour mannequins. C'est pour les femmes réelles, pour des femmes actives ou au foyer, que je devrais dessiner. Elégants mais confortables. Elégants mais pratiques !*

Il avait fallu environ un an à Kendall pour préparer son défilé suivant qui avait connu un succès immédiat.

Kendall revenait rarement à Rose Hill et, lorsqu'elle le faisait, ses séjours étaient atroces. Son père n'avait pas changé. Il avait même empiré.

« Tu t'es pas encore dégotté de mari, hein ? Ça m'étonnerait que tu y arrives. »

C'est à un gala de charité que Kendall avait fait la connaissance de Marc Renaud. Il travaillait au service international d'une maison de courtage new-yorkaise où il s'occupait de devises étrangères. De cinq ans plus jeune que Kendall, c'était un Français séduisant, grand et mince. Il était charmant et attentif, et Kendall avait immédiatement été attirée par lui. Il l'invita à dîner le soir suivant et, cette nuit-là, elle coucha avec lui. Ils passèrent par la suite toutes leurs nuits ensemble.

Un soir, Marc dit : « Kendall, tu sais que je suis follement amoureux de toi. »

Elle lui répondit tendrement : « Tu es l'homme que j'attendais, Marc.

— Il y a un hic toutefois. Tu réussis bien et je suis loin de faire autant d'argent que toi. Qui sait si un jour... »

Kendall avait mis ses doigts sur ses lèvres. « Pas de ça. Tu m'as apporté plus que je ne l'aurais jamais imaginé. »

A Noël, Kendall emmena Marc à Rose Hill pour le présenter à son père.

« Tu vas épouser *ça* ! avait rugi Harry Stanford. Il est rien, ce type-là ! Il t'épouse pour l'argent dont il pense que tu vas hériter. »

Kendall n'eût-elle eu que cette raison d'épouser Marc qu'elle eût été suffisante. Ils s'étaient mariés dans le Connecticut le lendemain. Et son mariage avec Marc apporta à Kendall un bonheur tel qu'elle n'en avait jamais connu jusqu'alors.

« Il ne faut pas que tu te laisses intimider par ton père, avait-il dit à Kendall. Toute sa vie, il s'est servi de l'argent comme d'une arme. On n'a pas besoin de son argent. »

Et Kendall l'avait aimé pour cela.

Marc était un mari merveilleux – gentil, prévenant et tendre. *Je suis comblée*, se disait Kendall, tout heureuse. *Le passé est enterré*. Elle avait réussi malgré son père. Dans quelques heures, le monde de la mode n'aurait d'yeux que pour son talent.

La pluie avait cessé. C'était de bon augure.

Le défilé fut sensationnel. A la fin, au son de la musique et sous les flashes des appareils-photo, Kendall s'engagea sur la piste et reçut une ovation. Elle aurait voulu que Marc soit auprès d'elle à Paris pour partager son triomphe mais sa maison de courtage avait refusé de lui donner un congé.

Lorsque la foule fut partie, Kendall revint à son bureau, euphorique. Une de ses assistantes lui dit : « Un coursier vient de déposer une lettre pour vous. »

Kendall regarda l'enveloppe brune que son assistante lui tendait et un frisson la traversa. Elle sut ce qu'elle contenait avant de l'ouvrir. La lettre disait :

Chère Madame Renaud,

J'ai le regret de vous informer que la Société Protectrice des Animaux Sauvages est de nouveau à court de fonds. Nous avons besoin de 100 000 dollars

immédiatement pour couvrir nos dépenses. L'argent
devra être viré au compte numéro 804072-A au Crédit
Suisse de Zurich.

Il n'y avait pas de signature.

Kendall resta un moment sans bouger, les yeux fixés
sur la lettre, paralysée. *Ça ne cessera donc jamais. Ce
chantage ne prendra donc jamais fin.*

Une autre assistante entra en coup de vent dans le
bureau. « Kendall, je suis désolée, mais je viens
d'apprendre une terrible nouvelle. »

Je ne peux plus supporter de terribles nouvelles, pensa
Kendall. « Quoi... de quoi s'agit-il ? »

— On vient d'annoncer sur Radio-Télé Luxembourg
que votre père était... mort. Il s'est noyé. »

Il fallut à Kendall un moment pour digérer la chose.
Sa première pensée fut : *Je me demande de quoi il aurait
été le plus fier. De ma réussite ou du fait que je suis une
meurtrière ?*

CHAPITRE DIX

Peggy Malkovich était mariée à Woodrow « Woody » Stanford depuis deux ans mais, pour les résidents de Hobe Sound, elle était toujours la « serveuse ».

Peggy servait au Rain Forest Grille lorsqu'elle avait fait la connaissance de Woody. Woody Stanford était l'enfant chéri de Hobe Sound. Il habitait la villa familiale, avait de beaux traits classiques et, charmant et sociable, faisait une proie toute désignée pour les filles à marier de Hobe Sound, de Philadelphie et de Long Island. Le monde avait donc été sens dessus dessous quand il avait brusquement filé avec une serveuse de vingt-cinq ans qui ne payait pas de mine, avait quitté l'école de bonne heure et venait d'une famille ouvrière.

Le choc avait été d'autant plus grand que tous étaient convaincus que Woody épouserait Mimi Carson, intelligente et belle héritière d'un magnat de l'industrie du bois et qui était follement amoureuse de lui.

En règle générale, les résidents de Hobe Sound préféraient cancaner sur les amours de leurs domestiques plutôt que sur celles de leurs pairs mais, dans le cas de Woody, ce mariage était tellement scandaleux qu'ils avaient fait une exception. La nouvelle s'était rapidement répandue qu'il avait engrossé Peggy Malkovich puis l'avait épousée. Quant à savoir laquelle des deux fautes était la plus grave, la réponse ne faisait pas de doute pour eux.

Toute cette histoire avait un petit parfum de déjà vu. Vingt-quatre ans auparavant, Hobe Sound avait été le théâtre d'un scandale analogue dans lequel les Stanford étaient impliqués. Emily Temple, la fille de l'une des familles les plus anciennes de l'endroit, s'était suicidée parce que son mari avait fait un enfant à la gouvernante.

Woody Stanford ne faisait pas mystère de la haine qu'il vouait à son père et le sentiment général était qu'il avait épousé la serveuse par dépit, pour montrer qu'il avait plus de principes que son père.

La seule personne invitée au mariage avait été le frère de Peggy, Hoop, qui était venu en avion de New York. De deux ans l'aîné de Peggy, Hoop travaillait dans une boulangerie du Bronx. Grand et émacié, il avait le visage marqué de la petite vérole et un fort accent de Brooklyn.

« T'es tombé sur une fille en or, dit-il à Woody après la cérémonie.

— Je le sais, dit Woody d'une voix neutre.

— Tu vas bien prendre soin d'elle, hein ?

— Je vais faire de mon mieux.

— Ouais. Génial. »

Conversation, qui ne restera pas dans les annales, entre un boulanger et le fils de l'un des hommes les plus riches du monde.

Un mois après le mariage, Peggy faisait une fausse couche.

Hobe Sound est une communauté très fermée, et Jupiter Island en est la partie la plus huppée. L'île est bordée, à l'ouest, de la voie maritime qui longe les côtes de Floride et, à l'est, par l'Atlantique. C'est un paradis d'intimité – riche, discret et préservé, où l'on compte plus de policiers par habitant que dans tout autre endroit de la planète ou presque. On roule en Taurus ou en break, on possède son petit voilier, un Ligthning de six mètres ou un Quickstep de huit mètres.

Quiconque n'y est pas né doit mériter le privilège d'appartenir à la communauté de Hobe Sound. Après le mariage de Woodow Stanford et de la « serveuse », la question brûlante qui agitait tous les esprits fut : Quel accueil la bonne société locale allait-elle réserver à la nouvelle épouse ?

Mme Anthony Pelletier, doyenne de Hobe Sound et arbitre de tous les différends mondains, s'était donné pour noble mission de protéger sa communauté contre les parvenus et les nouveaux riches. Lorsque de nouveaux venus fraîchement débarqués à Hobe Sound avaient le malheur de lui déplaire, elle avait coutume de leur faire porter par son chauffeur une malle en cuir. C'était sa façon à elle de leur faire savoir qu'ils n'étaient pas les bienvenus dans la communauté.

Ses amis aimaient raconter l'histoire d'un garagiste et de sa femme qui avaient acheté une maison à Hobe Sound. Mme Pelletier leur avait envoyé la malle traditionnelle et lorsque l'épouse du garagiste en avait découvert la signification, elle avait éclaté de rire. Elle avait dit : « Si cette vieille peau croit qu'elle va me faire partir d'ici, elle est folle ! »

Mais des événements bizarres avaient commencé à se produire. Les ouvriers ou mécaniciens étaient introuvables, l'épicier n'avait jamais les articles qu'elle commandait, leur demande d'adhésion au Jupiter Island Club se voyait rejetée et on refusait de prendre leurs réservations dans les bons restaurants de l'endroit. Personne ne leur adressait la parole. Trois mois après avoir reçu la malle, le couple avait vendu sa maison et avait déménagé.

Aussi, à la nouvelle du mariage de Woody, la communauté avait-elle retenu son souffle collectif. Excommunier Peggy Malkovich reviendrait à excommunier son charmant et populaire mari. On fit discrètement des paris.

Durant les premières semaines, le couple ne reçut aucune invitation à dîner ou aux habituelles réunions mondaines. Mais les résidents aimaient bien Woody et puis, après tout, sa grand-mère maternelle appartenait à l'une des vieilles familles de Hobe Sound. Peu à peu, on commença à les recevoir, lui et Peggy. On était impatient de voir de quoi la mariée avait l'air.

« La pauvre, elle doit bien avoir un petit quelque chose pour elle, sinon Woody ne l'aurait jamais épousée. »

Ils en avaient été pour leurs frais. Peggy était terne et gauche, elle n'avait pas de personnalité et s'habillait mal. *Mal fagotée*, voilà le mot qui venait à l'esprit.

Les amis de Woody étaient déconcertés. « Mais qu'est-ce qu'il lui trouve donc? Lui qui aurait pu épouser *n'importe qui*. »

L'une des premières personnes à les inviter chez elle fut Mimi Carson. Elle avait été anéantie par la nouvelle du mariage de Woody mais était trop fière pour le laisser voir.

A sa meilleure amie qui tentait de la consoler en lui disant : « Mimi! Tu l'oublieras! » elle avait répliqué :

« Je ne vais pas en mourir, mais jamais je ne l'oublierai. »

Woody fit tout pour que son mariage réussisse. Il
était conscient d'avoir fait une erreur mais ne voulait
pas la faire payer à Peggy. Il s'efforça désespérément
d'être un bon mari. Le problème venait de ce que Peggy
n'avait rien en commun avec lui ou avec aucun de ses
amis.

La seule personne avec laquelle elle semblait à l'aise
était son frère. Hoop et elle se téléphonaient tous les
jours.

« Il me manque, se plaignait-elle à Woody.

— Pourquoi ne lui demandes-tu pas de venir passer
quelques jours avec nous ?

— Il ne peut pas. » Et, regardant son mari, elle ajouta
d'un ton de dépit : « Il travaille. »

Lors des réceptions, Woody tentait de la faire participer aux conversations mais il apparut rapidement
qu'elle n'avait rien à dire. Elle restait dans son coin,
muette, se passant la langue sur les lèvres, manifestement mal à l'aise.

Les amis de Woody n'étaient pas sans savoir que
même s'il habitait la villa Stanford, il était brouillé avec
son père et ne vivait que d'une petite rente que sa mère
lui avait laissée. Passionné de polo, il montait les poneys
de ses amis. Dans le monde du polo, on classe les
joueurs par leur handicap, un handicap de dix points
étant le meilleur classement. Woody, qui avait un handicap neuf, avait joué avec Mariano Aguerre de Buenos
Aires, Wicky el Effendi du Texas, Andres Diniz du Bré-

sil et des dizaines d'autres joueurs bien classés. Il n'y avait qu'une dizaine de joueurs de handicap dix dans le monde et la grande ambition de Woody était d'être des leurs.

« Vous savez pourquoi, n'est-ce pas ? avait fait remarquer un de ses amis. Son père avait un handicap dix. »

Sachant que Woody n'avait pas les moyens de s'offrir des poneys, Mimi Carson avait acheté une écurie à son intention. A des amis qui s'en étonnaient, elle avait répondu : « Je veux le rendre heureux dans la mesure de mes moyens. »

Lorsque les nouveaux venus demandaient ce que Woody faisait pour vivre, on se contentait de hausser les épaules. Il vivait en réalité d'expédients. Il se faisait de l'argent en plumant les gogos au golf, il pariait sur les matchs de polo, il empruntait aux autres leurs poneys de polo, leurs yachts de course et, à l'occasion, leur femme.

Son mariage avec Peggy allait à vau-l'eau mais Woody refusait de l'admettre.

« Peggy, disait-il, je t'en prie, lorsque nous allons en société, essaie un peu de te mêler à la conversation.

— Et pourquoi ? Tes amis se trouvent tous trop bien pour moi.

— Mais non, mais non », l'assura Woody.

Une fois par semaine, le Cercle Littéraire de Hobe Sound se réunissait au *country club* pour une discussion sur les dernières parutions suivie d'un déjeuner.

Ce jour-là, alors que ces dames étaient à table, le directeur s'approcha de Mme Pelletier.

« Mme Woodrow Stanford est dehors. Elle désirerait se joindre à vous. »

Un silence s'abattit sur la table.

« Faites-la entrer », dit Mme Pelletier.

Un instant plus tard, Peggy pénétrait dans la salle à manger. Elle s'était lavé les cheveux et avait repassé sa plus belle robe. Elle s'immobilisa, jetant un regard mal assuré sur la compagnie.

Mme Pelletier lui adressa un signe de la tête puis lui dit aimablement : « Madame Stanford. »

Peggy eut un sourire empressé. « Oui, madame.

— Nous n'avons pas besoin de vous. Nous avons déjà une serveuse. » Et Mme Pelletier revint à son déjeuner.

En apprenant la chose, Woody fut furieux. « Comment a-t-elle osé te faire ça ? » Il la prit dans ses bras. « La prochaine fois, consulte-moi avant de faire une chose comme ça, Peggy. A ces déjeuners, il faut être *invité*.

— Je ne savais pas, dit-elle d'un ton maussade.

— C'est rien. Ce soir, on dîne chez les Blake et je veux...

— J'irai pas !

— Mais on a accepté leur invitation.

— Vas-y, toi.

— Je ne veux pas y aller sans...

— J'y vais pas. »

Woody y alla seul et, par la suite, il commença à sortir sans Peggy.

Il rentrait à des heures indues et Peggy était convaincue qu'il voyait d'autres femmes.

L'accident changea tout.

Il se produisit durant un match de polo. Woody jouait en troisième position et un membre de l'équipe adverse avait, en essayant de frapper la balle, accidentellement heurté la jambe du poney qu'il montait. L'animal était tombé et s'était écroulé sur lui. Dans la confusion qui avait suivi, un deuxième poney lui avait donné un coup de sabot. Les médecins des urgences avaient diagnostiqué une fracture de la jambe, trois côtes brisées et un poumon perforé.

On l'avait opéré trois fois en deux semaines et il endurait des douleurs atroces. Les médecins lui avaient donné de la morphine. Peggy venait le voir tous les jours. Hoop était venu de New York pour consoler sa sœur.

Ses douleurs physiques étaient insupportables. Woody ne trouvait de répit que grâce aux médicaments que lui prescrivaient les médecins. Il commença à changer peu de temps après son retour chez lui. Il devint sujet à de brusques changements d'humeur. Tantôt il était exubérant comme à l'accoutumée, tantôt il entrait dans des colères noires ou sombrait dans une dépression profonde. A table, riant et plaisantant, il s'emportait subitement contre Peggy et l'agressait. Au beau milieu d'une phrase il se perdait dans ses rêveries. Il commença à avoir des trous de mémoire. Il oubliait ses rendez-vous, invitait des gens chez lui et n'y était pas lorsqu'ils arrivaient. Tout le monde se faisait du souci pour lui.

Il se mit bientôt à insulter Peggy en public. Un matin que Peggy avait renversé du café qu'elle servait à un ami, Woody avait dit d'un ton sarcastique : « Serveuse un jour, serveuse toujours. »

Il apparut aussi qu'il la frappait. Lorsqu'on l'interrogeait sur les marques de coups visibles sur elle, elle inventait des excuses.

« Je me suis cognée à une porte », ou : « Je suis tombée ». Elle feignait de prendre la chose à la légère. La communauté était scandalisée. C'était elle désormais que l'on plaignait. Mais si quelqu'un s'offusquait du comportement changeant de Woody, elle prenait sa défense.

« Woody a les nerfs soumis à rude épreuve, objectait-elle. Il n'est pas lui-même. » Elle ne tolérait pas qu'on dise du mal de lui.

Ce fut le Dr Tichner qui creva finalement l'abcès. Un jour, il convoqua Peggy à son cabinet.

Elle était nerveuse. « Il y a quelque chose qui ne va pas, docteur ? »

Il l'observa quelques instants. Elle avait une ecchymose sur la joue et un œil enflé.

« Peggy, vous saviez que Woody se droguait ? »

Ses yeux étincelèrent d'indignation. « Non ! C'est impossible ! » Elle se leva. « Je ne veux pas en entendre davantage !

— Asseyez-vous, Peggy. Il est temps de regarder la vérité en face. C'est devenu évident pour tout le monde sauf vous. Son comportement ne vous aura pas échappé. Tantôt il voit la vie en rose et tout est merveilleux, tantôt il est suicidaire. »

Peggy demeura silencieuse. Elle le fixait, toute pâle.

« Il se drogue. »

Elle serra les lèvres. « Non, fit-elle, butée. Il ne se drogue pas.

— Si. Soyez réaliste. Vous voulez l'aider ?

— Evidemment que je veux l'aider ! » Elle se tordait les mains. « Je ferais n'importe quoi pour lui venir en aide. *N'importe quoi.*

— Parfait. Alors, allons-y. Je veux que vous m'aidiez à faire entrer Woody dans un centre de désintoxication. Je lui ai demandé de venir me voir. »

Elle le regarda un long moment puis hocha la tête : « Je vais lui parler », dit-elle calmement.

Cet après-midi-là, lorsque Woody entra dans le cabinet du Dr Tichner, il était dans un état euphorique. « Vous vouliez me voir, docteur ? Au sujet de Peggy, je suppose.

— Non. A votre sujet, Woody. »

Celui-ci le regarda avec étonnement. « Moi ? Qu'est-ce que j'ai ?

— Je pense que vous le savez.

— De quoi voulez-vous parler ? »

— Si vous continuez comme ça, vous allez gâcher votre vie et celle de Peggy. Qu'est-ce que vous prenez, Woody ?

— Qu'est-ce que je prends ?

— Vous m'avez entendu. »

Il y eut un long silence.

« Je veux vous aider. »

Woody demeura silencieux, les yeux fixés sur le sol. Lorsqu'il prit finalement la parole, ce fut d'une voix rauque. « Vous avez raison. J'ai... j'ai voulu me duper moi-même mais je n'en peux plus.

— Vous marchez à quoi ?

— A l'héroïne.

— Mon Dieu !

— Croyez-moi, j'ai essayé d'arrêter mais... je n'y arrive pas.

— Vous avez besoin d'aide. Il existe des endroits où on vous aidera. »

Woody dit d'une voix lasse : « Je veux bien vous croire.

— Je veux que vous entriez à la clinique du Harbour Group de Jupiter. Vous irez ? »

Woody marqua une légère hésitation. « Oui.

— Qui est-ce qui vous fournit en héroïne ? » demanda le Dr Tichner.

Woody secoua la tête. « Ça, je ne vous le dirai pas.

— D'accord. Je vais faire les démarches nécessaires auprès de la clinique. »

Le lendemain matin, le Dr Tichner était assis dans le bureau du chef de la police.

« Quelqu'un lui a fourni l'héroïne, dit le Dr Tichner, mais il refuse de me dire qui. »

Le chef de police Murphy le regarda et hocha la tête. « Je crois savoir qui c'est. »

Il y avait plusieurs suspects possibles. Hobe Sound était une petite enclave où tout le monde était au courant des affaires des autres.

On avait ouvert peu de temps auparavant dans Bridge Road un magasin de spiritueux qui livrait à domicile vingt-quatre heures sur vingt-quatre.

Un médecin d'une clinique locale avait été mis à l'amende pour avoir prescrit des drogues en quantité excessive.

Un gymnase avait ouvert ses portes l'année précédente de l'autre côté de la voie maritime et on racontait que l'entraîneur prenait des stéroïdes et disposait d'autres drogues pour ses bons clients.

Mais le chef de police Murphy songeait à un autre suspect.

Tony Benedotti travaillait depuis de longues années comme jardinier pour plusieurs familles de Hobe Sound. Il avait étudié l'horticulture et sa passion consistait à créer des jardins originaux. Ceux-ci et les pelouses qu'il entretenait étaient les plus beaux de Hobe Sound. C'était un homme paisible et peu communicatif, si bien que les gens qui recouraient à ses services savaient peu de chose de lui. Il paraissait un peu trop instruit pour un jardinier et l'on s'interrogeait sur son passé.

Murphy le convoqua.

« Si c'est pour mon permis de conduire, je l'ai renouvelé, dit Benedotti *.

— Asseyez-vous, ordonna Murphy.

— Il y a un problème ?

— Ouais. Vous avez fait des études, si je ne me trompe ?

— Oui. »

Le chef de police se renversa dans son fauteuil. « Alors, comment se fait-il que vous soyez jardinier ?

— Il se trouve que j'aime la nature.

— Se trouve-t-il autre chose que vous aimiez ?

— Je ne comprends pas.

— Depuis combien de temps êtes-vous jardinier ? »

Benedotti lui adressa un regard perplexe. « Des clients se sont plaints ?

— Contentez-vous de répondre à la question.

— Depuis une quinzaine d'années.

— Vous avez une belle maison et un bateau, n'est-ce pas ?

— Oui.

— Comment pouvez-vous vous offrir ce train de vie avec ce que vous gagnez comme jardinier ? »

Benedotti répondit : « Je n'ai pas une maison si grande que ça ni un bateau si gros que ça.

— Vous ne vous feriez pas un peu d'argent au noir, des fois ?

— Que voulez-vous...

— Vous travaillez pour des gens de Miami, si je ne m'abuse ?

— Oui.

---

* En Amérique, on renouvelle régulièrement son permis de conduire. *(N.d.T.)*

— Il y a beaucoup d'Italiens là-bas. Vous ne leur rendriez pas de petits services, par hasard ?

— Quelles sortes de services ?

— Comme de revendre de la drogue. »

Benedotti lui jeta un regard horrifié. « Mon Dieu ! Bien sûr que non ! »

Murphy se pencha en avant. « Laissez-moi vous dire quelque chose, Benedotti. Je vous avais à l'œil. J'ai eu une petite conversation avec quelques-uns des gens pour qui vous travaillez. Ils ne veulent plus de vous ou de vos amis de la mafia dans les parages. C'est clair ? »

Benedotti se tassa sur sa chaise et ferma les yeux l'espace d'une seconde. « Très clair.

— Bon. Je vous donne jusqu'à demain pour déguerpir. Et que je ne vous revoie plus. »

Woody Stanford demeura trois semaines à la clinique et, à sa sortie, il était devenu le Woody que l'on avait toujours connu – charmant, élégant et de bonne compagnie. Il recommença à jouer au polo sur les poneys de Mimi Carson.

Ce dimanche-là, on célébrait le dix-huitième anniversaire du Palm Beach Polo & Country Club et les trois mille spectateurs qui se dirigeaient vers le terrain de polo créaient des embouteillages monstres dans South Shore Boulevard. On se pressait dans les loges disposées à l'ouest du terrain et dans les gradins qui leur faisaient face. Quelques-uns des meilleurs joueurs du monde devaient s'affronter ce jour-là.

Peggy occupait une loge à côté de Mimi Carson dont elle était l'invitée.

« Woody m'a dit que c'était votre premier match de polo, Peggy. Comment se fait-il que vous n'en ayez jamais vu auparavant ? »

Peggy pinça les lèvres. « Je... Ce doit être parce que l'idée de voir jouer Woody m'inquiétait. Je ne veux pas qu'il se fasse blesser de nouveau. C'est un sport très dangereux, n'est-ce pas ? »

Pensive, Mimi répondit : « Quand vous avez huit joueurs qui pèsent chacun dans les quatre-vingt-dix kilos qui se jettent les uns sur les autres avec leurs poneys de près de cinq cents kilos à soixante kilomètres-heure – oui, des accidents peuvent se produire. »

Peggy frissonna. « Si quelque chose arrivait encore à Woody, je ne pourrais pas le supporter. Je ne pourrais vraiment pas. Je suis folle d'inquiétude pour lui. »

Mimi Caron lui dit gentiment : « Ne vous en faites pas. Il est l'un des meilleurs. Il a fait ses écoles avec Hector Barrantas, vous savez. »

Peggy lui adressa un regard vide. « Qui ?

— Un joueur qui a un handicap de dix points. Une légende vivante du polo.

— Oh. »

Un murmure monta de l'assistance lorsque les poneys firent leur apparition sur le terrain.

« Qu'est-ce qui se passe ? demanda Peggy.

— Ils viennent de terminer une séance d'entraînement. Le match va bientôt commencer. »

Sur le terrain, les deux équipes se mettaient en ligne sous le chaud soleil de Floride et se préparaient au lancer de la balle par l'arbitre.

Woody avait une mine superbe, il était bronzé, en condition et souple – prêt à se jeter dans la mêlée. Peggy lui fit un signe de la main et lui adressa un baiser.

Les deux équipes étaient maintenant alignées côte à côte. Les joueurs abaissèrent leur maillet pour la mise au jeu.

« Il y a généralement six périodes de jeu que l'on appelle des chukkers, expliqua Mimi Carson à Peggy. Chaque chukker dure sept minutes. Le chukker prend fin au son de la cloche. Il y a alors un bref repos. Ils changent de monture à chaque période. L'équipe qui marque le plus de points gagne.

— D'accord. »

Mimi se demanda ce qu'elle avait compris exactement.

Sur le terrain, les joueurs avaient les yeux fixés sur l'arbitre, anticipant le moment où la balle serait lancée. L'arbitre parcourut la foule des yeux puis fit soudainement rouler la balle de plastique entre les deux rangées de joueurs. La partie était commencée.

L'action était rapide. Woody fit le premier jeu en prenant possession de la balle qu'il frappa d'un coup droit en zone hors jeu. La balle fila à toute vitesse vers un joueur de l'équipe adverse. Celui-ci la poursuivit au galop au fond du terrain. Woody fila vers lui et hooka son maillet pour fausser son coup.

« Pourquoi est-ce que Woody fait ça ? » demanda Peggy.

Mimi Carson lui expliqua. « Lorsque votre adversaire a la balle, on a le droit de mettre son maillet en travers du sien, de le hooker, pour qu'il ne puisse pas marquer ou passer. Woody va maintenant recourir à un coup hors jeu pour reprendre possession de la balle. »

Le jeu se déroulait si vite qu'on avait du mal à le suivre.

On entendait crier : « Au centre...

— Carton...

— Laisse-la-moi.. »

Les joueurs traversaient le terrain à toute allure.

Leurs poneys – généralement des pur-sang – étaient responsables de soixante-quinze pour cent de leur réussite. Ces poneys devaient être rapides et pourvus de ce que les joueurs appellent le sens du polo, c'est-à-dire pouvoir anticiper chaque mouvement de leur cavalier.

Woody fut excellent durant les trois premiers chukkers, marquant deux buts dans chacun, ce qui lui valut les applaudissements de la foule en délire. Son maillet semblait doté d'ubiquité. Le public retrouvait le Woody Stanford de toujours, vif comme le vent, intrépide. A la fin du cinquième chukker, son équipe menait. Les joueurs sortirent du terrain pour un arrêt de jeu.

En passant devant Peggy et Mimi, qui étaient assises au premier rang, il leur adressa à toutes deux un sourire.

Peggy se tourna tout excité vers Mimi Caron : « Il est merveilleux, vous ne trouvez pas ? »

Mimi lui lança un bref un coup d'œil. « Oui. En tout. »

Le coéquipiers de Woody le félicitaient.

« Droit dans le mille, mon vieux ! Tu as été terrible ! »

« Des jeux superbes ! »

« Je vous remercie. »

« On va retourner leur faire mordre la poussière. Ils n'ont aucune chance ! »

Woody se fendit d'un large sourire. « Pas de problèmes. »

Il regarda ses coéquipiers rentrer sur le terrain et se sentit tout à coup épuisé. *J'ai présumé de mes forces,* pensa-t-il. *J'ai recommencé à jouer trop tôt. Je ne tien-*

*drai pas le coup. Si je rentre dans la partie, je vais me
ridiculiser.* Il commença à s'affoler et son cœur battit la
chamade. *Ce qu'il me faudrait, c'est un petit remontant.
Non! Pas question! Je m'y suis engagé. Mais l'équipe
m'attend. Je vais m'en permettre un cette fois-ci et ce sera
la dernière.* Il alla à sa voiture et prit quelque chose
dans la boîte à gants.

Lorsqu'il revint sur le terrain, il fredonnait un petit
air et avait les yeux plus brillants que d'habitude. Il
salua la foule d'un geste de la main et rejoignit son
équipe qui l'attendait. *Je n'ai même pas besoin d'équipe,*
se dit-il. *Je pourrais venir à bout de ces salopards tout
seul. Il n'y en a pas un qui m'aille à la cheville.*

L'accident se produisit durant le sixième chukker,
quoique certains spectateurs aient affirmé par la suite
qu'il ne s'était pas agi d'un accident.

Les poneys, qui se serraient de près, couraient vers le
but et Woody était en possession de la balle. Il vit du
coin de l'œil un des joueurs de l'équipe adverse se rapprocher de lui. D'un coup arrière, il envoya la balle derrière le poney. La balle fut saisie par Rick Hamilton, le
meilleur joueur de l'équipe adverse, qui s'élança vers le
but. Woody se jeta à sa poursuite. Il essaya en vain de
hooker le maillet de Hamilton. Les poneys se rappro-
chaient du but. Woody tenta désespérément de
reprendre possession de la balle mais il échoua à
chaque fois.

Alors que Hamilton approchait de but, Woody fit
délibérément faire une embardée à son poney pour lui
faire percuter celui de Hamilton et s'emparer de la

balle. Hamilton et sa monture culbutèrent sur le sol.
L'assistance se leva en criant. L'arbitre siffla et leva la
main.

La première règle du polo stipule qu'il est interdit de
couper la route à un joueur qui se dirige vers le but en
possession de la balle. Tout joueur qui transgresse cette
règle crée une situation dangereuse et commet une
faute.

Il y eut un arrêt de jeu.

L'arbitre s'approcha de Woody. « C'était une faute
délibérée, monsieur Stanford ! » dit-il d'une voix colé-
reuse.

Woody eut un large sourire. « Ce n'était pas ma faute !
Ce maudit poney...

— L'équipe adverse a droit à un tir de pénalité. »

Le chukker tourna au désastre. Woody viola deux fois
encore le règlement de manière flagrante à moins de
trois minutes d'intervalle. Ces pénalités valurent deux
autres buts à l'équipe adverse. A chaque fois, les adver-
saires se virent accorder un lancer de pénalité dans les
buts vides. L'équipe adverse marqua le but gagnant dans
les trente dernières secondes de la partie. Ce qui avait
été une victoire assurée s'achevait en déroute.

Dans la loge, Mimi Carson fut stupéfaite par la tournure subite que prenaient les événements.

Peggy lui demanda timidement : « Ça ne s'est pas bien
passé, c'est ça ? »

Mimi se tourna vers elle. « Non. J'en ai bien peur. »

Un membre du service d'ordre s'approcha de la loge.
« Mademoiselle Carson, pourrais-je vous dire un mot ? »

Mimi Carson se tourna vers Peggy. « Excusez-moi un
instant. »

Peggy la regarda s'éloigner.

La partie finie, l'équipe de Woody demeura silencieuse. Quant à lui, il se sentait trop honteux pour
regarder les autres. Mimi Carson se précipita vers lui.

« Woody, je crains d'avoir à t'annoncer une terrible,
terrible nouvelle. » Elle posa une main sur son épaule.
« Ton père est mort. »

Woody leva les yeux vers elle et secoua la tête dans
un sens et dans l'autre. Il se mit à sangloter. « C'est...
c'est à cause de moi. C'est m... ma faute.

— Non. Tu n'as rien à te reprocher. Ce n'est pas ta
faute.

— Oui, c'est la mienne. » Il pleurait. « Tu ne
comprends donc pas ? S'il n'y avait pas eu mes pénalités, on aurait gagné la partie. »

CHAPITRE ONZE

Julia Stanford n'avait jamais connu son père et voilà qu'il était mort, réduit à une manchette du *Kansas City Star* : L'INDUSTRIEL HARRY STANFORD SE NOIE EN MER ! Elle demeura immobile, les yeux posés sur la photo de Stanford à la première page du journal, envahie de sentiments contradictoires. *Est-ce que je le hais pour la manière dont il a traité ma mère ou est-ce que je l'aime parce que c'est mon père ? Est-ce que je me sens coupable de n'avoir jamais essayé d'entrer en relation avec lui ou est-ce que je lui en veux pour n'avoir jamais tenté de me retrouver ? Ça n'a plus d'importance,* pensa-t-elle. *Il est décédé.*

Toute sa vie d'enfant et de jeune fille, son père avait été mort pour elle, et voilà qu'il mourait de nouveau, la frustrant de quelque chose qu'elle n'eût su formuler. Curieusement, elle éprouvait un sentiment accablant de deuil. *Ridicule !* se dit-elle. *Comment pourrais-je regretter quelqu'un que je n'ai jamais connu ?* Elle regarda de nouveau la photo du journal. *Est-ce que je tiens de lui ? Les yeux. J'ai les mêmes yeux gris foncé.*

Elle alla dans le placard de sa chambre, en retira un carton dans lequel elle prit un album de photos relié en cuir. Elle s'assit sur le bord de son lit et l'ouvrit. Elle passa les deux heures suivantes absorbée dans son contenu familier. On y voyait d'innombrables photos de sa mère dans son uniforme de gouvernante, en compagnie de Harry Stanford, de Mme Stanford et de leurs trois jeunes enfants. La plupart des clichés avaient été pris sur leur yacht, à Rose Hill ou à la villa de Hobe Sound.

Julia prit les coupures de journaux qui rapportaient le scandale survenu des années auparavant à Boston. Les manchettes jaunies étaient éloquentes :

HISTOIRE D'ALCÔVE DANS BACON HILL

LE MILLIARDAIRE HARRY STANFORD IMPLIQUÉ DANS UN SCANDALE

SUICIDE DE L'ÉPOUSE D'UN GRAND INDUSTRIEL

LA GOUVERNANTE, ROSEMARY NELSON, DISPARAÎT

Il y avait des dizaines d'articles à sensation ainsi remplis d'insinuations malveillantes.

Julia demeura sans bouger un long moment, perdue dans le passé.

Elle était née à l'hôpital Saint-Joseph de Milwaukee. Ses plus lointains souvenirs la ramenaient dans des logements horribles, sans confort. Elles ne cessaient d'aller de ville en ville. Il leur arrivait d'être sans le sou, avec à peine de quoi manger. Sa mère, toujours malade, avait du mal à garder un emploi stable. Julia avait appris, toute petite, à ne pas demander de jouets ou de robes neuves.

Julia commença à aller à l'école à cinq ans. Ses camarades de classe se moquaient d'elle parce qu'elle portait toujours la même robe et les mêmes chaussures éculées. Lorsque les autres enfants la harcelaient, elle ne se laissait pas faire. C'était une forte tête et elle était toujours convoquée chez le principal. Ses professeurs ne savaient comment la prendre. Elle avait constamment des ennuis. On l'eût volontiers renvoyée n'eût été une chose : elle était la plus brillante élève de sa classe.

Sa mère lui avait dit que son père était mort et elle s'était faite à cette idée. Mais, à douze ans, elle était tombée sur un album rempli de photos de sa mère en compagnie d'inconnus.

« Qui sont ces gens ? » avait demandé Julia.

Sa mère avait alors décidé que le moment était venu.

« Assieds-toi, ma chérie. » Elle avait pris la main de Julia et l'avait serrée étroitement dans la sienne. Il n'y avait aucun moyen de tergiverser. « Ce sont ton père, ta demi-sœur et tes deux demi-frères. »

Julia lui avait jeté un regard interrogatif. « Je ne comprends pas. »

La vérité lui était finalement apparue. Elle était bouleversée. Son père était vivant ! Et elle avait une demi-sœur et deux demi-frères. Cela dépassait son entendement. « Pourquoi... pourquoi m'as-tu menti ?

— Tu étais trop jeune pour comprendre. Ton père et moi... nous avions une liaison. Il était marié et moi... J'ai été obligée de partir, pour te mettre au monde.

— Je le déteste ! dit Julia.

— Il ne faut pas, avait dit sa mère.

— Comment a-t-il pu te faire ça ? avait-elle voulu savoir.

— Ce qui est arrivé a été autant ma faute que la sienne. » Chaque mot était un supplice. « Ton père était un homme très séduisant et moi, j'étais jeune et écervelée. Je savais que notre liaison ne pouvait déboucher sur rien. Il me disait qu'il m'aimait... mais il était marié et avait une famille. Et... et je me suis alors retrouvée enceinte. » Elle avait eu du mal à continuer. « Un journaliste a eu vent de l'affaire et toute la presse en a parlé. Je me suis enfuie. Je comptais, pour toi et pour moi, revenir à lui mais sa femme s'est suicidée et je... je n'ai jamais eu le courage de réapparaître devant lui ou les enfants. C'était ma faute, tu vois. Donc, ne l'accuse pas. »

Mais il y avait une partie de l'histoire que Rosemary n'avait jamais révélée à sa fille. Lorsque celle-ci était née, la secrétaire, à l'hôpital, lui avait demandé : « Nous sommes en train de remplir le certificat de naissance. L'enfant s'appelle Julia Nelson ? »

Rosemary allait répondre par l'affirmative mais, s'étant ravisée, avait pensé, hargneuse : *Non ! Elle est la fille de Harry Stanford. Elle a le droit de porter son nom et il doit subvenir à ses besoins.*

Elle avait écrit à Harry Stanford pour lui annoncer la naissance de Julia mais elle n'avait jamais reçu de réponse.

Julia était ravie à l'idée d'avoir une famille qu'elle ne connaissait pas, assez célèbre pour que l'on parle d'elle dans les journaux. Elle se rendit à la bibliothèque municipale et consulta tout ce qu'elle put trouver sur Harry Stanford. Des dizaines d'articles lui étaient consacrés. C'était un milliardaire qui vivait dans un autre monde, un monde dont sa mère et elle étaient totalement exclues.

Un jour qu'une de ses camarades lui avait adressé des remarques désobligeantes sur sa pauvreté, Julia avait répondu sur un ton de défi : « Je ne suis pas pauvre ! Mon père est l'un des hommes les plus riches du monde. Nous avons un yacht, un avion et des tas de maisons magnifiques. »

Son professeur l'avait entendue. « Julia, viens là un peu. »

Elle s'était approchée du pupitre de son professeur. « Il ne faut pas mentir comme ça.

— C'est pas un mensonge, avait rétorqué Julia. Mon père est milliardaire ! Il connaît des présidents et des rois ! »

Le professeur avait jaugé la jeune fille qui se tenait debout devant elle dans sa robe de coton élimée et avait dit : « Julia, ce n'est pas vrai.

— C'est vrai ! » avait dit Julia avec entêtement.

On l'avait envoyée au bureau du principal. Elle ne fit plus jamais allusion à son père à l'école.

Julia comprit que si sa mère ne cessait de déménager d'une ville dans une autre, c'était à cause des médias. Il était à tout bout de champ question de Harry Stanford dans la presse, les journaux à sensation et les magazines continuaient de ressortir cette vieille histoire de scandale. Comme ces fouineurs de journalistes finissaient toujours par découvrir qui était Rosemary Nelson et où elle habitait, elle était obligée de s'enfuir avec Julia.

Julia lisait tous les articles qui paraissaient sur Harry Stanford et, à chaque fois, elle était tentée de lui téléphoner. Elle voulait croire que, toutes ces années durant, il avait fait son possible pour retrouver sa mère. *Je vais téléphoner et je vais dire : « C'est votre fille. Si vous voulez nous voir... »*

Et il viendrait les voir, redeviendrait amoureux de sa mère, l'épouserait et ils vivraient heureux ensemble.

Julia Stanford devint en grandissant une superbe jeune femme. Elle avait de splendides cheveux noirs, une bouche généreuse et rieuse, les yeux gris et lumineux de son père, une silhouette bien tournée. Lorsqu'elle souriait, on ne voyait plus que son sourire.

Comme elles étaient toujours obligées de déménager, Julia alla à l'école dans cinq Etats différents. Durant les vacances d'été, elle travailla comme vendeuse dans un grand magasin, au comptoir d'un drugstore et comme réceptionniste. Elle était d'une indépendance farouche.

Elles vivaient à Kansas City lorsqu'elle termina ses études secondaires grâce à une bourse. Elle ne savait pas trop ce qu'elle voulait faire dans la vie. Des amis, subjugués par sa beauté, lui conseillèrent de faire du cinéma.

« Tu serais tout de suite une star ! »

Julia avait écarté cette idée avec désinvolture : « Oui, et je devrais me lever aux aurores tous les matins ? »

Mais la véritable raison pour laquelle le métier d'actrice ne l'intéressait pas était qu'elle tenait avant tout à sa vie privée. N'avaient-elles pas, sa mère et elle, été toute leur vie pourchassées par la presse à cause de cette histoire survenue des années auparavant ?

Le rêve qu'avait entretenu Julia de voir un jour son père et sa mère réunis prit fin le jour de la mort de cette dernière. Julia avait éprouvé un terrible chagrin. *Il faut que mon père le sache*, avait-elle pensé. *Maman a été une partie de sa vie.* Elle chercha le numéro de téléphone du siège de ses entreprises à Boston. Une réceptionniste répondit.

« Bonjour, Stanford Enterprises. »

Julia hésita.

« Stanford Enterprises. Allo ? Puis-je vous être utile ? »

Julia avait raccroché lentement. *Maman n'aurait pas apprécié que je donne ce coup de téléphone.*

Elle était seule désormais. Elle n'avait personne.

Julia fit enterrer sa mère au Memorial Park Cemetery de Kansas City. Elle était l'unique personne du cortège funèbre. Debout près de la tombe, elle avait pensé : *Ce n'est pas juste, mère. Tu as commis une faute que tu as payée tout le reste de ta vie. J'aurais voulu te décharger d'une partie de ta souffrance. Je t'aime tant, maman. Je t'aimerai toujours.* Du passage de sa mère sur terre il ne lui restait qu'une collection de vieilles photos et de coupures de journaux.

Après le décès de sa mère, Julia songea aux Stanford. Ils étaient riches. Et si elle leur demandait de l'aide ? *Jamais*, décida-t-elle. *Pas après le traitement que Harry Stanford a infligé à ma mère.*

Mais il lui fallait gagner sa vie. Elle se trouvait placée devant un choix de carrière. Elle pensa avec ironie : *Et si je devenais chirurgien du cerveau ?*

Peintre ?

Cantatrice ?

Physicienne ?

Astronaute ?

Elle s'était inscrite à des cours du soir en secrétariat au City Kansas Community College.

Le lendemain de sortie de l'école, elle se présenta à un agence pour l'emploi. Des dizaines de candidats attendaient afin de rencontrer la conseillère professionnelle. Une femme séduisante de son âge vint s'asseoir à côté d'elle.

« Salut ! Je m'appelle Sally Connors.

— Julia Stanford.

— Il faut absolument que je décroche un job aujourd'hui, gémit Sally. On me chasse de mon appartement. »

Julia entendit appeler son nom.

« Bonne chance ! dit Sally.

— Merci. »

Julia pénétra dans le bureau de la conseillère.

« Asseyez-vous, je vous prie.

— Merci.

— Je vois dans votre demande d'emploi que vous avez fait des études supérieures et que vous avez acquis de l'expérience en travaillant l'été. Vous êtes aussi chaudement recommandée par l'école de secrétariat. » Elle regarda le dossier posé sur son bureau. « Vous pouvez prendre quatre-vingt-dix mots à la minute en sténo et vous tapez soixante mots à la minute ?

— Oui, madame.

— J'ai peut-être ce qu'il vous faut. Un petit cabinet d'architectes recherche une secrétaire. Le salaire ne doit pas être très élevé, j'en ai bien peur...

— Ça me va, dit vivement Julia.

— Parfait. Vous vous présenterez à eux de ma part. » Elle tendit à Julia une feuille sur laquelle figuraient un nom et une adresse tapés à la machine. « Ils vous accorderont un entretien demain midi. »

Julia, enchantée, souriait. « Je vous remercie. » Elle était tout excitée.

Lorsqu'elle sortit du bureau, on appela le nom de Sally.

« J'espère qu'ils vont vous trouver quelque chose, dit Julia.

— Merci ! »

Mue par une impulsion subite, Julia décida de rester à l'attendre. Dix minutes plus tard, Sally sortit du bureau avec un large sourire.

« J'ai obtenu un rendez-vous ! Elle a téléphoné et j'ai un entretien demain à l'American Mutual Insurance Company. Et vous, ça s'est bien passé ?

— Je le saurai demain, moi aussi.

— Je suis sûre que ça va marcher. Et si on déjeunait ensemble pour fêter ça ?
— D'accord. »

Au déjeuner, elles causèrent et se prirent instantanément d'amitié l'une pour l'autre.

« J'ai visité un appartement dans Overland Park, dit Sally. Il y a deux chambres à coucher, une salle de bains, une cuisine et un living. Toute seule, je n'ai pas les moyens mais peut-être qu'à nous deux... »

Julia eut un sourire. « Ça m'irait. » Elle croisa les doigts. « Si j'ai ce job.

— Tu vas l'avoir ! » l'assura Sally.

En se dirigeant vers les bureaux de Peters, Eastman & Tolkin, Julia se disait : *C'est peut-être la chance de ma vie. Ça peut mener n'importe où. Enfin, ce n'est pas qu'un simple boulot. Je vais travailler pour des architectes. Des rêveurs qui dessinent et construisent des gratte-ciel, qui créent de la beauté et font des merveilles avec de la pierre, du métal et du verre. Je pourrais même étudier l'architecture et collaborer de cette manière à leur rêve.*

Le bureau se trouvait dans un vieil immeuble commercial qui ne payait pas de mine, situé sur Amour Boulevard. Julia prit l'ascenseur jusqu'au deuxième étage et s'arrêta devant une porte sur laquelle une plaque indiquait : PETERS, EASTMAN & TOLKIN, ARCHITECTES. Elle fit une profonde inspiration pour se calmer et entra.

Trois hommes l'attendaient dans le bureau d'accueil. Ils l'examinèrent tandis qu'elle en franchissait le seuil.

« Vous venez pour le poste de secrétaire ?

— Oui, monsieur.

— Je suis Al Peters. » Il était chauve.

« Bob Eastman. » Il portait un catogan.

« Max Tolkin. » Il avait une bedaine.

Ils paraissaient tous être dans la quarantaine.

« Si nous avons bien compris, c'est votre premier travail de secrétariat, dit Al Peters.

— Oui, monsieur », répondit Julia. Elle ajouta vivement : « Mais j'apprends vite. Je suis travailleuse. » Elle décida de garder pour elle pour l'instant l'idée qui lui était venue de faire des études d'architecture. Elle attendrait qu'ils la connaissent mieux.

« D'accord, on va vous mettre à l'essai, dit Bob Eastman, et on verra comment ça se passe. »

Julia ne se tenait plus de joie. « Oh, merci ! Vous ne serez pas...

— Pour le salaire, dit Max Tolkin, je crains qu'on ne puisse pas vous payer beaucoup pour commencer...

— C'est parfait, dit Julia... Je...

— Trois cents par semaine », lui dit Al Peters.

Ils avaient raison. Ça ne faisait pas beaucoup. Julia prit une décision rapide. « J'accepte. »

Ils se regardèrent et échangèrent un sourire.

« Superbe ! dit Al Peters. Je vais vous montrer les lieux. »

La visite ne prit que quelques secondes. Outre le modeste bureau d'accueil, il y avait trois petites pièces dont le mobilier semblait provenir des Compagnons d'Emmaüs. Les toilettes étaient au bout du couloir. Ils étaient tous les trois architectes, mais Al Peters traitait les affaires, Bob Eastman démarchait la cientèle et Max Tolkin s'occupait des chantiers.

« Vous travaillerez pour nous trois », lui dit Peters.

« D'accord. » Julia comprit qu'elle allait se rendre indispensable.

Al Peters regarda sa montre. « Il est midi et demi. Si on déjeunait ? »

Julia fut traversée d'un petit frisson de joie. Elle était désormais des leurs. *Ils m'invitent à déjeuner.*

Peters se tourna vers Julia. « Il y a un *delicatessen* * au bas de la rue. Pour moi, ce sera un sandwich de corned-beef avec du pain de seigle, une salade de pommes de terre et une bière danoise.

— Oh. » *C'est ça qu'ils appellent m'inviter à déjeuner.*

Tolkin dit : « Pour moi, ce sera une soupe au poulet et du pastrami.

— Oui, monsieur. »

Bob Eastman prit la parole à son tour. « Et pour moi, un pot-au-feu et une boisson gazeuse.

— Oh, prenez-moi du corned-beef sans gras, lui dit Al Peters.

— Du corned-beef sans gras. »

Max Tolkin dit : « Assurez-vous que la soupe est chaude.

— D'accord. Une soupe chaude. »

Bob Eastman dit : « Prenez-moi une boisson diététique.

— Une boisson diététique.

— Tenez, voici de l'argent. » Al Peters lui tendit un billet de vingt dollars.

Dix minutes plus tard, Julia, dans le *delicatessen*, s'adressait au commis de comptoir. « Je voudrais du corned-beef sans gras avec du pain de seigle, une salade de pommes de terre et une bière danoise. Un sandwich au pastrami et une soupe au poulet très chaude. Et un pot-au-feu avec une boisson gazeuse diététique. »

Le commis acquiesça du chef. « Vous travaillez pour Peters, Eastman et Tolkin, hein ? »

---

* Un *delicatessen* est un restaurant où l'on vend de la cuisine juive, à base surtout de viandes fumées. *(N.d.T.)*

Julia et Sally emménagèrent dans l'appartement d'Overland Park la semaine suivante. L'appartement consistait en deux petites chambres, un living dont le mobilier avait connu des jours meilleurs, une kitchenette, un coin repas et une salle de bains. *On ne risque pas de confondre cet endroit avec le Ritz*, pensa Julia.

« On fera la cuisine à tour de rôle, proposa Sally.

— D'accord. »

Sally prépara le premier repas, qui fut délicieux.

Le soir suivant, ce fut au tour de Julia. Sally prit une bouchée du plat que Julia avait cuisiné et dit : « Julia, je n'ai pas une très bonne assurance vie. Si je faisais la cuisine et toi le ménage, qu'en dis-tu ? »

Elles s'entendaient bien toutes les deux. Les weekends, elles allaient au cinéma au Glenwood 4 et faisaient leurs courses au centre d'achat Bannister. Elles s'habillaient aux puces. Un soir par semaine, elles sortaient dîner dans un restaurant bon marché – à la Stephenson's Old Apple Farm ou au Café Max pour ses spécialités méditerranéennes. Lorsqu'elles pouvaient se le permettre, elles allaient écouter du jazz au Charlie Charlies.

Julia aimait travailler pour Peters, Eastman & Tolkin. Inutile de dire que les affaires de la société n'étaient pas brillantes. Les clients étaient rares. Julia trouvait qu'elle ne participait pas beaucoup à la construction de gratte-ciel mais elle aimait la compa-

gnie de ses trois patrons. Ils étaient en quelque sorte
sa famille d'adoption et chacun d'eux lui confiait ses
problèmes. Compétente et efficace, elle réorganisa
très vite le bureau.

Julia aurait voulu faire quelque chose pour pallier le
manque de clients. Mais quoi? Elle trouva bientôt la
réponse. Un article du *Kansas City Star* annonça un
dîner donné pour l'Association des Femmes Cadres,
dont la présidente était Susan Bandy.

Le lendemain, à midi, Julia dit à Al Peters : « Il se
peut que je rentre de déjeuner un peu plus tard que
d'habitude. »

Il lui sourit. « Pas de problème, Julia. » Il trouvait
qu'ils avaient bien de la chance de l'avoir.

En arrivant au Plaza Inn, Julia se dirigea vers la salle
où avait lieu le déjeuner. La femme assise à l'entrée lui
demanda : « Puis-je vous être utile?

— Oui. Je viens pour le déjeuner de l'Association.

— Vous vous appelez?

— Julia Stanford. »

La femme regarda la liste qui se trouvait devant elle.
« Mais je ne crois pas que votre... »

Julia sourit. « Ça, c'est tout à fait Susan. Je vais lui en
glisser deux mots. Je suis secrétaire de direction chez
Peters, Eastman et Tolkin. »

La femme parut hésiter. « Enfin...

— Ne vous en faites pas. Je vais aller régler ça avec
Susan. »

Dans la salle de banquet se trouvait un groupe de
femmes bien habillées en train de bavarder entre elles.
Julia aborda l'une d'elles. « Pourriez-vous m'indiquer
qui est Susan Bandy?

— Elle est là-bas. » Elle lui indiqua une grande
femme dans la quarantaine, d'allure imposante.

Julia se dirigea vers elle. « Bonjour. Je suis Julia Stanford.

— Bonjour.

— Je suis de chez Peters, Eastman et Tolkin. Vous avez sûrement entendu parler d'eux.

— Enfin, je...

— C'est le cabinet d'architectes qui a actuellement le vent en poupe à Kansas City.

— Je vois.

— Je n'ai pas beaucoup de temps libre mais j'aimerais contribuer dans les limites de mes moyens à l'Association.

— Mais c'est très aimable à vous, mademoiselle...

— Stanford. »

Ç'avait été le début.

L'Association des Femmes Cadres représentait la plupart des grosses sociétés de Kansas City et Julia, en un rien de temps, établit tout un réseau de contacts. Elle déjeunait au moins une fois par semaine avec un ou plusieurs membres de l'Association.

« Notre entreprise va construire un nouvel immeuble à Olathe. »

Et Julia de rapporter aussitôt l'information à ses employeurs.

« M. Hanley veut se faire construire une résidence d'été à Tonganoxie. »

Et, avant que quiconque ait eu vent de la chose, Peters, Eastman & Tolkin se voyaient confier les travaux.

Un jour, Bob Eastman convoqua Julia et lui dit : « Vous méritez une augmentation, Julia. Vous avez fait un travail superbe. Vous êtes une sacrée secrétaire !

— Vous voulez me rendre un service ? demanda Julia.

— Bien sûr.

— Nommez-moi secrétaire de direction. Ça me donnera un peu plus de crédibilité. »

De temps à autre, Julia lisait des articles consacrés à son père ou voyait des interviews de lui à la télévision. Elle n'avait jamais parlé de lui à Sally ou à aucun de ses employeurs.

Lorsqu'elle était plus jeune, elle avait rêvé d'être transportée loin de Kansas City dans un endroit merveilleux, magique, un endroit plein de yachts, d'avions privés et de palaces. Mais la nouvelle de la mort de son père avait mis fin à jamais à son rêve. *Enfin, je suis condamnée au Kansas*, pensa-t-elle, désabusée.

Je n'ai plus de famille. Mais non, j'en ai une, rectifia-t-elle. *J'ai deux demi-frères et une demi-sœur. C'est une famille. Je devrais peut-être aller les voir ? Est-ce une bonne idée ? Une mauvaise idée ? Je me demande ce qu'on ressentirait les uns pour les autres.*

Sa décision allait s'avérer être une question de vie ou de mort.

CHAPITRE DOUZE

C'était la réunion d'un clan d'étrangers. Il y avait des années qu'ils ne s'étaient vus ou n'avaient communiqué les uns avec les autres.

Le juge Tyler Stanford était arrivé par avion de Chicago.

Kendall Stanford Renaud avait pris l'avion à Paris tandis que Marc était venu en train de New York.

Woody Stanford et Peggy étaient venus de Hobe Sound en voiture.

On avait signifié aux héritiers que le service funèbre aurait lieu à King's Chapel. Les rues avaient été fermées à l'extérieur de l'église et des policiers contenaient la foule qui s'était amassée pour assister à l'arrivée des dignitaires. Le vice-président des Etats-Unis était présent ainsi que des sénateurs, des ambassadeurs et des hommes d'Etat de pays aussi lointains que la Turquie et l'Arabie Saoudite. Harry Stanford avait pesé lourd de son vivant et les sept cents places de l'église seraient occupées.

Tyler, Woody et Kendall, accompagnés de leurs conjoints, se retrouvèrent dans la sacristie. Etrangers les uns aux autres, la seule chose qu'ils avaient en commun était le corps de l'homme dans le corbillard à l'extérieur de l'église.

« Je vous présente Marc, mon mari, dit Kendall.

— Voici Peggy, ma femme. Peggy, ma sœur, Kendall, et mon frère, Tyler. »

Ce fut un échange poli de salutations. Ils restèrent ainsi à s'observer mutuellement, gênés, jusqu'à ce qu'un huissier s'approchât d'eux.

« Excusez-moi, dit-il d'une voix étouffée. L'office va bientôt commencer. Voulez-vous me suivre, s'il vous plaît ? »

Il les conduisit au banc qui leur était réservé à l'avant de l'église. Ils y prirent place et attendirent, chacun plongé dans ses propres pensées.

Cela faisait tout drôle à Tyler d'être de retour à Boston. Les seuls bons souvenirs qu'il en gardait dataient du vivant de sa mère et de Rosemary. A sept ans, Tyler avait vu une reproduction du célèbre tableau de Goya, *Saturne dévorant ses enfants*, qu'il avait toujours associé à son père.

Jetant un œil en direction du cercueil de celui-ci que des croque-morts portaient à l'intérieur de l'église, il pensa : *Saturne est mort.*

« Je connais tes sales petits secrets. »

L'officiant monta à la chaire historique de l'église, qui avait la forme d'un verre à vin.

« Jésus lui dit : Je suis la résurrection et la vie. Celui

qui a foi en moi ressuscitera des morts. Et quiconque a vécu et cru en moi vivra à jamais. »

Woody était d'excellente humeur. Il avait pris une dose d'héroïne avant de venir à l'église et l'effet s'en faisait encore sentir. Il jeta un regard en direction de son frère et de sa sœur. *Tyler a pris des kilos. Il a l'air d'un juge. Kendall a embelli mais elle semble sous tension. Je me demande si c'est dû à la mort de père? Non. Elle le haïssait autant que moi.* Il regarda sa femme, assise près de lui. *J'aurais bien aimé me montrer avec elle devant le vieux. Il serait mort d'une crise cardiaque.*

L'officiant parlait.

« De même qu'un père a pitié de ses enfants, de même le Seigneur a pitié de ceux qui le craignent. Car il sait de quoi nous sommes faits. Il n'oublie pas que nous ne sommes que poussière. »

Kendall n'écoutait pas l'homélie. Elle pensait à la robe rouge. Son père lui avait téléphoné à New York un après-midi.

« *Comme ça, il paraît que tu fais un tabac comme styliste, hein? Hé bien, on va voir ce que tu sais faire. J'emmène ma nouvelle petite amie à un gala de charité samedi soir. Elle est de la même taille que toi. Je voudrais que tu lui dessines une robe.*

— *Pour samedi? Mais c'est impossible, père, je...*

— *Débrouille-toi.* »

Et elle avait dessiné la robe la plus laide qu'elle avait pu concevoir. Elle avait un grand nœud sur le devant et des mètres de rubans et de dentelle. C'était une horreur. Elle l'avait envoyée à son père, qui l'avait rappelée.

« J'ai reçu la robe. A propos, ma petite amie n'est pas libre samedi. C'est donc toi qui vas m'accompagner et c'est toi qui vas la porter, cette robe.

— Non ! »

Il avait alors eu cette phrase terrible : « Tu ne voudrais tout de même pas me décevoir, non ? »

Et elle y était allée, sans oser porter une autre robe. Elle avait passé la soirée la plus humiliante de sa vie.

« Car nous n'avons rien apporté dans ce monde et nous n'en rapporterons rien.

« Le Seigneur donne et le Seigneur reprend. Béni soit le nom du Seigneur ! »

Peggy Stanford était mal à l'aise. Elle était intimidée par la splendeur de l'énorme église et par l'allure élégante de l'assistance. Elle n'était jamais venue à Boston qui, pour elle, représentait le monde des Stanford avec tout son faste et sa gloire. Ces gens lui étaient tellement supérieurs. Elle prit la main de son mari.

« Toute chair est de l'herbe et tout ce qu'il y a de bon ici-bas est comme une fleur des champs... L'herbe se fane, la fleur se flétrit, mais la parole de Dieu demeure à jamais. »

Marc pensait à la lettre de chantage qu'avait reçue sa femme. Elle était très soigneusement, très intelligemment rédigée. On ne pourrait jamais remonter jusqu'à son auteur. Il regarda Kendall, assise près de lui, pâle et tendue. Il se rapprocha d'elle.

« ... Nous te confions à la pitié et à la protection de Dieu. Que le Seigneur te bénisse et te garde en son sein. Le Seigneur tourne son visage vers toi et sa grâce est sur toi. Le Seigneur a posé la lumière de son regard sur toi et il t'accorde la paix, maintenant et pour toujours. Amen. »

L'office terminé, l'officiant annonça : « L'inhumation se fera dans l'intimité – en présence des seuls membres de la famille. »

Tyler regarda le cercueil et pensa au corps qui était à l'intérieur. La nuit précédente, avant qu'on ne ferme la bière, il s'était rendu directement de l'aéroport international de Logan au salon mortuaire.

Il voulait voir son père mort.

Woody suivit des yeux le cercueil que l'on transportait hors de l'église sous les regards fixes de l'assistance et il esquissa un sourire : *Donne aux gens ce qu'ils veulent.*

La cérémonie qui eut lieu près de la tombe, dans le vieux cimetière de Mount Auburn à Cambridge, fut brève. La famille regarda le corps de Harry Stanford descendre dans sa dernière demeure et, tandis qu'on jetait de la terre sur le cercueil, l'officiant dit : « Il n'est pas nécessaire que vous restiez plus longtemps si vous ne le désirez pas. »

Woody opina de la tête. « D'accord. » L'effet de l'héroïne faiblissait et il commençait à s'énerver. « On fiche le camp d'ici. »

Marc demanda : « Où va-t-on ? »

Tyler se tourna vers le groupe. « On va s'installer à Rose Hill. Tout a été prévu. On y restera en attendant que la succession soit réglée. »

Quelques minutes plus tard, des limousines les emmenaient vers la maison.

A Boston, on observait une stricte hiérarchie sociale. Les nouveaux riches habitaient Commonwealth Avenue et ceux qui étaient en pleine ascension sociale Newbury Street. Les vieilles familles moins fortunées habitaient Marlborough Street. Back Bay était le tout nouveau et prestigieux quartier à la mode, mais Beacon Hill demeurait la citadelle des familles les plus anciennes et les plus fortunées de Boston. On y trouvait un riche mélange de maisons victoriennes et bourgeoises, de vieilles églises et d'élégantes rues commerciales.

Rose Hill, la propriété des Stanford, était une belle et ancienne maison victorienne qui se dressait au milieu de trois arpents de terre sur Beacon Hill. Cette maison, dans laquelle les enfants Stanford avaient grandi, était remplie de mauvais souvenirs. Lorsque les limousines arrivèrent devant le porche, les passagers en descendirent et posèrent les yeux sur la vieille demeure.

« J'ai du mal à croire que père ne sera pas à l'intérieur à nous attendre », dit Kendall.

Woody eut un sourire sarcastique : « Il est trop occupé à essayer de faire la loi en enfer. »

Tyler prit une profonde respiration. « Allons-y. »

A leur approche de la porte d'entrée, celle-ci s'ouvrit et Clark, le majordome, se tint devant eux. Septuagénaire, c'était un domestique compétent et plein de dignité qui travaillait à Rose Hill depuis plus de trente ans. Il avait vu les enfants grandir et avait vécu tous les scandales.

Son visage s'éclaira à la vue du groupe. « Bonjour ! »

Kendall l'étreignit chaleureusement. « Clark, ça fait tellement du bien de vous revoir.

— Il y avait longtemps, mademoiselle Kendall.

— Maintenant, je suis madame Renaud. Voici mon mari, Marc.

— Heureux de vous connaître, monsieur.

— Ma femme m'a beaucoup parlé de vous.

— J'espère qu'elle ne vous a rien raconté de trop horrible, monsieur.

— Au contraire. Elle garde un excellent souvenir de vous.

— Je vous remercie, monsieur. » Clark se tourna vers Tyler. « Bonjour, monsieur le juge.

— Bonjour, Clark.

— C'est un plaisir de vous voir, monsieur.

— Merci. Vous avez l'air en pleine forme.

— Vous aussi, monsieur. Je suis désolé pour ce qui est arrivé.

— Merci. Avez-vous fait le nécessaire pour nous recevoir tous ?

— Oh, oui. Je pense qu'on arrivera à installer tout le monde confortablement.

— Je pourrai avoir mon ancienne chambre ? »

Clark sourit. « D'accord. » Il se tourna vers Woody. « Je suis heureux de vous voir, monsieur Woodrow. Je tiens à... »

Woody prit Peggy par le bras. « Allez, viens, fit-il d'un ton brusque. Je veux faire un brin de toilette. »

Les autres le suivirent des yeux lorsqu'il les bouscula et entraîna Peggy à l'étage.

Le reste du groupe pénétra dans l'immense salon. Deux massives armoires Louis XIV dominaient la pièce. Disséminés tout autour, il y avait une console de bois doré recouverte d'un plateau de marbre ainsi qu'une collection de superbes chaises et canapés d'époque. Un lustre de cuivre vieil or était suspendu au plafond. Les murs étaient recouverts de sombres toiles médiévales.

Clark se tourna vers Tyler. « Monsieur le juge, j'ai un message pour vous. M. Simon Fitzgerald aimerait que vous lui téléphoniez pour convenir ensemble d'un rendez-vous avez la famille.

— Qui est ce M. Fitzgerald ? » demanda Marc.

Kendall répondit. « C'est l'avocat de la famille. Père l'a toujours eu comme avocat mais nous, on ne l'a jamais rencontré.

— Il veut sans doute nous communiquer les dispositions testamentaires », dit Tyler. Il se tourna vers les autres. « Si vous êtes tous d'accord, je vais lui donner rendez-vous ici demain matin.

— Ça sera parfait, dit Kendall.

— Le cuisinier est en train de préparer le dîner, leur dit Clark. Huit heures, est-ce que ça vous convient ?

— Oui, dit Tyler. Merci.

— Eva et Miles vont vous montrer vos chambres. »

Tyler se tourna vers sa sœur et le mari de celle-ci. « On se retrouve ici à huit heures, d'accord ? »

Au moment où ils pénétraient dans leur chambre, à l'étage, Peggy demanda : « Tu te sens bien ?

— Ça va, jeta sèchement Woody. Fiche-moi la paix. »

Elle le vit se diriger vers la salle de bains dont il claqua la porte derrière lui. Elle resta là, sans bouger, à attendre.

Dix minutes plus tard, Woody ressortit. Il était tout guilleret. « Ça va, *baby* ?

— Ça va.

— Alors, comment trouves-tu la baraque ?

— Elle est... elle est énorme.

— C'est une monstruosité. » Il se dirigea vers le lit et prit Peggy dans ses bras. « C'est mon ancienne chambre. Les murs étaient couverts de posters de sport, des Bruins, des Celtics, des Red Sox *. Je voulais être un athlète. Je voyais grand. Lors de ma dernière année d'internat, j'étais capitaine de l'équipe de football. J'ai reçu des offres d'une demi-douzaine d'entraîneurs d'équipes universitaires **.

— Laquelle as-tu choisie ? »

Il secoua la tête. « Aucune. Mon père a dit que tout ce qui les intéressait, c'était le nom des Stanford et qu'elles n'en avaient qu'après son argent. Il m'a fait faire des études d'ingénierie dans une école où on ne jouait pas au football. » Il se tut quelques instants puis marmonna entre ses dents : « Moi aussi, j'aurais pu être compétitif... »

Elle lui adressa un regard perplexe. « Quoi ? »

Il la consulta du regard. « Tu as déjà vu *Sur les quais* ?

— Non.

— C'était une réplique de Marlon Brando ***. Ça veut dire qu'on a été floués tous les deux, lui et moi.

---

* Equipes de Boston, respectivement de hockey sur glace, de basket-ball et de base-ball. *(N.d.T.)*

** En Amérique, les universités recrutent les bons sportifs à qui elles offrent des bourses d'études. *(N.d.T.)*

*** Brando dit : *« I could'a been a contendar... »* *(N.d.T.)*

— Ton père ne devait pas être facile. »

Woody eut un petit rire de dérision. « C'est la chose la plus gentille qu'on ait jamais dite à son sujet. Je me souviens, quand j'étais encore tout gosse, je suis tombé de cheval. J'ai voulu recommencer à monter. Mon père n'a pas voulu. Il a dit " Tu sauras jamais monter. Tu es trop maladroit. " » Woody la regarda. « C'est pour ça que je suis devenu un joueur de polo avec un handicap de neuf. »

Ils se mirent à table, étrangers les uns aux autres, assis dans un silence gêné avec, pour tout lien, leurs traumatismes infantiles.

Kendall fit des yeux le tour de la pièce. Des souvenirs terribles s'y confondaient en elle avec l'appréciation de sa beauté. La table, de style Louis XV, était entourée de chaises Directoire en noyer. Dans un coin, il y avait un buffet rustique français de couleur bleue et crème. Aux murs, étaient suspendus des dessins de Watteau et de Fragonard.

Kendall se tourna vers Tyler. « Je suis au courant par les journaux de ton jugement dans l'affaire Fiorello. Il méritait la sentence que tu lui as infligée.

— Ça doit être passionnant d'être juge, dit Peggy.

— Parfois, oui.

— Quelles sortes de causes jugez-vous ? voulut savoir Marc.

— Criminelles – viols, drogues, meurtres. »

Kendall devint toute pâle et allait dire quelque chose lorsque Marc lui prit la main et la serra en guise de mise en garde.

Tyler dit poliment à Kendall : « Il paraît que tu as réussi comme styliste. »

Kendall avait du mal à respirer. « Oui.

« — Elle est fantastique, dit Marc.

— Et vous, Marc, que faites-vous ?

— Je travaille dans une maison de courtage.

— Oh, vous êtes un des jeunes millionnaires de Wall Street.

— Pas exactement, monsieur le juge. Je ne fais que débuter. »

Tyler lui adressa un regard condescendant. « Alors, vous avez de la chance d'avoir une femme qui réussit. »

Kendall devint toute rouge et chuchota à l'oreille de Marc : « Ne fais pas attention. Tu sais que je t'aime. »

Woody commençait à sentir les effets de la drogue. Il se tourna pour regarder sa femme. « Peggy pourrait s'habiller correctement, dit-il, mais elle se fiche de son apparence. N'est-ce pas, mon ange ? »

Peggy resta silencieuse, embarrassée, ne sachant que dire.

« Et si tu t'habillais en serveuse ? »

Peggy dit : « Excusez-moi. » Elle se leva de table et monta dans sa chambre.

Ils avaient tous les yeux posés sur Woody.

Il leur adressa un large sourire. « Elle est trop susceptible. Comme ça, on se voit demain pour discuter de la succession, hein ?

— C'est ça, dit Tyler.

— Moi, je vous parie que le vieux ne nous a pas laissé un centime. »

Marc dit : « Mais il laisse tellement d'argent... »

Woody s'étrangla de rire. « Vous ne connaissiez pas notre père. Il a dû nous laisser ses vieilles vestes et une boîte de cigares. Il aimait se servir de son argent pour nous tenir en laisse. Son refrain était : " Tu ne voudrais tout de même pas me décevoir, non ? " Et nous, on filait doux à cause, comme vous l'avez dit, de tout cet argent.

Enfin, je parierais que le vieux a trouvé un moyen de l'emporter avec lui. »

Tyler dit : « Ça, on le saura demain. »

Le lendemain, au début de la matinée, Simon Fitzgerald et Steve Sloane se présentèrent. Clark les conduisit dans la bibliothèque. « Je vais annoncer votre présence à la famille, dit-il.

— Merci. » Ils le regardèrent partir.

La bibliothèque, immense, possédait deux grandes portes-fenêtres donnant sur un jardin. La pièce était lambrissée de chêne sombre et les murs étaient couverts de rayonnages remplis de beaux livres aux reliures de cuir. Il y avait un peu partout de confortables chaises et des lampes de lecture aux abat-jour verts. Dans un coin, se dressait un cabinet d'acajou orné de dorures en cuivre et fermé par un verre biseauté renfermant la collection de pistolets de Harry Stanford. Trois tiroirs spéciaux disposés sous la vitrine étaient réservés aux munitions.

« On ne va pas s'ennuyer ce matin, dit Steve. Je me demande comment ils vont réagir.

— On ne va pas tarder à le savoir. »

Kendall et Marc furent les premiers à pénétrer dans la pièce.

Simon Fitzgerald dit : « Bonjour. Je suis Simon Fitzgerald. Voici mon associé, Steve Sloane.

— Je suis Kendall Renaud et voici mon mari, Marc. »

Les hommes échangèrent une poignée de main.

Woody et Peggy entrèrent dans la pièce.

Kendall dit : « Woody, voici M. Fitzgerald et M. Sloane. »

Woody acquiesça. « Bonjour. Alors, vous apportez le pèze ?

— Enfin, en réalité nous...

— Je ne faisais que plaisanter ! Voici ma femme, Peggy. » Woody regarda Steve. « Le vieux m'a-t-il laissé quelque chose ou... »

Tyler pénétra dans la pièce. « Bonjour.

— Monsieur le juge Stanford ?

— Oui.

— Je suis Simon Fitzgerald, et voici Steve Sloane, mon associé. C'est lui qui s'est occupé de faire rapatrier le corps de votre père depuis la Corse. »

Tyler se tourna vers Steve. « Je vous en suis reconnaissant. On ne sait pas très bien ce qui s'est passé. La presse a donné tellement de versions de l'histoire. Est-ce qu'il y a quelque chose de louche ?

— Non. Il semble bien qu'il se soit agi d'un accident. Le yacht de votre père a été pris dans une terrible tempête au large de la Corse. Selon la déposition de Dmitri Kaminsky, son garde du corps, votre père se trouvait sous l'auvent à l'extérieur de sa cabine et le vent lui a arraché des papiers des mains. Il a voulu les rattraper, a perdu l'équilibre et est passé par-dessus bord. Le temps qu'on retrouve son corps, il était trop tard.

— Quelle mort horrible. » Kendall frissonna.

« Avez-vous parlé à ce Kaminsky personnellement ? demanda Tyler.

— Malheureusement, non. Quand je suis arrivé en Corse, il était déjà parti. »

Fitzgerald dit : « Le capitaine du yacht avait conseillé à votre père de pas prendre la mer par une tempête pareille mais, pour une raison ou une autre, il était pressé de rentrer ici. Il avait réservé un hélicoptère à cet effet. Il avait un problème urgent à régler. »

Tyler demanda : « Vous savez lequel ?

— Non. J'avais écourté mes vacances pour le retrouver ici. Je ne sais pas ce... »

Woody l'interrompit. « Tout ça est très intéressant

mais c'est de l'histoire ancienne, non ? Parlons du testament. Est-ce qu'il nous a laissé quelque chose ou non ? » Ses mains furent agités d'un tic.

« Si on s'asseyait ? » proposa Tyler.

Ils prirent un siège. Simon Fitzgerald s'assit au bureau en face d'eux. Il ouvrit une serviette d'où il sortit des papiers.

Woody était sur le point d'exploser. « *Alors ?* Bon Dieu, oui ou non ? »

Kendall fit : « Woody...

— Moi, je connais la réponse, dit-il, en colère. Il ne nous a pas laissé le moindre sou. »

Fitzgerald dévisagea chacun des enfants de Harry Stanford. « En fait, dit-il, vous aurez chacun une part égale de la succession. »

Steve put sentir une soudaine euphorie traverser la pièce.

Woody fixa Fitzgerald, bouche bée. « *Quoi ?* Vous êtes sérieux ? » Il sauta sur ses pieds. « C'est fantastique ! » Il se tourna vers les autres. « Vous avez entendu ça ? La vieille crapule a fini par lâcher le magot ! » Il regarda Simon Fitzgerald. « Ça fait dans les combien ?

— Je n'ai pas le chiffre exact. A en croire le dernier numéro du magazine *Forbes*, Stanford Enterprises vaut six milliards de dollars. La plus grande partie de cet argent est investie dans différentes sociétés mais il y a en gros quatre cents millions de dollars de disponible en liquidités. »

Kendall écoutait, abasourdie. « Ça nous fait plus de cent millions de dollars chacun. Je n'arrive pas à le croire ! » *Je suis libre !* pensa-t-elle. *Je vais les payer et être débarrassée d'eux pour de bon.* Le visage radieux, elle regarda Marc et serra sa main dans la sienne.

« Félicitations », dit celui-ci. Il savait mieux que les autres ce que signifiait cet argent.

Simon Fitzgerald reprit la parole. « Comme vous le

savez, votre père détenait quatre-vingt-dix-neuf pour cent des actions de Stanford Enterprises. Ces actions seront donc réparties équitablement entre vous. Aussi, maintenant que votre père est décédé, le juge Stanford détient l'autre un pour cent, qui avait été déposé sur un compte spécial. Il y aura naturellement des formalités. Je dois en outre vous informer qu'il n'est pas exclu qu'il y ait une autre héritière.

— Une autre héritière ? demanda Tyler.

— Le testament de votre père stipule que la succession doit être partagée à parts égales entre sa progéniture. »

Peggy avait l'air interloquée. « Quoi... qu'est-ce que vous entendez par *progéniture* ? »

Tyler prit la parole. « Les descendants du même sang et les descendants par adoption. »

Fitzgerald fit un signe d'acquiescement de la tête. « Exact. Tout descendant né hors des liens du mariage est estimé descendant de la mère et du père et sa protection est prévue par la loi.

— C'est-à-dire ? » demanda Woody d'une voix impatiente.

« C'est-à-dire qu'il se pourrait qu'il y ait une autre requérante. »

Kendall le regarda. « Qui ? »

Simon Fitzgerald hésita. Il n'y avait aucun moyen de tergiverser. « Je suis convaincu que vous êtes tous au courant qu'il y a des années de cela, votre père a eu un enfant d'une gouvernante qui travaillait ici.

— Rosemary Nelson, dit Tyler.

— Oui. Sa fille est née à l'hôpital Saint-Joseph de Milwaukee. Elle l'a appelée Julia. »

Un lourd silence s'abattit sur la pièce.

« Hé, c'était il y a vingt-cinq ans ! s'exclama Woody.

— Vingt-six, pour être précis. »

Kendall demanda : « Quelqu'un sait où elle est ? »

Simon Fitzgerald entendait encore la voix de Harry

Stanford. « *Elle m'a écrit pour me dire que c'était une fille. Mais si elle pense avoir un sou de moi, elle peut aller se faire voir.* » « Non, répondit lentement Fitzgerald. Personne ne sait où elle se trouve.

— Mais alors, pourquoi en parler ? demanda Woody.

— Je tenais seulement à ce que vous sachiez bien que, si elle se manifeste, elle aura droit à une part égale de la succession.

— Je ne pense pas qu'on ait de souci à se faire, dit Woody d'un ton confiant. Elle n'a sans doute jamais su qui était son père. »

Tyler se tourna vers Simon Fitzgerald. « Vous dites ignorer le montant exact de la succession. Puis-je demander pourquoi ?

— Parce que notre cabinet ne s'occupe que des affaires personnelles de votre père. Ses entreprises sont représentées par d'autres cabinets juridiques. Je les ai contactés pour leur demander de préparer le plus tôt possible un état financier.

— Qu'entendez-vous par là ? » demanda Kendall avec impatience. « *Nous avons besoin de 100 000 dollars immédiatement pour couvrir nos dépenses.* »

« Sans doute deux ou trois mois. »

Marc put lire la consternation sur le visage de sa femme. Il se tourna vers Fitzgerald. « N'y a-t-il pas moyen d'accélérer les choses ? »

Steve Sloane répondit. « Ça m'étonnerait. Le testament va devoir être homologué par les tribunaux, et leur calendrier est plutôt chargé ces temps-ci.

— Qu'est-ce que c'est qu'être homologué ? demanda Peggy.

— C'est un mot qui vient du latin médiéval *homologare* et qui signifie approuver. C'est un acte...

— Elle ne vous a pas demandé de lui donner un foutu cours de linguistique ! éclata Woody. Pourquoi est-ce qu'on ne peut pas empocher le magot tout de suite ? »

Tyler se tourna vers son frère. « Le droit ne fonctionne pas comme ça. Lors d'un décès, le testament doit être enregistré par un tribunal d'homologation. Il faut d'abord estimer tous les avoirs – immobilier, sociétés, argent en espèces, bijoux – puis faire un inventaire et le présenter au tribunal. Il faut penser aux impôts et à des clauses testamentaires particulières. Ensuite, on demande au tribunal l'autorisation de distribuer le reste de la succession aux ayants droit. »

Woody eut un large sourire. « Tant pis. J'ai attendu presque quarante ans pour devenir milliardaire. Je peux bien attendre encore un mois ou deux. »

Simon Fitzgerald se leva. « En plus des legs que votre père vous a faits, il y a quelques petits cadeaux qui n'affecteront pas le gros de la succession. » Il fit des yeux le tour de la pièce. « Voilà, s'il n'y a rien d'autre... »

Tyler se leva. « Je ne pense pas. Merci, monsieur Fitzgerald, monsieur Sloane. Nous vous ferons signe s'il y a des problèmes. »

Fitzgerald adressa un signe de tête à la compagnie. « Mesdames et messieurs. » Il prit la direction de la sortie, suivi de Steve Sloane.

Dehors, dans l'allée, Simon Fizgerald se tourna vers Steve. « Voilà, vous avez fait connaissance de la famille. Qu'est-ce que vous en pensez ?

— Ça ressemblait plus à une fête qu'à des obsèques. Il y a quelque chose qui m'intrigue, Simon. Si leur père les haïssait tant que ça, comment se fait-il qu'il leur ait laissé tout cet argent ? »

Simon Fitzgerald haussa les épaules. « Ça, on ne le saura jamais. C'est peut-être pour ça qu'il voulait me voir, pour laisser l'argent à quelqu'un d'autre. »

Aucun membre du groupe ne trouva le sommeil cette nuit-là. Chacun était plongé dans ses réflexions.

Tyler se disait : *Ça y est ! Cette fois, ça y est ! Je vais pouvoir offrir la lune à Lee. Lui offrir n'importe quoi ! Tout !*

Kendall se disait : *Dès que j'aurai l'argent, je m'arrangerai pour les acheter une fois pour toutes et qu'ils cessent de me harceler.*

Woody se disait : *Je vais avoir la meilleure écurie de polo au monde. Plus besoin d'emprunter les poneys des autres. Je vais avoir un handicap dix !* Il jeta un œil sur Peggy qui dormait à ses côtés. *La première chose que je vais faire, ça va être de me débarrasser de cette salope.* Puis il se dit : *Non, je ne peux pas faire ça.*

... Il se leva et alla à la salle de bains. Lorsqu'il en ressortit, il se sentait merveilleusement bien.

Au petit déjeuner, l'ambiance était à la joie sans retenue.

« Alors, dit Woody d'une voix gaie, vous avez tous fait des projets, je suppose. »

Marc haussa les épaules. « Qui aurait pu prévoir quelque chose comme ça ? C'est une somme d'argent incroyable. »

Tyler leva les yeux. « On ne vivra certainement plus jamais comme avant. »

Woody acquiesça. « Le salopard, il aurait dû nous le donner de son vivant. Comme ça, on aurait pu en profiter plus tôt. Je sais qu'on ne dit pas de mal des morts, mais je voudrais vous raconter quelque chose... »

Kendall lui dit d'un ton réprobateur : « Woody...

— Mais enfin, ne soyons pas hypocrites. On le détestait tous, et il le méritait. Ecoutez un peu ce qu'il avait essayé de... »

Clark entra dans la pièce. Il se tint là avec l'air de s'excuser. « Pardonnez-moi, dit-il. Il y a une demoiselle Julia Stanford à la porte. »

Midi

CHAPITRE TREIZE

« Julia Stanford ? »

Ils se dévisagèrent, figés sur place.

« Ah non ! Pas elle ! » fit Woody prêt à exploser.

Tyler dit vivement : « Je propose que nous passions dans la bibliothèque. » Il se tourna vers Clark. « Voudriez-vous y conduire la jeune dame, s'il vous plaît ?

— Oui, monsieur. »

Elle resta sur le seuil à les regarder à tour de rôle, manifestement mal à l'aise. « Je... Je n'aurais peut-être pas dû venir, dit-elle.

— Pour ça, oui ! dit Woody. Mais qui êtes-vous ?

— Je suis Julia Stanford. » Elle bégayait presque de nervosité.

« Non. Je veux dire, qui êtes-vous réellement ? »

Elle allait dire quelque chose mais hocha la tête. « Je... Ma mère était Rosemary Nelson. Harry Stanford était mon père. »

Les membres du groupe échangèrent un regard.

« Vous en avez la preuve ? » demanda Tyler.

Sa gorge se serra. « Je ne crois pas avoir de preuve *réelle*.

— Evidemment que vous n'en avez pas, jeta sèchement Woody. Comment pouvez-vous avoir le culot de... »

Kendall l'interrompit. « Ça nous fait tout drôle, comme vous pouvez l'imaginer. Si ce que vous dites est vrai, alors vous... vous êtes ma demi-sœur. »

Julia opina de la tête. « Vous êtes Kendall. » Elle se tourna vers Tyler. « Vous, vous êtes Tyler. » Elle s'adressa enfin à Woody. « Et vous, vous êtes Woodrow. On vous appelle Woody.

— Comme vous l'aura appris le magazine *People* », dit Woody d'un ton sarcastique.

Tyler prit la parole. « Je suis sûr que vous comprendrez notre position, mademoiselle... heu... Sans une preuve patente, il ne saurait être question que nous acceptions...

— Je comprends. » Elle jeta un regard nerveux autour d'elle. « Je ne sais pas ce qui m'a prise de venir ici.

— Oh, moi je pense que vous le savez, dit Woody. Pour l'argent.

— L'argent ne m'intéresse pas, dit-elle d'un ton offusqué. A vrai dire, je... j'étais venue en espérant faire connaissance de ma famille. »

Kendall l'examinait. « Où est votre mère ?

— Elle est décédée. Lorsque j'ai appris par les journaux la mort de notre père...

— Vous avez décidé de nous retrouver », dit Woody d'un ton narquois.

Tyler prit la parole. « Vous dites n'avoir aucune preuve légale pour établir votre identité.

— Légale ? Je... Je n'y ai même pas pensé. Mais il y a des choses que je ne peux savoir que pour les avoir entendu raconter par ma mère.

« — Par exemple ? » demanda Marc.

Elle s'arrêta pour réfléchir. « Je me souviens que ma mère parlait d'une serre à l'arrière de la maison. Elle aimait les plantes et les fleurs, et elle y passait des heures... »

Woody intervint. « Des tas de magazines ont publié des photos de cette serre.

— Qu'est-ce que votre mère vous avait raconté d'autre ? demanda Tyler.

— Oh, tellement de choses ! Elle aimait parler de vous tous et des bons moments que vous passiez ensemble. » Elle prit quelques instants de réflexion. « Le jour, par exemple, où elle vous avait emmenés en barque sur l'étang du jardin public quand vous étiez tout petits. L'un de vous avait failli passer par-dessus bord. Je ne me rappelle plus lequel. »

Woody et Kendall eurent un regard en direction de Tyler.

« C'était moi, dit-il.

— Elle vous emmenait faire des courses chez Filene. L'un de vous s'était perdu et tout le monde était affolé. »

Kendall dit lentement : « Ce jour-là, c'est moi qui m'étais perdue.

— Oui ? Et quoi encore ? demanda Tyler.

— Elle vous avait emmenés dans un bar à huîtres, l'Union Oyster House, où vous avez goûté à votre première huître et avez été malades.

— Je m'en souviens. »

Ils échangèrent un regard, sans parler.

Elle regarda Woody. « Vous et maman étiez allés dans un chantier naval voir le USS *Constitution* et vous ne vouliez plus partir. Elle a dû vous traîner. » Elle se tourna vers Kendall. « Et vous, au jardin public, un jour, vous aviez cueilli des fleurs et vous aviez failli vous faire interpeller par la police. »

Kendall avait la gorge sèche. « En effet. »

Ils étaient tous suspendus à ses lèvres maintenant, fascinés.

« Un jour, maman vous a tous emmenés au muséum d'histoire naturelle et vous avez été terrorisés par les mastodontes et les squelettes de serpents des mers. »

Kendall dit lentement : « Pas un d'entre nous n'a dormi cette-nuit-là. »

Julia s'adressa à Woody. « Un jour de Noël, elle vous a emmené patiner. Vous êtes tombé et vous êtes brisé une dent. A sept ans, vous êtes tombé d'un arbre et on a dû vous faire des points de suture à une jambe. Vous aviez une cicatrice. »

A contrecœur, Woody dit : « Je l'ai toujours. »

Elle se tourna vers les autres. « Un de vous a été mordu par un chien. Je ne me rappelle plus lequel. Ma mère l'avait aussitôt conduit aux urgences de l'hôpital général du Massachusetts. »

Tyler acquiesça. « Il a fallu me faire des injections contre la rage. »

Julia était maintenant intarissable. « Woody, à huit ans, vous avez fugué. Vous étiez parti pour Hollywood, où vous vouliez devenir acteur. Votre père était furieux contre vous. Il vous a envoyé dans votre chambre sans dîner. Maman vous y avait apporté à manger en cachette. »

Woody, silencieux, acquiesça.

« Je... Je ne sais pas ce que je pourrais vous dire d'autre. Je... » Elle se souvint soudain de quelque chose. « J'ai une photo dans mon sac à main. » Elle ouvrit son sac et y prit la photo qu'elle tendit à Kendall.

Ils firent cercle pour la regarder. C'était une photo d'eux trois, enfants, debout près d'une séduisante jeune femme en uniforme de gouvernante.

« C'est maman qui me l'a donnée. »

Tyler demanda : « Est-ce qu'elle vous a laissé quelque chose d'autre ? »

Julia hocha la tête. « Non. Je regrette. Elle ne voulait rien garder qui puisse lui rappeler Harry Stanford.

— Sauf vous, évidemment », dit Woody.

Elle s'adressa à lui d'un air de défi. « Peu importe que vous me croyiez ou non. Vous ne comprenez pas... Je... J'espérais que... » Elle s'interrompit.

Tyler dit : « Comme l'a dit ma sœur, votre apparition soudaine nous a plutôt bouleversés. Enfin... quelqu'un qui surgit de nulle part et qui prétend faire partie de la famille... vous voyez le problème. Je pense qu'il faudra qu'on reparle de tout ça.

— Evidemment, je comprends.

— Où êtes-vous descendue ?

— Au Tremont House.

— Pourquoi ne pas y retourner ? On va vous y faire reconduire en voiture. Et on vous fera signe bientôt. »

Elle acquiesça d'un signe de tête. « D'accord. » Elle les regarda chacun à tour de rôle puis dit doucement : « Quoi que vous pensiez, vous êtes ma famille.

— Je vais vous raccompagner à la porte », dit Kendall.

Julia sourit. « Ça va. Je saurai bien trouver mon chemin. J'ai l'impression de connaître cette maison comme ma poche. »

Ils la regardèrent faire demi-tour et quitter la pièce.

Kendall dit : « Ça alors ! On... on dirait bien que nous voilà avec une sœur.

— Moi, je n'y crois pas, répliqua Woody.

— Moi, j'ai l'impression que... » commença Marc.

Ils parlaient tous en même temps. Tyler leva la main. « Cela ne nous avance à rien. Soyons logiques. En un sens, ici, on juge cette personne et nous, on est les jurés. C'est à nous de déterminer si elle est innocente ou coupable. Dans un jury populaire, la décision doit être unanime. Il faut que nous soyons tous d'accord. »

Woody acquiesça. « Exact. »

Tyler dit : « Alors, c'est moi qui vais voter le premier. Je pense que c'est une simulatrice.

— Une simulatrice ? Comment ça ? demanda Kendall. Elle ne connaîtrait pas tous ces détails à notre sujet si elle se faisait passer pour ce qu'elle n'est pas. »

Tyler se tourna vers elle. « Kendall, combien de domestiques ont travaillé dans cette maison pendant notre enfance ? »

Kendall le regarda, intriguée. « Pourquoi ?

— Des douzaines, d'accord ? Et il y en a parmi eux qui auraient pu connaître tout ce que cette jeune personne nous a raconté. Au fil des années, il y a eu des femmes de chambre, des chauffeurs, des maîtres d'hôtel, des cuisiniers. N'importe lequel d'entre eux a aussi bien pu lui donner cette photo.

— Tu veux dire... qu'il se pourrait qu'elle soit acoquinée avec quelqu'un ?

— Ou avec plusieurs personnes, dit Tyler. Il ne faut pas oublier qu'il y a énormément d'argent en jeu.

— Elle dit qu'elle ne veut pas de l'argent », leur rappela Marc.

Woody acquiesça. « Ça, c'est elle qui le dit. » Il regarda Tyler. « Mais comment la démasquer ? Il n'y aucun moyen de...

— Il y en a un », dit Tyler d'un air songeur.

Tous se tournèrent vers lui.

« Lequel ? demanda Marc.

— Je le saurai demain. »

Simon Fitzgerald dit lentement : « Vous dites que Julia Stanford s'est manifestée après toutes ces années ?

— Une femme qui *prétend* être Julia Stanford, rectifia Tyler.

— Et vous ne la croyez pas ? demanda Steve.

— Pas du tout. Elle ne nous a présenté comme prétendues preuves de son identité que des incidents de notre enfance qu'au moins une douzaine d'anciens employés de la famille pouvaient connaître et une vieille photo qui ne prouve vraiment rien. J'ai l'intention d'apporter la preuve de son imposture. »

Steve fronça les sourcils. « Comment comptez-vous vous y prendre ?

— C'est très simple. Je veux qu'on fasse faire un test d'ADN. »

Steve Sloane manifesta de l'étonnement. « Pour ça, il faudrait exhumer le corps de votre père.

— Oui. » Tyler se tourna vers Simon Fitzgerald. « Est-ce que ça présente des difficultés ?

— Vu les circonstances, je pourrais sans doute obtenir un permis d'exhumer. A-t-elle donné son accord à un tel test ?

— Je ne lui ai pas encore demandé. Si elle refuse, cela voudra dire qu'elle en craint les résultats. » Il hésita. « Je dois avouer que je n'aime pas agir de la sorte. Mais je pense qu'il n'y a pas d'autre moyen de connaître la vérité. »

Fitzgerald demeura quelques instants pensif. « Très bien. » Il se tourna vers Steve. « Vous vous en occuperez ?

— Bien sûr. » Il s'adressa à Tyler. « Vous êtes probablement au courant de la procédure. Un proche parent – dans ce cas, n'importe lequel des enfants du défunt – doit déposer une demande au bureau du coroner afin d'obtenir un permis d'exhumer. Il faut indiquer les motifs de la requête. Si celle-ci est accordée, le bureau du coroner contactera les pompes funèbres pour leur donner le feu vert. Un représentant du coroner doit assister à l'exhumation.

— Ce sera long ? demanda Tyler.

— Je dirais trois ou quatre jours pour obtenir

l'accord. On est mercredi. On devrait pouvoir exhumer le corps lundi prochain.

— Bien. » Tyler marqua un moment d'hésitation. « On aura besoin d'un spécialiste de l'ADN, quelqu'un qui sache être convaincant devant un tribunal, si jamais on en arrive là. Vous connaissez peut-être quelqu'un. »

Steve répondit : « J'ai l'homme qu'il nous faut. Il s'appelle Perry Winger. Il est d'ici, de Boston. Il a témoigné comme expert devant tous les tribunaux du pays. Je vais l'appeler.

— Je vous en saurais gré. Plus vite on aura réglé ça, mieux ce sera pour tout le monde. »

A dix heures, le lendemain matin, Tyler entra dans la bibliothèque de Hill Rose où Woody, Peggy, Kendall et Marc attendaient. Tyler était accompagné d'un inconnu.

« Je vous présente Perry Winger, dit Tyler.

— Qui est-ce ? demanda Woody.

— C'est notre spécialiste de l'ADN », répondit Tyler.

Kendall regarda Tyler. « Mais pourquoi diable avons-vous besoin d'un spécialiste de l'ADN ?

— Pour faire la preuve que cette inconnue, qui a débarqué si fort à propos, est une aventurière. Je n'ai pas l'intention de la laisser s'en tirer à si bon compte, répondit Tyler.

— Tu vas faire exhumer le vieux ? demanda Woody.

— Exact. Nos avocats sont en train de faire les démarches pour obtenir le permis d'exhumer. Si cette femme est notre demi-sœur, l'ADN en apportera la preuve. *Idem*, si elle ne l'est pas. »

Marc dit : « Je ne suis pas sûr de bien comprendre cette histoire d'ADN. »

Perry Winger s'éclaircit la gorge. « Pour dire les choses simplement, l'acide désoxyribonucléique, ou ADN, est la molécule de l'hérédité. Il contient le code génétique unique de chaque individu. On peut l'extraire de taches de sang, du sperme, de la salive, de la racine des cheveux et de tous les os. Dans un cadavre, il en subsiste des traces pendant plus de cinquante ans.

— Je vois. C'est d'une simplicité enfantine », dit Marc.

Perry Winger se rembrunit. « Croyez-moi, ce n'est pas aussi simple que ça. Il y a deux sortes de test de l'ADN. Un test PCR, qui permet d'obtenir les résultats en deux jours, et un test plus compliqué, le RFLP, qui demande de six à huit semaines. Pour nous, le test simple fera l'affaire.

— Comment procédez-vous ? demanda Kendall.

— En plusieurs étapes. On commence par recueillir l'échantillon et on sépare l'ADN en portions. On classe ensuite celles-ci suivant leur taille en les mettant dans un bain de gel et en les soumettant à un courant électrique. L'ADN, qui a une charge négative, se déplace vers la charge positive et, plusieurs heures plus tard, les portions se disposent d'elles-mêmes selon leur taille. » Il s'échauffait en parlant. « On utilise des produits alcalins pour séparer les portions de l'ADN, qui sont ensuite déposées sur une membrane de nylon immergée dans un bain. Alors la radio-activité montre... »

Les yeux de ses auditeurs commençaient à devenir vitreux.

« Quel est le degré de précision de ce test ? l'interrompit Woody.

— Il détermine avec une précision de un pour cent

si l'homme *n'est pas* le père. S'il est positif, sa précision est de quatre-vingt-dix-neuf pour cent. »

Woody s'adressa à son frère. « Tyler, toi qui es juge. Partons de l'idée qu'il s'agit vraiment de la fille de Harry Stanford. Sa mère et notre père n'étaient pas mariés. Pourquoi aurait-elle droit à quoi que ce soit ?

— Selon la loi, répondit Tyler, si la paternité de notre père est établie, elle a droit à une part de la succession égale à la nôtre.

— Alors, allons-y avec cette saleté de test de l'ADN et démasquons-la ! »

Tyler, Woody, Kendall, Marc et Julia étaient assis à une table du Tremont House.

Peggy était restée à Rose Hill. « Toute cette histoire de cadavres qu'on déterre me fout la chair de poule », avait-elle déclaré.

Le groupe faisait face maintenant à celle qui prétendait être Julia Stanford.

« Je ne comprends pas ce que vous attendez de moi.

— C'est tout à fait simple, lui expliqua Tyler. Un médecin va prélever un échantillon de votre peau pour la comparer à celle de notre père. Si les molécules de l'ADN concordent, ce sera la preuve indiscutable que vous êtes sa fille. En revanche, si vous refusez de vous prêter au test...

— Je... Je n'aime pas ça. »

Woody se fit pressant. « Pourquoi ?

— Je ne sais pas. » Elle frissonna. « L'idée d'exhumer le corps de mon père pour... pour...

— Pour prouver qui vous êtes. »

Elle les dévisagea à tour de rôle. « Je préférerais que vous...

— Oui ?

— Je n'ai aucun moyen de vous convaincre, n'est-ce pas ?

— Vous en avez un, répondit Tyler. Acceptez de vous soumettre à ce test.

— D'accord. Je veux bien. »

Le permis d'exhumer avait été plus difficile à obtenir qu'on ne l'avait cru. Simon Fitzgerald était intervenu personnellement auprès du coroner.

« Non ! De grâce, Simon ! Je ne peux pas faire ça ! Vous rendez-vous compte du grabuge que ça va soulever ? Enfin, on n'a pas affaire au premier venu, mais à Harry Stanford. Si jamais ça se sait, les médias vont s'en donner à cœur joie.

— Marvin, c'est important. Il y a des millions de dollars en jeu. A vous de faire en sorte qu'il n'y ait pas de fuite.

— Vous ne pourriez pas procéder autre...

— J'ai bien peur que non. Cette femme est très convaincante.

— Mais la famille, elle, n'est pas convaincue.

— Non.

— Et vous, Simon, vous pensez que c'est une simulatrice ?

— Franchement, je ne sais pas. Mais mon opinion n'a pas d'importance. En fait, tout ce que nous pouvons penser ne compte pas. Un tribunal voudra des preuves, et c'est le test de l'ADN qui les apportera. »

Le coroner hocha la tête. « J'ai connu le vieux Harry Stanford. Il n'aurait pas apprécié. Vraiment, je ne devrais pas...

— Mais vous allez le faire. »

Le coroner soupira. « Il va bien falloir. Vous pourriez me rendre un service ?

— Bien sûr.

— Gardez ça pour vous. Que les médias ne s'en mêlent pas.

— Vous avez ma parole. Top secret. Il n'y aura que la famille.

— Quand voulez-vous procéder ?

— Lundi nous arrangerait. »

Le coroner poussa un nouveau soupir. « D'accord. Je vais téléphoner aux pompes funèbres. A charge de revanche, Simon.

— Je n'oublierai pas. »

A neuf heures, le lundi matin, l'entrée de la section du cimetière de Mount Auburn où reposait le corps de Harry Stanford fut temporairement fermée pour « travaux d'entretien ». Personne n'était admis sur les lieux. Woody, Peggy, Tyler, Kendall, Marc, Julia, Simon Fitzgerald, Steve Sloane et le Dr Collins, un représentant du bureau du coroner, étaient debout au bord de la tombe de Harry Stanford les yeux fixés sur quatre employés du cimetière qui hissaient le cercueil. Perry Winger attendait à l'écart.

Lorsque le cercueil arriva au niveau du sol, le contremaître se tourna vers le groupe. « Et maintenant, qu'est-ce qu'on fait ?

— Ouvrez-le, je vous prie », dit Fitzgerald. Il s'adressa à Perry Winger. « Combien de temps faudra-t-il ?

— Pas plus d'une minute. Je vais juste prélever un petit échantillon de peau.

— D'accord », dit Fitzgerald. Il adressa un signe de tête au contremaître. « Allez-y. »

Celui-ci et ses adjoints commencèrent à ouvrir le cercueil.

« Je ne veux pas voir ça, dit Kendall. C'est vraiment nécessaire ?

— Oui ! lui dit Woody. Absolument nécessaire. »

Ils virent tous, les yeux écarquillés, le couvercle du cercueil que l'on retirait et que l'on écartait. Ils étaient là, figés sur place, les yeux baissés.

« Oh, mon Dieu ! » s'écria Kendall.

Le cercueil était vide.

CHAPITRE QUATORZE

A Rose Hill, Tyler venait de raccrocher le téléphone. « Fitzgerald dit qu'il n'y aura pas de fuite médiatique. Le cimetière n'a sûrement pas envie de ce genre de publicité. Le coroner a ordonné au Dr Collins de la fermer et on peut faire confiance à Perry Winger. Il se taira. »

Woody n'écoutait pas. « Je ne sais pas comment cette salope s'y est prise ! dit-il. Mais elle ne s'en tirera pas comme ça ! » Il jeta un regard furieux aux autres. « Et vous autres, vous pensez sans doute qu'elle n'y est pour rien ? »

Tyler dit lentement : « J'ai bien peur de devoir être d'accord avec toi, Woody. Je ne vois pas qui d'autre aurait eu une raison de faire ça. Elle est intelligente et futée, et il est clair qu'elle n'agit pas seule. On a du pain sur la planche.

— Et maintenant, qu'est-ce qu'on va faire ? » demanda Kendall.

Tyler haussa les épaules. « Franchement, je ne sais pas. Si je le savais. Je suis sûr qu'elle a l'intention de contester le testament devant les tribunaux.

— Est-ce qu'elle a une chance de gagner ? demanda Peggy.

— Je le crains. Elle est très convaincante. Elle a convaincu certains d'entre nous.

— Il doit bien y avoir quelque chose à faire, s'écria Marc. Et si on faisait appel à la police ?

— Fitzgerald dit qu'ils enquêtent déjà sur la disparition du corps et qu'ils en sont au point mort. Sans jeu de mots, ajouta Tyler. En plus, la police ne veut pas faire de vagues, sinon tous les cinglés de la ville vont se mettre à dénicher des corps.

— On peut leur demander d'enquêter sur cette usurpatrice ! »

Tyler hocha la tête. « Ce n'est pas du ressort de la police. C'est une affaire privée... » Il marqua un temps d'arrêt, puis dit d'un air songeur : « Vous savez...

— Quoi ?

— On pourrait toujours engager un détective privé pour la démasquer.

— C'est pas une mauvaise idée. Tu en connais un ?

— Non, pas ici. Mais on pourrait demander à Fitzgerald de trouver quelqu'un. Ou encore... » Il hésita. « Je ne l'ai jamais rencontré, mais j'ai entendu parler d'un détective privé avec lequel le procureur de Chicago travaille souvent. Il a une excellente réputation. »

Marc prit la parole. « Pourquoi ne pas nous adresser à lui ? »

Tyler regarda tout le monde à la ronde. « A vous de décider.

— Qu'est-ce qu'on a à perdre ? demanda Kendall.

— Ça risque de coûter cher », les prévint Tyler.

Woody fit d'un air méprisant : « Cher ? Mais il s'agit de millions de dollars. »

Tyler acquiesça. « Là, tu as raison.

— Comment s'appelle-t-il ? »

Tyler s'assombrit. « Je ne me souviens pas. Simpson... Simmons... Non, ce n'est pas ça. C'est quelque chose comme ça. Je peux téléphoner au bureau du procureur à Chicago. »

Le groupe regarda Tyler décrocher le combiné qui se trouvait sur la console et composer le numéro. Deux minutes plus tard, il parlait à un adjoint du procureur. « Ici le juge Tyler Stanford. J'ai cru comprendre que votre bureau avait recours de temps à autre aux services d'un détective privé dont vous étiez très satisfaits. Son nom est quelque chose comme Simmons ou... »

La voix à l'autre bout de la ligne dit : « Oh, vous voulez parler de Frank *Timmons*.

— Timmons ! Oui, c'est ça. » Tyler jeta un coup d'œil aux autres et sourit. « Si vous me donniez son numéro de téléphone. Comme ça, je pourrais le joindre directement »

Ayant noté le numéro de téléphone, Tyler raccrocha.

Il se tourna vers le groupe et dit : « Voilà. Si on est tous d'accord, je vais essayer de le joindre. »

Tous acquiescèrent.

Le lendemain après-midi, Clark entra dans le salon où le groupe attendait. « M. Timmons est là. »

C'était un homme dans la cinquantaine, le teint pâle et bâti comme un boxeur. Il avait le nez cassé et un regard vif, inquisiteur. Il posa à tour de rôle un œil interrogatif sur Tyler, sur Marc et sur Woody. « Le juge Stanford ? »

Tyler acquiesça. « C'est moi.

— Frank Timmons, dit-il.

— Veuillez vous asseoir, monsieur Timmons.

— Merci. » Il s'assit. « C'est bien vous qui avez téléphoné ?

— Oui.

— Pour être franc, je ne vois pas ce que je peux faire pour vous. Je n'ai pas de contacts officiels ici.

— Il s'agit d'une affaire strictement privée, le rassura Tyler. Nous voulons simplement en savoir un peu plus sur le passé d'une jeune femme.

— Vous m'avez dit au téléphone qu'elle prétendait être votre demi-sœur et qu'il n'y avait aucun moyen de procéder au test par ADN.

— Exact », dit Woody.

Il regarda le groupe. « Et vous, vous ne croyez pas qu'elle soit votre demi-sœur ? »

Il y eut un moment d'hésitation.

« Non, répondit Tyler. Il se peut par ailleurs qu'elle dise la vérité. Ce que nous attendons de vous, c'est que vous nous apportiez la preuve irréfutable qu'elle est soit ce qu'elle prétend être soit que c'est une fraudeuse.

— Aucun problème. Il vous en coûtera mille dollars par jour plus les frais.

— Quoi, mille..., fit Tyler.

— On les paiera, trancha Woody.

— Il faudra que vous me disiez tout ce que vous savez sur cette femme. »

Kendall dit : « On ne sait pas grand-chose. »

Tyler prit la parole. « Elle n'a aucune preuve. Elle nous a balancé des tas d'histoires comme quoi sa mère lui aurait parlé de notre enfance et... »

Timmons leva la main. « Un instant. Sa mère, qui était-ce ?

— Sa *prétendue* mère a été notre gouvernante quand nous étions enfants. Elle s'appelait Rosemary Nelson.

— Qu'est-ce qu'elle est devenue ? »

Ils échangèrent un regard gêné.

Woody prit la parole. « Elle a eu une aventure avec notre père et s'est retrouvée enceinte. Elle a quitté la maison et a eu une petite fille. » Il haussa les épaules. « On ne l'a plus revue.

— Je vois. Et cette femme prétend être sa fille ?

— Exact.

— Ça ne mène pas loin. » Il demeura un moment silencieux, songeur. Finalement, il leva les yeux. « D'accord. Je vais voir ce que je peux faire.

— C'est tout ce que nous demandons », dit Tyler.

Il commença par se rendre à la Bibliothèque Municipale de Boston où il lut toutes les microfiches concernant le scandale vieux de vingt-six ans et où il était question de Harry Stanford, de la gouvernante et du suicide de Mme Stanford. Il y avait de quoi écrire un roman.

Il alla ensuite voir Simon Fitzgerald.

« Je m'appelle Frank Timmons. Je...

— Je sais qui vous êtes, monsieur Timmons. Le juge Stanford m'a demandé de coopérer avec vous. En quoi puis-je vous être utile ?

— Je voudrais retrouver la fille naturelle de Harry Stanford. Elle a environ vingt-six ans, si je ne me trompe ?

— Oui. Elle est née le 9 août 1969 à l'hôpital Saint-Joseph de Milwaukee, dans le Wisconsin. Sa mère lui a donné le nom de Julia. » Il haussa les épaules. « Ensuite on perd leurs traces. J'ai bien peur que ce soit là tout ce que l'on sache...

— C'est un début, dit Timmons. Il faut bien commencer par quelque chose. »

Mme Dougherty, la directrice de l'hôpital Saint-Joseph de Milwaukee, était une femme aux cheveux gris, âgée d'une soixantaine d'années.

« Oui, bien sûr que je me souviens, dit-elle. Comment aurais-je pu oublier ? Quel scandale ! Tous les journaux en parlaient. Les journalistes, ici, ont percé son identité à jour et ils lui ont rendu la vie impossible, la pauvre.

— Où sont-elles allées, elle et son enfant, quand elles sont parties d'ici ?

— Je ne sais pas. Elle ne nous a pas laissé d'adresse où on aurait pu la joindre.

— Elle a payé ses frais d'hospitalisation en partant, madame Dogherty ?

— Tiens, à propos... Non, elle ne les a pas réglés.

— Comment se fait-il que vous vous en rappeliez ?

— Ah, c'est triste à dire, mais je me souviens qu'elle était assise là, à votre place. Elle m'a dit qu'elle ne pouvait pas tout régler mais elle m'a promis de me faire parvenir la différence. Enfin, c'était contraire au règlement mais j'ai eu pitié d'elle. Elle était si malade en partant que j'ai accepté.

— Et elle vous a envoyé ce qu'elle vous devait ?

— Bien sûr. Environ deux mois plus tard. Ça me revient maintenant. Elle avait trouvé du travail dans une boîte de secrétariat.

— Vous ne vous rappelez pas où par hasard ?

— Non. Bon Dieu, il y a vingt-cinq ans de ça, monsieur Timmons.

— Madame Dougherty, est-ce que vous conservez un dossier de tous vos patients ?

— Naturellement. » Elle posa son regard sur lui. « Vous voulez que je vérifie dans les registres ? »

Il lui adressa un sourire aimable. « Si ça ne vous ennuie pas.

— Ça pourrait lui être utile ?

— Cela pourrait tout changer pour elle.

— Si vous voulez bien m'excuser. » Mme Dougherty quitta le bureau.

Quinze minutes plus tard, elle revint, un papier à la main. « Tenez. Rosemary Nelson. L'adresse de l'envoyeur est The Elite Typing Service à Omaha, dans le Nebraska. »

The Elite Typing Service était dirigé par un certain M. Otto Broderick, un homme dans la soixantaine.

« Nous engageons tellement d'employés intermittents, objecta-t-il. Comment voulez-vous que je me souvienne de quelqu'un qui a travaillé ici il y aussi longtemps ?

— Il s'agit d'un cas un peu particulier. C'était une femme seule de près d'une trentaine d'années. Elle venait d'avoir un enfant et...

— Rosemary !

— Exact. Pourquoi vous souvenez-vous d'elle ?

— C'est que j'aime faire des rapprochements, monsieur Timmons. Vous savez ce qu'est la mnémotechnique ?

— Oui.

— Eh bien, moi, je m'en sers. J'associe les mots. Un film venait de sortir à l'époque, *Rosemary's Baby*. Aussi, quand Rosemary s'est présentée et m'a dit qu'elle venait d'avoir un enfant, j'ai fait le rapprochement et...

— Combien de temps est-elle restée chez vous ?

— Oh, un an, à peu près. Les journalistes ont alors retrouvé sa trace et ne l'ont plus laissée tranquille. Elle a quitté la ville en pleine nuit pour leur échapper.

— Monsieur Broderick, avez-vous une idée de l'endroit où elle est allée en partant d'ici ?

— En Floride, je pense. Je l'avais recommandée à une agence que je connaissais là-bas.

— Pourrais-je avoir le nom de cette agence ?

— Certainement. C'est l'agence Gale. Je m'en souviens parce que je l'associe à toutes les grosses tempêtes qu'ils ont là-bas, en Floride, tous les ans *. »

---

* *Gale* signifie un vent soufflant en tempête. (*N.d.T.*)

Dix jours après sa rencontre avec les Stanford, Timmons revint à Boston. Il avait annoncé son retour par téléphone et toute la famille l'attendait. Assis en demi-cercle, ils lui faisaient face lorsqu'il entra dans le salon de Rose Hill.

« Vous avez dit que vous aviez du nouveau, M. Timmons, dit Tyler.

— En effet. » Il ouvrit une serviette et en retira quelques documents. « C'est vraiment une histoire intéressante, dit-il. Au début...

— Venez-en au fait, dit Woody d'un ton impatient. C'est une simulatrice, oui ou non ? »

Timmons posa son regard sur lui. « Si ça ne vous ennuie pas, monsieur Stanford, j'aimerais présenter les choses à ma manière. »

Tyler adressa un regard réprobateur à Woody. « Il n'a pas tort. Je vous en prie, continuez. »

Ils le regardèrent consulter ses notes. « La gouvernante des Stanford, Rosemary Nelson, a eu une fille de Harry Stanford. Elle et l'enfant sont allées vivre à Omaha, dans le Nebraska, où elle a travaillé pour une boîte de secrétariat, The Elite Typing Service. Son employeur m'a dit qu'elle supportait mal le climat là-bas.

« J'ai ensuite retrouvé sa trace et celle de sa fille en Floride, où elle a travaillé pour l'agence Gale. Elles ne restaient pas longtemps au même endroit. J'ai suivi leur piste jusqu'à San Francisco, où elles vivaient il y a dix ans. La piste s'arrête là. Ensuite, plus de trace d'elles. » Il leva les yeux de ses papiers.

« C'est *tout*, Timmons ? demanda Woody. Vous ne savez pas ce qu'elles sont devenues depuis dix ans ?

— Non, ce n'est pas *tout*. » Il fouilla dans sa serviette et en sortit un autre document. « La fille, Julia, a passé son permis de conduire à dix-sept ans.

— Et alors ? demanda Marc.

— Dans l'Etat de Californie, on prend les empreintes digitales des conducteurs. » Il leur montra une carte. « Voici les véritables empreintes digitales de Julia Stanford. »

Tyler dit, tout excité : « Mais oui ! Si elles coïncident... »

Woody l'interrompit. « Alors, ce serait vraiment notre sœur. »

Timmons acquiesça. « Exact. J'ai pris avec moi un nécessaire à empreintes digitales au cas où vous voudriez vérifier les siennes. Elle est ici ? »

Tyler répondit : « Elle est dans un hôtel du coin. Je l'appelle tous les matins pour la convaincre de ne pas partir avant qu'on ait réglé tout ça.

— On va aller la voir ! dit Woody. Allez, on y va ! »

Une demi-heure plus tard, le groupe faisait son entrée dans une chambre d'hôtel du Tremont House. A leur arrivée, elle était en train de faire ses valises.

« Où allez-vous ? » demanda Kendall.

Elle se retourna pour leur faire face. « Je rentre. Pour commencer, j'ai eu tort de venir ici. »

Tyler dit : « Vous ne pouvez pas nous accuser de... »

Elle se tourna vers lui, furieuse. « Depuis mon arrivée, je n'ai rencontré que de la suspicion. Vous pensez que je suis venue ici pour vous soutirer de l'argent. Eh bien, non. Je suis venue parce que je voulais retrouver ma famille. Je... Peu importe. » Elle se remit à faire ses bagages.

Tyler dit : « Voici Frank Timmons. Il est détective privé. »

Elle leva les yeux. « Qu'est-ce qu'il y a encore ? On vient m'arrêter ?

— Non, mademoiselle. Julia Stanford a passé son permis de conduire à San Francisco à dix-sept ans. »

Elle s'arrêta. « Oui, et alors ? C'est contraire à la loi ?

— Non, mademoiselle. Le fait est que...

— Le fait est, l'interrompit Tyler, que les empreintes de Julia Stanford figurent sur ce permis de conduire. »

Elle les regarda. « Je ne comprends pas. Où voulez-vous en... »

Woody prit la parole. « Nous voulons les comparer aux vôtres. »

Elle pinça les lèvres. « Non ! Pas question !

— Voulez-vous dire que vous refusez que nous prenions vos empreintes ?

— Exactement.

— Et pourquoi ? » demanda Marc.

Elle s'était raidie. « Parce que vous vous conduisez tous avec moi comme si j'étais une criminelle. Enfin, ça suffit ! Laissez-moi tranquille. »

Kendall, prenant une voix aimable, dit : « C'est l'occasion pour vous de prouver votre identité. Toute cette histoire nous ennuie autant que vous. On aimerait que ce soit réglé une fois pour toutes. »

Elle garda le silence, les dévisageant un à un. Finalement, elle dit d'un ton las : « D'accord. Finissons-en.

— Parfait.

— Monsieur Timmons... dit Tyler.

— Tout de suite. » Il sortit un petit nécessaire à empreintes et le posa sur la table. Il ouvrit l'encreur. « A présent, si vous voulez bien venir par ici, s'il vous plaît. »

Les autres la suivirent des yeux tandis qu'elle se dirigeait vers la table. Il lui prit la main et appliqua un par un ses doigts sur l'encreur. Ensuite, il les appuya sur une feuille blanche. « Voilà. Simple comme bonjour, non ? » Il posa le permis de conduire plastifié à côté des empreintes fraîches.

Le goupe s'approcha de la table pour regarder les deux séries d'empreintes.

Elles étaient identiques.

Woody fut le premier à prendre la parole. « Elles sont... elles sont... pareilles. »

Kendall regarda Julia avec des sentiments mêlés. « Alors, tu es vraiment notre sœur ? »

Julia souriait à travers ses larmes. « Je n'ai pas cessé de vous le répéter. »

Tout le monde se mit à parler en même temps.

« C'est incroyable... »

« Après tant d'années... »

« Pourquoi ta mère n'est-elle pas revenue... »

« Je regrette qu'on t'ait fait subir pareille épreuve... »

Son sourire illuminait la pièce. « Ce n'est rien. Tout va bien maintenant. »

Woody prit le permis de conduire et le regarda d'un air éberlué. « Ça alors ! Un permis de conduire qui vaut un milliard ! » Il le mit dans sa poche. « Je vais le faire couler dans le bronze. »

Tyler se tourna vers le groupe. « Il faut fêter ça ! Je propose qu'on retourne tous à Rose Hill. » S'adressant à Julia, il dit : « On va te faire une soirée d'accueil. Allez, on règle ta chambre et on file d'ici. »

Elle les regarda à tour de rôle, les yeux brillants. « J'ai l'impression de rêver ! Enfin, j'ai une famille. »

Une demi-heure plus tard, ils étaient de retour à Rose Hill et elle avait pris possession de sa nouvelle chambre. Les autres, en bas, conversaient, tout excités.

« Elle a dû avoir le sentiment qu'on la soumettait à la question, comme du temps de l'Inquisition, dit Tyler d'un air songeur.

— En effet, dit Peggy. Je ne sais pas comment elle a fait pour ne pas craquer.

— Je me demande comment elle va se faire à sa nouvelle vie, dit Kendall.

— Elle va s'y faire comme nous tous, dit sèchement
Woody. Au champagne et au caviar. »

Tyler se leva. « Pour ma part, je suis content que ce
soit réglé. Je monte voir si elle a besoin de quelque
chose. »

Il monta à l'étage et emprunta le couloir qui menait à
la chambre de Julia. Il frappa à la porte et appela d'une
voix forte : « Julia ?

— C'est ouvert. Entrez. »

Il s'immobilisa sur le seuil et ils se dévisagèrent en
silence. Tyler referma alors soigneusement la porte et
eut un large sourire.

Lorsqu'il prit la parole, ce fut pour dire : « On a
réussi, Margo ! On a réussi ! »

Soir

CHAPITRE QUINZE

Il avait calculé son coup avec tout le doigté d'un grand joueur d'échecs. A cette différence près que ç'avait été la partie d'échecs la plus rentable de toute l'histoire, avec des milliards de dollars en jeu – et il avait gagné ! Il se sentait envahi d'un sentiment de toute-puissance. *Est-ce comme ça que tu te sentais quand tu concluais une grosse affaire, père ? Mais là, c'est une affaire comme tu n'en as jamais conclue. J'ai manigancé le coup du siècle et ça a marché.*

En un sens, c'était Lee qui avait été à l'origine de toute l'histoire. La personne qu'il aimait plus que tout au monde. Ils s'étaient rencontrés au Berlin, le bar *gay* de West Belmont Avenue. Lee était grand, musclé et blond. C'était le plus bel homme que Tyler eût jamais vu.

Leur rencontre avait commencé par : « Puis-je vous offrir un verre ? »

Lee l'avait regardé de haut et avait acquiescé. « Avec plaisir. »

Après le deuxième verre, Tyler avait dit : « Et si on allait boire un verre chez moi ? »

Lee avait souri. « Je coûte cher.

— C'est-à-dire ?

— Cinq cents dollars pour la nuit. »

Tyler n'avait pas hésité. « Allons-y. »

Ils avaient passé la nuit chez Tyler.

Lee était tendre, sensible et affectueux. Tyler s'était senti proche de lui comme de personne auparavant. Il avait été submergé d'émotions inconnues de lui jusque-là. Au matin, il était follement amoureux.

Il lui était arrivé dans le passé de draguer des jeunes hommes au Caire, au Bijou Theater et dans d'autres boîtes *gay* de Chicago, mais il savait que c'étaient des passades. Désormais, il n'y aurait que Lee.

Ce matin-là, tout en préparant le petit déjeuner, Tyler demanda : « Qu'est-ce que tu aimerais faire ce soir ? »

Lee l'avait regardé avec étonnement. « Je regrette. Je suis pris ce soir. »

Tyler avait eu l'impression de recevoir un coup à l'estomac. « Mais, Lee, je pensais que toi et moi...

— Tyler, mon chéri, je suis très demandé. Je vais avec le plus offrant. Je t'aime bien, mais j'ai bien peur d'être au-delà de tes moyens.

— Je te donnerai tout ce que tu veux », avait répondu Tyler.

Lee avait eu un sourire blasé. « Ah oui ? Alors, ce que je veux, c'est une croisière à Saint-Tropez sur un beau yacht blanc. Tu peux te permettre ça ?

— Lee, je suis plus riche que tous tes amis réunis.

— Oh, et moi qui croyais que tu étais juge.

— Oui, enfin, c'est ce que je suis, mais je *vais* être riche. Je veux dire... *très* riche. »

Lee l'avait pris dans ses bras. « Te fais pas de mauvais sang, Tyler. Je suis libre jeudi en huit. Ces œufs ont l'air délicieux. »

Ç'avait été le début. L'argent, qui avait toujours compté pour Tyler, était maintenant devenu une obsession. Il lui en fallait pour Lee. Il ne pensait plus qu'à cela. L'idée qu'il puisse faire l'amour avec d'autres hommes lui était devenue insupportable. *Il me le faut pour moi tout seul.*

Tyler savait depuis l'âge de douze ans qu'il était homosexuel. Un jour, son père l'avait surpris en train de caresser et d'embrasser un de ses camarades de classe. Son père n'y était pas allé par quatre chemins. « Je n'arrive pas à croire que j'ai un fils pédé ! Maintenant que je connais tes sales petits secrets, je vais t'avoir à l'œil, tapette. »

Le mariage de Tyler avait été une plaisanterie *h*énorme manigancée par un dieu doté d'un solide sens de l'humour noir.

« J'aimerais te présenter quelqu'un », avait dit Harry Stanford.

C'étaient les fêtes de Noël et Tyler était venu passer les vacances à Rose Hill. Kendall et Woody étaient déjà sur le départ et Tyler se préparait à faire comme eux lorsque la nouvelle lui était tombée dessus.

« Tu vas te marier.

— Me marier ? C'est hors de question ? Je ne...

— Ecoute-moi bien, tapette. On commence à jaser sur ton compte et je ne veux pas de ça. C'est mauvais pour mon image. Si tu te maries, ils vont la fermer. »

Tyler avait résisté. « Je me fous de ce que disent les gens. C'est ma vie.

— Et moi, je veux que tu vives riche, Tyler. Je vieillis.

Je n'en ai pas pour longtemps... » Il avait haussé les épaules.

La carotte et le bâton.

Noami Schuyler était une femme quelconque issue d'une famille petite-bourgeoise et qui « pétait plus haut que son cul ». Le nom de Harry Stanford l'impressionnait tellement qu'elle aurait sans doute épousé son fils s'il avait été pompiste plutôt que juge.

Harry Stanford avait déjà couché avec elle. Quand on lui demandait pourquoi, Stanford répondait : « Parce qu'elle était là. » Il s'était vite lassé d'elle et avait décidé qu'elle conviendrait parfaitement à Tyler.

Et quand Harry Stanford voulait quelque chose, il l'obtenait.

Le mariage avait eu lieu deux mois plus tard. Ç'avait été un petit mariage – cent cinquante invités – et les mariés étaient allés à la Jamaïque en voyage de noces. Ç'avait été un fiasco.

Le soir de ses noces, Noami avait dit : « Mais, ça alors, qu'est-ce que j'ai épousé là ? Peux-tu me dire à quoi te sert ta queue ? »

Tyler avait tenté de la raisonner. « On peut se passer de sexe. On vivra chacun de notre côté. On restera ensemble mais on aura chacun nos... nos petits copains.

— Tu parles, t'inquiète pas pour ça. »

Noami s'était vengée en jetant son argent par les fenêtres. Elle faisait ses courses dans les magasins les plus chers de la ville et prenait même l'avion jusqu'à New York pour faire les boutiques.

« Je n'ai pas les moyens de payer tes folies avec ce que je gagne, protestait Tyler.

— Dans ce cas, demande une augmentation. Je suis ta femme. Tu dois subvenir à mes besoins. »

Tyler était allé voir son père pour lui exposer la situation.

Harry Stanford avait ricané. « Tu sais, les femmes, ça coûte cher. Débrouille-toi.

— Mais, père, j'ai besoin d'...

— Un jour, tu auras tout l'argent que tu veux. »

Tyler avait tenté d'expliquer la chose à Noami mais elle n'avait nullement envie d'attendre le « jour » en question. Elle avait comme le sentiment que ce n'était pas pour demain. Après avoir pressé Tyler comme un citron, elle avait demandé le divorce, obtenu ce qui lui restait sur son compte en banque et disparu.

En apprenant la nouvelle, Harry Stanford avait dit : « Quand on est pédé, on l'est pour toujours. »

Et on en était resté là.

Il n'y avait rien que son père ne fît pour le rabaisser. Un jour que Tyler siégeait, au beau milieu d'un procès, son huissier s'était approché de lui et lui avait chuchoté à l'oreille : « Excusez-moi, Votre Honneur... »

Tyler lui avait demandé d'un ton impatient : « Oui ?

— On vous demande au téléphone.

— *Quoi ?* Ça ne va pas, non ? Je suis en plein milieu d'une...

— C'est votre père, Votre Honneur. Il dit que c'est très urgent et qu'il faut qu'il vous parle immédiatement. »

Tyler était furieux. Son père n'avait pas le droit de l'interrompre. Il avait eu la tentation de passer outre l'appel. Mais d'un autre côté, si c'était urgent...

Tyler s'était levé. « La cour se retire pour quinze minutes. »

Il s'était précipité vers son bureau et avait saisi le combiné. « Père ?

— J'espère que je ne te dérange pas, Tyler. » Il y avait quelque chose de pervers dans sa voix.

« Eh bien, oui, tu me déranges. Je suis en pleine audience et tu...

— Ah, ça va, donne-lui une contravention et laisse tomber.

— Père...

— J'ai un problème délicat à te soumettre.

— Quelle sorte de problème ?

— Mon cuisinier me vole. »

Tyler n'en avait pas cru ses oreilles. Il était dans une telle rage qu'il avait difficilement trouvé ses mots. « Tu me déranges en plein procès pour...

— Tu représentes la loi, non ? Eh bien, lui, il la transgresse. Je veux que tu viennes à Boston et que tu passes tout mon personnel au peigne fin. Ils me pillent littéralement ! »

Tyler était prêt à exploser. « Père...

— On ne peut pas faire confiance à ces maudites agences pour l'emploi.

— Je suis en plein procès. Je ne peux pas partir pour Boston maintenant. »

Un silence éloquent se fit. « Répète un peu ?

— Je disais...

— Tu ne voudrais pas me faire faux bond encore une fois, non, Tyler ? Je devrais peut-être demander à Fitzgerald de modifier quelque peu mon testament. »

Et ç'avait été une fois de plus la carotte. Le fric. Sa part des milliards de dollars qui l'attendaient à la mort de son père.

Tyler s'était éclairci la gorge. « Si tu m'envoyais ton avion...

— Ça, non ! Si tu sais y faire, mon petit juge, cet avion sera à toi un jour. Penses-y. En attendant, prends un vol commercial comme tout le monde. Mais je te veux ici *illico* ! » Il avait coupé.

Tyler était resté prostré d'humiliation. *Père s'est conduit comme ça avec moi toute ma vie. Qu'il aille au diable ! Je n'irai pas ! Je n'irai pas !*

Tyler avait pris l'avion pour Boston le soir même.

Harry Stanford employait un personnel de vingt-deux personnes, une phalange de secrétaires, maîtres d'hôtel, femmes de chambre, chauffeurs, jardiniers, ainsi qu'un garde du corps.

« Une bande de voleurs, du premier au dernier, s'était-il plaint à Tyler.

— Si tu t'en fais tant que ça, pourquoi n'engages-tu pas un détective privé ou ne t'adresses-tu pas à la police ?

— Parce que je t'ai sous la main, avait répondu Harry Stanford. Tu es juge, non ? Alors, à toi de les faire passer en jugement pour moi. »

C'était de la pure malice.

Tyler avait parcouru du regard l'immense demeure remplie de meubles et de tableaux magnifiques et avait songé à la maison lugubre dans laquelle il vivait. *C'est ça que je mérite,* s'était-il dit. *Et un jour, ce sera à moi.*

Tyler avait parlé avec Clark, le maître d'hôtel, et avec les membres les plus anciens du personnel. Il avait eu un entretien avec les domestiques, un à un, et avait vérifié leur CV. La plupart avaient été engagés de fraîche date car Harry Stanford était un patron impossible. Le personnel défilait à un rythme incroyable. Certains ne tenaient pas plus d'un jour ou deux. Quelques employés s'étaient rendus coupables de petits chapardages, un autre était alcoolique mais, autrement, Tyler n'avait rien trouvé à redire.

Sauf en ce qui concernait Dmitri Kaminsky.

Dmitri Kaminsky avait été engagé par son père comme garde du corps et masseur. Sa pratique des cours d'assises avait appris à Tyler à jauger les personnalités et il y avait quelque chose chez Dmitri qui l'avait d'emblée rendu méfiant. C'était l'employé le plus récent. L'ancien garde du corps de Harry Stanford avait démissionné – Tyler avait facilement deviné pourquoi – et recommandé Kaminsky.

Celui-ci était massif, bâti comme une armoire à glace, les bras énormes et musclés. Il parlait anglais avec un fort accent russe. « Vous voulez me voir ?

— Oui. » Tyler lui avait indiqué un siège. « Asseyez-vous. » Il avait jeté un coup d'œil sur sa fiche professionnelle, qui ne lui avait pas appris grand-chose, si ce n'est que Dmitri était venu de Russie peu de temps auparavant. « Vous êtes né en Russie ?

— Oui. » Il avait adressé un regard circonspect à Tyler.

« De quel coin ?

— Smolensk.

— Pourquoi avez-vous quitté la Russie pour venir en Amérique ? »

Kaminsky avait haussé les épaules. « Il y a plus de débouchés ici. »

Des débouchés pour quoi faire ? s'était demandé Tyler. Ce type avait quelque chose de fuyant. Ils avaient parlé durant vingt minutes et, à la fin, Tyler avait eu la conviction que Dmitri Kaminsky cachait quelque chose.

Tyler avait téléphoné à Fred Masterson, quelqu'un qu'il connaissait au FBI.

« Fred, je voudrais que tu me rendes un service.

— Pas de problème. Si jamais je vais à Chicago, tu me feras sauter mes contraventions ?

— Je suis sérieux.

— Allez, je t'écoute.

— Je voudrais que tu fasses une petite enquête sur un Russe qui est arrivé ici il y a six mois.

— Je t'arrête tout de suite. Ça regarde la CIA, ça.

— Peut-être, mais je ne connais personne à la CIA.

— Moi non plus.

— Fred, si tu pouvais faire ça pour moi, je t'en serais vraiment reconnaissant. »

Tyler avait entendu un soupir.

« OK. Comment s'appelle-t-il ?

— Dmitri Kaminsky.

— Tu sais ce que je vais faire ? Je connais quelqu'un à l'ambassade de Russie. Je vais voir s'il possède des informations au sujet de ce Kaminsky. Autrement, j'ai bien peur de ne pouvoir rien faire pour toi.

— Je te revaudrai ça. »

Ce soir-là, Tyler avait dîné avec son père. Au fond de lui-même, Tyler espérait qu'avec le temps celui-ci aurait vieilli, serait devenu plus fragile, plus vulnérable. Au lieu de cela, Harry Stanford paraissait en bonne santé et solide, dans la pleine force de l'âge. *Il est increvable*, s'était dit Tyler, au désespoir. *Il va tous nous enterrer.*

A table, la conversation avait été totalement unilatérale.

« Je viens de faire l'acquisition d'une compagnie d'électricité à Hawaii... »

« Je prends l'avion pour Amsterdam la semaine prochaine pour régler un différend dans le cadre du
GATT... »

« Le secrétaire d'Etat m'a invité à l'accompagner en
Chine... »

Tyler avait à peine placé un mot. A la fin du repas,
son père s'était levé. « Alors, où en es-tu avec cette histoire de domestiques ?

— Je suis encore en train de les contrôler, père.

— Bon, mais ne prends pas des siècles », avait grom-
melé son père. Sur ce, il avait quitté la pièce.

Le lendemain matin, Tyler avait reçu un coup de fil
de Fred Masterson.

« Tyler ?

— Oui.

— C'est un joli numéro que tu as dégotté là.

— Oh ?

— Dmitri Kaminsky était tueur à gages pour la *polgoprudnenskaya*.

— Qu'est-ce que c'est que ça ?

— Je vais t'expliquer. Moscou est tenu par huit
bandes criminelles. Elles se font la guerre entre elles
mais les deux groupes les plus puissants sont les *tchétchènes* et la *polgoprudnenskaya*. Ton ami Kaminsky travaillait pour la seconde. Il y a trois mois, ils l'ont chargé
d'abattre un des chefs des *tchétchènes*. Au lieu de remplir son contrat, Kaminsky est allé le voir pour se
vendre au plus offrant. La *polgoprudnenskaya* a découvert le pot aux roses et a mis un tueur à ses trousses. Là-
bas, les gangs ont de drôles de mœurs. On commence
par te couper les doigts, on te laisse saigner un petit
moment, puis on te descend.

— Mon Dieu !

— Kaminsky a réussi à sortir clandestinement de

Russie mais ils le recherchent encore. Et ils ne vont pas le lâcher.

— C'est incroyable, avait dit Tyler.

— Ce n'est pas tout. Il est aussi recherché par la police de l'Etat pour quelques meurtres. Si tu sais où il se trouve, j'aimerais avoir l'information. »

Tyler avait réfléchi quelques instants. Il ne pouvait pas se permettre d'être mêlé à ça. *Je serais obligé de témoigner et ça me ferait perdre un temps fou.*

« Je n'en ai pas la moindre idée. Je voulais seulement des renseignements sur lui pour un ami russe. Je te remercie, Fred. »

Tyler avait trouvé Dmitri Kaminsky dans sa chambre en train de lire un magazine porno hard. Il s'était levé à l'entrée de Tyler.

« Je veux que vous fassiez vos affaires et que vous partiez d'ici. »

Dmitri l'avait regardé fixement. « Qu'est-ce qu'il y a ?

— Je vous laisse le choix. Ou vous décampez d'ici midi ou je dis à la police russe qui vous êtes. »

Dmitri avait pâli.

« Vous comprenez ?

— *Da.* Je comprends. »

Tyler était allé voir son père. *Il va être content,* s'était-il dit. *Je lui ai rendu un fier service.* Il l'avait trouvé dans son cabinet de travail.

« J'ai contrôlé tout le personnel, avait-il dit, et...

— Je n'en reviens pas. As-tu trouvé des gosses à mettre dans ton lit ? »

Le visage de Tyler s'était empourpré. « Père...

— T'es rien qu'une pédale, Tyler. Je ne sais vraiment pas comment mes couilles ont pu engendrer un type de ton espèce. Rentre retrouver tes petites ordures de Chicago. »

Tyler était resté cloué sur place, luttant pour garder son contrôle. « D'accord, avait-il fait d'un air pincé.

— Tu as quelque chose à me communiquer au sujet du personnel ? »

Tyler s'était retourné et avait observé son père quelques instants. « Non, avait-il répondu lentement. Rien. »

Lorsque Tyler était revenu dans la chambre de Kaminsky, celui-ci était en train de faire ses bagages.

« Je m'en vais, avait dit Kaminsky d'un ton maussade.

— Ne partez pas. J'ai changé d'avis. »

Dmitri avait posé sur lui un regard intrigué. « Quoi ?

— Je ne veux pas que vous partiez. Je veux que vous continuiez à remplir vos fonctions de garde du corps de mon père.

— Mais... vous savez, l'autre chose ?

— N'y pensons plus. »

Dmitri le regardait avec circonspection. « Pourquoi ? Qu'attendez-vous de moi ?

— J'aimerais que vous soyez mes yeux et mes oreilles ici. J'ai besoin de quelqu'un qui garde un œil sur mon père et qui me rapporte ce qui se passe.

— Et pourquoi ferais-je ça ?

— Parce que si vous faites ce que je vous dis, je ne vous livrerai pas aux Russes. Et parce que je ferai de vous un homme riche. »

Dmitri Kaminsky l'avait étudié quelques instants. Un lent sourire avait éclairé son visage. « Je reste. »

Ç'avait été le gambit d'ouverture. Le premier pion avait été déplacé.

Cela s'était passé deux ans auparavant. De temps à autre, Dmitri transmettait une information à Tyler. Il s'agissait la plupart du temps de ragots sur la dernière histoire de cœur de Harry Stanford ou d'éléments de ses transactions financières entendus au hasard par Dmitri. Tyler commençait à se dire qu'il avait fait une erreur, qu'il aurait dû livrer Dmitri à la police, lorsque le coup de téléphone fatal était arrivé de Sardaigne et qu'il était apparu que le jeu en valait la chandelle.

« Je suis avec votre père sur son yacht. Il vient d'appeler son avocat. Il le rencontre lundi à Boston pour modifier son testament. »

Tyler avait pensé à toutes les humiliations dont son père l'avait accablé au fil des ans et il avait été saisi d'une fureur terrible. *S'il change son testament, j'aurai subi toutes ces années de mauvais traitements pour rien. Je ne vais pas le laisser s'en tirer comme ça ! C'est le seul moyen de l'arrêter.*

« Dmitri, je veux que vous me rappeliez samedi.

— D'accord. »

Il était temps d'introduire le cavalier.

CHAPITRE SEIZE

A la cour d'assises du comté de Cook, il y avait un constant défilé de prévenus accusés d'incendie criminel, de viol, de trafic de drogue, de meurtre et d'autres délits peu recommandables. Au cours d'un même mois, il arrivait au juge Tyler de traiter au moins une demi-douzaine d'affaires de meurtre. La plus grande partie des causes n'aboutissaient jamais devant le tribunal car les avocats de la défense proposaient des compromis. Comme les rôles des tribunaux étaient encombrés et les prisons surpeuplées, l'Etat acceptait généralement. Les deux parties s'entendaient alors entre elles et se présentaient devant le juge Tyler pour obtenir son assentiment.

Le cas de Hal Baker avait échappé à cette règle.

Hal Baker était un homme plein de bonnes intentions et malchanceux. Lorsqu'il avait quinze ans, son frère aîné lui avait proposé de l'aider à dévaliser une épicerie. Hal avait essayé de l'en dissuader et, n'y étant pas parvenu, l'avait accompagné. Il s'était fait prendre et son frère s'était enfui. Deux ans plus tard, lorsqu'il était sorti de l'école de redressement, il était bien décidé à ne plus jamais avoir d'ennuis avec la loi. Un mois plus tard, il avait accompagné un ami jusqu'à une bijouterie.

« Je veux choisir une bague pour ma fiancée. »

Un fois dans le magasin, son ami avait sorti un revolver et crié : « C'est un hold-up ! »

Dans l'agitation qui avait suivi, un commis avait été abattu. On avait arrêté Hal Baker pour vol à main armée. Son ami s'était échappé.

Tandis que Baker était en prison, Helen Gowan, une travailleuse sociale qui avait entendu parler de son affaire par les journaux et qui l'avait pris en pitié, était venue le visiter. Ç'avait été le coup de foudre et, à sa libération, Baker et Helen s'était mariés. Durant les huit années suivantes, ils avaient eu quatre charmants enfants.

Hal Baker adorait sa famille. A cause de son casier judiciaire, il avait du mal à trouver du travail et, pour subvenir aux besoins de sa famille, il s'était résolu à contrecœur à travailler pour son frère, exécutant diverses actions criminelles, telles que des vols et des agressions. Malheureusement pour lui, il s'était fait prendre en flagrant délit en train de commettre un cambriolage. On l'avait arrêté, placé en garde à vue et déféré en jugement devant le juge Tyler Stanford.

L'heure de prononcer la sentence était arrivée. Baker était un récidiviste qui avait un lourd casier judiciaire de délinquant juvénile. L'affaire paraissait à ce point jugée d'avance que les adjoints du procureur pariaient sur le nombre d'années que le juge Stanford donnerait à Baker. « Il va lui donner le maximum ! avait dit l'un d'eux. Moi, je vous parie qu'il va en prendre pour vingt ans. On n'appelle pas Stanford " Juge la Terreur " pour rien. »

Hal Baker, qui était intimement convaincu de son innocence, avait assuré sa propre défense. Debout devant le juge, vêtu de ses plus beaux habits, il avait déclaré : « Votre Honneur, je sais que j'ai commis une erreur mais nous sommes tous humains, n'est-ce pas ? J'ai une femme merveilleuse et quatre enfants. Je voudrais que vous les connaissiez, Votre Honneur, ils sont fantastiques. Ce que j'ai fait, je l'ai fait pour eux. »

Le juge Stanford était resté silencieux. Il écoutait, le visage impassible. Il attendait que Hal Baker finisse pour prononcer la sentence. *Est-ce que cet idiot croit qu'il va s'en sortir avec ce mélo stupide ?*

Hal Baker arrivait au terme de sa plaidoirie. « ... et comme vous voyez, Votre Honneur, j'ai peut-être mal agi mais c'était pour le bon motif : pour ma famille. Inutile de vous dire combien elle compte pour moi. Si je vais en prison, ma femme et mes enfants vont mourir de faim. Je sais que j'ai fait une faute mais je suis prêt à réparer. Je ferai tout ce que vous me demanderez, Votre Honneur... »

C'était cette phrase qui avait attiré l'attention de Tyler Stanford. Il avait regardé l'inculpé qui se tenait devant lui avec un intérêt nouveau. « *Je ferai tout ce que vous me demanderez.* » Tyler avait eu subitement la même idée instinctive que celle qui l'avait poussé à aller voir Dmitri Kaminsky. Voilà un homme qui pourrait lui être très utile un jour.

A la totale stupéfaction de l'accusation, Tyler avait dit : « Monsieur Baker, il y a des circonstances atténuantes dans votre cas. A cause d'elles et à cause de votre famille, je vais vous mettre en liberté surveillée pour cinq ans. Vous accomplirez six cents heures de travaux d'intérêt général. Venez dans mon cabinet qu'on en discute. »

Une fois dans l'intimité de son cabinet, Tyler avait dit : « Vous savez que je peux encore vous envoyer en prison pour longtemps, très longtemps. »

Hal Baker avait pâli. « Mais, Votre Honneur ! Vous avez dit... »

Tyler se pencha vers lui. « Savez-vous ce qui m'impressionne le plus chez vous ? »

Hal Baker s'était figé, s'efforçant de penser à ce qu'il pouvait bien y avoir d'impressionnant chez lui. « Non, Votre Honneur.

— Vos sentiments à l'égard de votre famille, avait pieusement déclaré Tyler. C'est là quelque chose que j'admire vraiment. »

Hal Baker avait retrouvé ses couleurs. « Merci, monsieur. Pour moi, ils sont ce qu'il y a de plus important au monde. Je...

— Vous ne voudriez donc pas les perdre, n'est-ce pas ? Si je vous envoie en prison, vos enfants grandiront sans vous ; votre femme trouvera sans doute un autre homme. Vous voyez où je veux en venir ? »

Hal Baker était dérouté. « N... non, Votre Honneur. Pas exactement.

— J'épargne votre famille, Baker. Il me semble que vous pourriez m'en être reconnaissant. »

Hal Baker avait dit avec ardeur : « Oh, *je le suis*, Votre Honneur ! Je ne saurais vous dire à quel point je le suis.

— Vous aurez peut-être l'occasion de me le prouver dans l'avenir. Il se pourrait que je fasse appel à vous pour des petites courses.

— Tout ce que vous voudrez !

— Bien. Je vous mets en liberté surveillée et si jamais quelque chose dans votre comportement venait à me déplaire...

— Vous n'avez qu'à me dire ce que vous voulez, l'avait supplié Baker.

— Je vous le ferai savoir le temps venu. D'ici là, tout cela restera strictement entre nous deux. »

Hal Baker avait porté sa main à son cœur. « Je mourrais plutôt que d'en parler à qui que ce soit.

— Ça va », l'avait rassuré Tyler.

C'était peu de temps après cela que Tyler avait reçu le coup de téléphone de Dmitri Kaminsky. « *Je suis avec votre père sur son yacht. Il vient d'appeler son avocat. Il le rencontre lundi à Boston pour modifier son testament.* »

Ce testament, il fallait qu'il le voie. Le moment était venu d'appeler Hal Baker.

« ... le nom du cabinet juridique est Renquist, Renquist et Fitzgerald. Faites un double et apportez-le-moi.

— Aucun problème. Je m'en occupe, Votre Honneur. »

Douze heures plus tard, Tyler avait en main un exemplaire du testament. En le lisant, il avait été envahi par un sentiment d'allégresse. Woody, Kendall et lui étaient les seuls héritiers. *Et père qui a prévu de modifier le testament lundi. Ce salopard va nous déshériter!* pensait amèrement Tyler. *Après tout ce qu'on a traversé... ces milliards nous appartiennent. Il nous les a fait gagner amplement!* Il n'y avait qu'un seul moyen de l'arrêter.

Lors du deuxième appel de Dmitri, Tyler avait dit : « Je veux que vous le tuiez. Ce soir. »

Il y avait eu un long silence. « Mais si je me fais prendre...

— Ne vous faites pas prendre. Vous serez en mer. Des tas de choses peuvent s'y produire.

— D'accord. Et après...

— De l'argent et un billet d'avion pour l'Australie vous attendront. »

Puis, plus tard, était arrivé le dernier et merveilleux coup de fil.

« C'est fait. Ça n'a pas été difficile.

— Non ! Non ! Non ! Je veux entendre les détails. Dites-moi tout. Ne négligez rien... »

Et, tout en écoutant, Tyler avait pu visualiser la scène comme si elle se déroulait devant ses yeux.

« On se dirigeait vers la Corse sous la tempête lorsqu'il m'a appelé pour me demander de venir lui faire un massage dans sa cabine. »

Tyler s'était aperçu que sa main refermait sa prise sur le combiné téléphonique. « Oui. Continuez... »

En se rendant à la cabine de Harry Stanford, Dmitri avait dû lutter pour garder l'équilibre au milieu du tangage du bateau. Il avait frappé à la porte de la cabine et, un instant plus tard, avait entendu sa voix.

« Entrez ! » avait hurlé Stanford. Il était étendu sur la table de massage.

« C'est le bas du dos.

— Je vais m'en occuper. Détendez-vous, monsieur Stanford. »

Dmitri s'était approché de la table de massage et avait étalé de l'huile sur le dos de Stanford. Ses doigts puissants et adroits s'étaient alors employés à dénouer les muscles tendus. Il avait senti Stanford se détendre.

« Ça fait du bien, avait soupiré Stanford.

— Merci. »

Le massage avait duré une heure et Stanford dormait presque lorsque Dmitri s'était arrêté.

« Je vais vous faire couler un bain chaud », avait-il dit. Il était allé dans la salle de bains en trébuchant sous le roulis. Il avait ouvert le robinet d'eau de mer chaude et, pendant que la baignoire d'onyx noir se remplissait, il était revenu dans la chambre. Stanford était toujours étendu sur la table de massage, les yeux fermés.

« Monsieur Stanford... »

Celui-ci avait ouvert les yeux.

« Votre bain est prêt.

— Je ne pense pas avoir besoin de...

— Ça vous assurera une bonne nuit de sommeil. » Il avait aidé Stanford à descendre de la table et l'avait guidé vers la salle de bains.

Dmitri l'avait regardé se glisser dans la baignoire.

Le regard de Stanford avait croisé les yeux froids de Dmitri et, à cet instant, son instinct l'avait averti de ce qui se préparait. « Non ! » avait-il crié. Il avait voulu se lever.

Dmitri lui avait appuyé ses énormes mains sur le sommet de la tête et l'avait poussé dans l'eau. Stanford s'était violemment débattu et avait tenté de remonter pour respirer mais il n'était pas de taille à résister au géant. Celui-ci l'avait tenu immergé tandis que l'eau de mer pénétrait dans ses poumons et, finalement, tout mouvement avait cessé. Dmitri était resté un moment sans bouger, essoufflé, puis s'était rendu en titubant dans l'autre pièce.

Il était allé vers le bureau en luttant contre le roulis, y avait pris des papiers et avait fait glisser la porte vitrée donnant sur la véranda extérieure tandis que le vent s'engouffrait à l'intérieur. Il avait éparpillé quelques-uns des papiers sur la véranda et en avait jeté d'autres par-dessus bord.

Satisfait, il était revenu dans la salle de bains et avait tiré le corps de Stanford hors de l'eau. L'ayant revêtu de son pyjama, de sa robe de chambre et de ses pantoufles, il l'avait transporté sous l'auvent. Dmitri était demeuré quelques instants immobile près du bastingage puis avait fait basculer le corps à la mer. Il avait compté cinq secondes puis avait saisi l'interphone en hurlant : « Un homme à la mer ! »

En écoutant Dmitri lui faire le récit du meurtre, Tyler avait éprouvé un émoi sexuel. Il avait l'impression de goûter l'eau de mer qui avait rempli les poumons de son père et d'éprouver la sensation d'étouffement, la terreur. Puis le néant.

C'est fini, avait pensé Tyler. Puis il avait rectifié. *Non. Ce n'est que le début de la partie. Le moment est venu de jouer la reine.*

CHAPITRE DIX-SEPT

La dernière pièce du jeu se mit en place par accident.

En repensant au testament de son père, Tyler avait trouvé scandaleux que Woody et Kendall aient une part de l'héritage égale à la sienne. *Ils ne le méritent pas. Si cela n'avait tenu qu'à moi, ils auraient été totalement déshérités. Ils n'auraient rien eu. Ce n'est pas juste, mais qu'y puis-je ?*

Il possédait cette unique action que sa mère lui avait donnée des années auparavant et il se remémorait les paroles de son père : « *Mais qu'est-ce que tu veux qu'il fasse d'une seule action ? Mettre la main sur la société ?* »

A eux deux, s'était dit Tyler, *Woody et Kendall possèdent les deux tiers des actions des Stanford Enterprises de père. Comment puis-je en prendre le contrôle avec une seule action supplémentaire ?* C'est alors que la réponse lui était venue, si ingénieuse qu'il en avait été lui-même étonné.

« *Je dois en outre vous informer qu'il n'est pas exclu qu'il y ait une autre héritière... Le testament de votre père stipule que la succession doit être partagée à parts égales entre sa progéniture... Votre père a eu un enfant d'une gouvernante qui travaillait ici... »*

Si Julia se manifestait, nous serions quatre, pensa Tyler. *Si j'entrais en possession de sa part, ça me ferait cinquante pour cent des actions, plus le un pour cent que je possède déjà. Je mettrais la main sur Stanford Enterprises. Je pourrais m'asseoir dans le fauteuil de père.* Sa pensée suivante avait été : *Rosemary est morte et elle n'a probablement jamais dit à sa fille qui était son père. Pourquoi faudrait-il que ce soit la vraie Julia Stanford ?*

La réponse avait été Margo Posner.

Il avait fait sa connaissance deux mois auparavant, à l'ouverture de la session des tribunaux. L'huissier s'était adressé à l'assistance. « Oyez, oyez. La session de la cour d'assises du comté de Cook est maintenant ouverte sous la présidence de l'Honorable Juge Tyler. Que toute le monde se lève. »

Tyler, venant de son cabinet, avait fait son entrée dans la salle d'audience et pris place sur le banc. La première affaire opposait l'Etat d'Illinois à Margo Posner. Elle était accusée de voies de fait et de tentative de meurtre.

Le procureur s'était levé. « Votre Honneur, la prévenue est une personne dangereuse qu'il faut tenir éloignée des rues de Chicago. L'accusation apportera la preuve que l'accusée a un long passé criminel. Elle a déjà été reconnue coupable de vol et est une prostituée notoire. Elle travaille pour un souteneur bien connu du nom de Rafael. Au mois de janvier de cette année, ils ont eu une altercation et la prévenue a tiré sur lui ainsi que sur son compagnon délibérément et de sang-froid.

— L'une ou l'autre des victimes est-elle morte ? avait demandé Tyler.

— Non, Votre Honneur. Ils ont été grièvement blessés et hospitalisés. Le revolver dont s'est servie Margo Posner était une arme prohibée. »

Tyler s'était retourné pour regarder la prévenue et avait été tout surpris. Elle ne correspondait pas au portrait que l'on venait de tracer d'elle. C'était une jeune femme séduisante et bien vêtue de près de trente ans, dont l'élégance discrète démentait totalement toutes les accusations portées contre elle. *Ce qui prouve seulement*, avait pensé Tyler, *qu'il ne faut pas se fier aux apparences.*

Il avait écouté les arguments des deux parties sans pouvoir détacher son regard de la prévenue. Il y avait en elle quelque chose qui lui rappelait sa sœur.

Les plaidoiries terminées, le jury s'était retiré pour délibérer et était revenu moins de quatre heures plus tard avec un verdict de culpabilité pour tous les chefs d'accusation.

Tyler avait regardé l'accusée et dit : « La cour ne peut trouver de circonstances atténuantes dans votre cas. Je vous condamne donc à passer cinq ans au Dwight Correctional Center... Affaire suivante. »

Ce n'est qu'au moment où on emmenait Margo Posner que Tyler s'était rendu compte de ce qui en elle lui rappelait tant Kendall. Elle avait les mêmes yeux gris foncé. Les yeux Stanford.

Tyler n'avait plus pensé à Margo Posner jusqu'à l'appel téléphonique de Dmitri.

L'ouverture de la partie d'échecs avait été couronnée de succès. Tyler avait soigneusement prévu chaque coup mentalement. Il avait utilisé le gambit classique à la reine : ouverture en douceur, déplacement du pion de la reine sur deux cases. Le temps était venu de passer au milieu de la partie.

Tyler avait rendu visite à Margo Posner en prison.

« Est-ce que vous vous souvenez de moi ? » avait-il demandé.

Elle l'avait dévisagé. « Comment pourrais-je vous oublier ? C'est vous qui m'avez envoyée dans cet endroit.

— Vous vous y faites ? » avait demandé Tyler.

Elle avait fait la grimace. « Non, mais vous voulez rire ! C'est un enfer ici.

— Ça vous dirait de sortir ?

— Comment... Vous êtes sérieux ?

— Je suis très sérieux. Je peux arranger ça.

— Enfin, c'est... c'est merveilleux ! Mais qu'est-ce que je devrai faire en échange ?

— J'aimerais bien en effet que vous fassiez quelque chose pour moi. »

Elle lui avait adressé un regard aguicheur. « Bien sûr. Aucun problème.

— Ce n'est pas à ça que je pensais. »

Sur un ton circonspect, elle avait demandé : « A quoi pensiez-vous, monsieur le juge ?

— Je voudrais que vous m'aidiez à faire une petite plaisanterie à quelqu'un.

— Quelle sorte de plaisanterie ?

— Je veux que vous usurpiez l'identité de quelqu'un.

— Que j'usurpe l'identité de quelqu'un ? Je ne saurais pas comment...

— Il y a vingt-cinq mille dollars à la clé pour vous. »

Son expression avait changé. « Bien sûr, avait-elle vivement dit. Je peux me faire passer pour n'importe qui. A qui pensez-vous ? »

Tyler s'était penché vers elle et s'était mis à parler.

Tyler avait fait libérer Margo Posner.

Ainsi qu'il l'avait expliqué à Keith Percy, le juge en chef : « J'ai découvert qu'elle avait de véritables talents d'artiste et qu'elle était prête à mener une vie normale, honnête. Je trouve qu'il est important que nous tentions de réhabiliter des gens comme elle à chaque fois que nous le pouvons, vous ne trouvez pas ? »

Keith avait été impressionné et surpris. « Absolument, Tyler. C'est magnifique ce que vous faites là. »

Tyler avait installé Margo chez lui et passé cinq jours à la renseigner sur la famille Stanford.

« Comment s'appellent vos frères ?

— Tyler et Woodruff.

— Woodrow.

— D'accord – Woodrow.

— Et pour les intimes ?

— Woody.

— Avez-vous une sœur ?

— Oui. Kendall. Elle est styliste.

— Est-elle mariée ?

— Elle a épousé un Français. Il s'appelle... Marc Renoir.

— Renaud.

— Renaud.

— Quel était le nom de votre mère ?

— Rosemary Nelson. Elle avait été gouvernante des enfants Stanford.

— Pourquoi avait-elle démissionné ?

— Elle s'était fait faire un petit par...

— Margo ! l'avait admonestée Tyler.

— Je veux dire, elle s'était retrouvée enceinte de Harry Stanford.

— Qu'est devenue Mme Stanford?

— Elle s'est suicidée.

— Que vous avait raconté votre mère au sujet des enfants Stanford? »

Margo s'était arrêtée un moment pour réfléchir.

« Alors?

— Il y a eu la fois où vous êtes passé par-dessus bord du bateau.

— Je ne suis pas passé par-dessus bord! avait dit Tyler. J'ai *failli*.

— D'accord. Woody, lui, a failli se faire arrêter pour avoir cueilli des fleurs dans le jardin public.

— C'était Kendall... »

Il était impitoyable. Ils avaient répété le scénario inlassablement, des nuits entières, jusqu'à ce que Margo tombe d'épuisement.

« Kendall a été mordue par un chien.

— C'est moi qui ai été mordu par le chien. »

Elle se frottait les yeux. « Je n'arrive plus à mettre de l'ordre dans mes idées. Je suis trop fatiguée. Il faut que je dorme un peu.

— Vous dormirez plus tard!

— Combien de temps est-ce que ça va durer? avait-elle demandé d'une voix méfiante.

— Jusqu'à ce que vous soyez prête. Allez, on recommence. »

Et cela avait continué de la sorte, jusqu'à ce qu'elle sache son texte sur le bout des doigts. Lorsque finalement était venu le jour où elle avait su répondre à toutes les questions que Tyler lui posait, il avait été satisfait.

« Vous êtes prête », avait-il dit. Il lui avait tendu des documents légaux.

« Qu'est-ce que c'est que ça ?

— Une simple formalité technique », avait répondu Tyler comme si de rien n'était.

Il lui avait fait signer en fait un document par lequel elle donnait sa part de la succession Stanford à une société contrôlée par une seconde société, elle-même contrôlée par une filiale fictive dont Tyler Stanford était l'unique actionnaire. Il n'y aurait aucun moyen de remonter jusqu'à lui à partir de cette transaction.

Tyler avait remis à Margo cinq mille dollars en espèces. « Vous aurez le reste une fois le boulot terminé, lui avait-il dit. A condition que vous sachiez les convaincre que vous êtes Julia Stanford. »

A partir du moment où Margo avait fait son apparition à Rose Hill, Tyler avait joué l'avocat du diable. C'était un coup classique aux échecs, qui consiste à jouer contre sa propre position.

« Je suis convaincu que vous comprendrez notre position, mademoiselle... Sans une preuve patente, il ne saurait être question...

« ... je pense que c'est une simulatrice...

« ... Combien de domestiques ont travaillé à la maison durant notre enfance ?... Des douzaines, d'accord ? Et certains d'entre eux auraient pu savoir tout ce que cette jeune personne nous a raconté... N'importe lequel d'entre eux a pu lui donner cette photo... N'oublions pas qu'il y a une énorme quantité d'argent en jeu. »

Son coup de maître avait consisté à exiger un test d'ADN. Il avait appelé Hal Baker pour lui donner de nouvelles instructions. *« Déterrez le corps de Harry Stanford et débarrassez-vous-en. »*

Et puis l'idée qu'il avait eue de faire appel à un détective privé. En présence de toute la famille, il avait téléphoné au bureau du procureur, à Chicago.

« *Ici le juge Tyler Stanford. Si j'ai bien compris, votre bureau recourt de temps à autre aux services d'un détective privé qui fait de l'excellent travail pour vous. Son nom est quelque chose comme Simmons ou...*

— *Oh, vous voulez parler de Frank Timmons.*

— *Timmons ! Oui, c'est ça. Peut-être pourriez-vous me donner son numéro de téléphone. Comme ça, je pourrais le joindre directement.* »

A la place, il avait convoqué Hal Baker et l'avait présenté comme étant Frank Timmons.

A l'origine, Hal Baker n'était censé que faire semblant de retrouver la trace de Julia Stanford mais Tyler avait décidé que son rapport ferait plus d'effet s'il menait une enquête véritable. La famille avait accepté les conclusions de Baker sans poser de questions.

Le plan de Tyler s'était déroulé sans accroc. Margo Posner avait parfaitement joué son rôle et le coup des empreintes avait admirablement couronné le tout. Tout le monde était convaincu qu'elle était la véritable Julia Stanford.

« *Pour ma part, je suis content que ce soit réglé. Je monte voir si elle a besoin de quelque chose.* »

Il monta à l'étage et emprunta le couloir qui menait à la chambre de Julia. Il frappa à la porte et appela d'une voix forte : « *Julia ?*

— *C'est ouvert. Entrez.* »

Il s'immobilisa sur le seuil et ils se dévisagèrent en silence. Tyler referma alors soigneusement la porte et eut un large sourire.

Lorsqu'il prit la parole, ce fut pour dire : « *On a réussi, Margo ! On a réussi !* »

CHAPITRE DIX-HUIT

Steve Sloane et Simon Fitzgerald buvaient un café dans les bureaux de Renquist, Renquist & Fitzgerald.

« Comme disait Shakespeare : " Il y a quelque chose de pourri dans le royaume de Danemark. "

— Qu'est-ce qui vous tracasse ? » demanda Fitzgerald.

Steve soupira. « Je ne sais pas trop. C'est la famille Stanford. Ils m'intriguent. »

Simon Fitzgerald grogna : « Vous n'êtes pas le seul.

— Je reviens toujours à la même question, Simon, mais je n'arrive pas à y répondre.

— Quelle question ?

— La famille tenait à faire exhumer le corps de Harry Stanford afin de pouvoir comparer son ADN et celui de la femme. Il y a donc tout lieu de penser que l'unique motif de se débarrasser du corps était d'*empêcher* cette comparaison. La seule personne qui aurait quelque chose à y gagner, ce serait elle, si elle était une fraudeuse.

— Oui.

— Et pourtant ce détective privé, Frank Timmons — j'ai vérifié auprès du bureau du procureur à Chicago et il a très bonne réputation – a produit des empreintes qui prouvent qu'elle est bien la véritable Julia Stanford. Ma question est : Qui donc a déterré le corps de Harry Stanford et pourquoi ?

— C'est la question à un milliard de dollars. Si... »

L'interphone bourdonna. La voix d'une secrétaire leur parvint dans l'appareil. « Monsieur Sloane, il y a un appel pour vous sur la deux. »

Steve Sloane décrocha le téléphone qui se trouvait sur le bureau. « Allo... »

La voix à l'autre bout de la ligne dit : « Monsieur Sloane, ici le juge Stanford. Je vous saurais gré de passer à Rose Hill ce matin. »

Steve Sloane adressa un coup d'œil à Fitzgerald. « D'accord. Dans une heure, disons ? »

— Ce sera parfait. Je vous remercie. »

Steve raccrocha. « Ma présence est requise à la résidence Stanford.

— Je me demande ce qu'ils veulent.

— Dix contre un qu'ils veulent accélérer les procédures d'homologation afin de pouvoir mettre la main sur tout ce bel argent. »

« Lee ? C'est Tyler. Comment vas-tu ?

— Bien, merci.

— Si tu savais comme tu me manques. »

Il y eut une faible pause. « Toi aussi tu me manques, Tyler. »

Ces paroles le firent frissonner. « Lee, j'ai des nouvelles du tonnerre. Je ne peux en parler au téléphone mais il s'agit de quelque chose qui va te faire très plaisir. Quand toi et moi...

— Tyler, il faut que j'y aille. On m'attend.

— Mais... »

On coupa.

Tyler demeura immobile quelques instants. Puis il se dit : *Il ne m'aurait pas dit que je lui manquais s'il ne le pensait pas.*

Woody et Peggy exceptés, la famille était réunie dans le salon de Rose Hill. Steve étudia leur visage.

Le juge Stanford paraissait très détendu.

Il jeta un œil sur Kendall. Elle paraissait extraordinairement tendue. Son mari était venu de New York la veille pour la réunion. Il détailla Marc. Le Français était bel homme, de quelques années plus jeune que sa femme.

Et puis il y avait Julia. Le fait d'être acceptée par la famille ne semblait pas l'émouvoir outre mesure. *Je me serais attendu à ce que quelqu'un qui vient tout juste d'hériter de quelque chose comme un milliard de dollars manifeste un peu plus d'enthousiasme*, pensa Steve.

Il scruta encore une fois leur visage en se demandant si l'un d'eux était à l'origine du vol du corps de Harry Stanford et si oui, lequel ? Et pourquoi ?

Tyler parlait. « Monsieur Sloane, je connais bien les lois d'homologation de l'Illinois mais je ne sais pas jusqu'à quel point elles diffèrent de celles du Massachusetts. Nous nous demandions s'il n'y aurait pas un moyen ou un autre d'accélérer la procédure. »

Steve sourit dans sa barbe. *J'aurais dû forcer Simon à faire ce pari.* Il se tourna vers Tyler. « Nous y travaillons, monsieur le juge. »

Tyler dit sur un ton plein de sous-entendus : « Le nom des Stanford pourrait être utile pour faire avancer les choses. »

Il n'a pas tort, pensa Steve. Il acquiesça. « Je vais faire de mon mieux. Si d'aventure il est possible de... »

Des voix leur parvinrent de l'escalier.

« La ferme, connasse ! Je ne veux plus entendre un mot, c'est clair ? »

Woody et Peggy arrivèrent au bas de l'escalier et pénétrèrent dans la pièce. Peggy avait le visage tout enflé et un œil au beurre noir. Woody avait un grand sourire et les yeux brillants.

« Bonjour tout le monde. J'espère que cette petite fête n'est pas terminée. »

Le groupe, abasourdi, regardait Peggy.

Kendall se leva. « Qu'est-ce qui vous est arrivé ?

— Rien. Je... je me suis cognée contre une porte. »

Woody prit un siège. Peggy s'assit près de lui. Woody lui tapota la main et lui demanda avec sollicitude : « Ça va, ma chérie ? »

Peggy fit signe que oui, sans oser parler.

« Bien. » Woody se tourna vers les autres. « Alors, qu'est-ce que j'ai raté ? »

Tyler lui adressa un regard réprobateur. « Je venais de demander à M. Sloane s'il ne pourrait pas accélérer les procédures d'homologation du testament. »

Woody ricana. « Ça serait bien. » Il reporta son attention sur Peggy. « T'aimerais des vêtements neufs, n'est-ce pas, chérie ?

— Je n'ai pas besoin de vêtements », fit-elle timidement.

« Parfait. Tu ne vas nulle part, c'est ça ? » Il se tourna vers les autres. « Peggy est très timide. Elle n'a pas de conversation, n'est-ce pas, Peggy ? »

Celle-ci se leva et quitta la pièce en courant.

« Je vais aller voir si tout va bien pour elle », dit Kendall. Elle se leva et se précipita à la suite de Peggy.

Mon Dieu ! pensa Steve. *Si Woody se conduit comme ça devant les autres, qu'est-ce que ce doit être quand sa femme et lui sont seuls ?*

Woody s'adressa à Steve. « Depuis combien de temps êtes-vous au cabinet juridique de Fitzgerald ?

— Cinq ans.

— Je n'ai jamais compris comment ils avaient pu supporter de travailler pour mon père. »

Steve dit prudemment : « Si j'ai bien compris, votre père était... n'était pas toujours facile. »

Woody éclata de rire. « Pas facile ? C'était un monstre humain. Savez-vous quels surnoms il nous avait trouvés ? Moi, c'était Charlie. A cause de Charlie McCarthy, le pantin d'un ventriloque du nom d'Edgar Bergen. Il appelait ma sœur Pony parce qu'il disait qu'elle avait les traits chevalins. Tyler, lui, s'appelait... »

Steve, gêné, dit : « Vous ne devriez peut-être pas... »

Woody eut un rictus. « D'accord. Un milliard de dollars guérit bien des blessures. »

Steve se leva. « Bon, s'il n'y a rien d'autre, je crois que je vais vous quitter. » Il avait hâte d'être dehors, à l'air pur.

Kendall trouva Peggy dans la salle de bains en train d'appliquer une compresse froide sur sa joue enflée.

« Peggy ? Vous allez bien ? »

Peggy se retourna. « Ça va. Merci. Je... Je regrette ce qui s'est passé en bas.

— Vous vous excusez ? Mais vous devriez être furieuse. Il y a longtemps qu'il vous bat ?

— Il ne me bat pas, répondit Peggy avec obstination. Je me suis cognée à une porte. »

Kendall se rapprocha d'elle. « Peggy, pourquoi supportez-vous ça ? Rien ne vous y oblige, vous savez. »

Il y eut un silence. « Oui, je suis obligée. »

Kendall lui adressa un regard perplexe. « Pourquoi ? »

Peggy se tourna vers elle. « Parce que je l'aime. » Elle continua d'une traite : « Lui aussi, il m'aime. Croyez-

moi, il n'agit pas toujours comme ça. Tout simplement,
il... Des fois, il n'est pas lui-même.

— Vous voulez dire, lorsqu'il a pris de la drogue.

— Non !

— Peggy... »

Celle-ci hésita. « Oui, sans doute.

— Il y a longtemps que ça dure ?

— Juste... juste après notre mariage. » Peggy avait la
voix défaite. « Tout a commencé à cause d'une partie de
polo. Woody est tombé de son poney et a été grave-
ment blessé. Durant son séjour à l'hôpital, on lui a
donné des médicaments contre la douleur. C'est à cause
d'*eux* qu'il a commencé. » Elle adressa un regard suppliant à Kendall. « Vous voyez bien que c'était pas de sa
faute, hein ? Après sa sortie de l'hôpital, il... a continué
à prendre de la drogue. A chaque tentative que je faisais pour lui faire abandonner cette habitude, il... me
battait.

— Peggy, pour l'amour du ciel ! Il a besoin d'aide !
Vous ne le voyez donc pas ? Il ne peut pas s'en sortir
tout seul. C'est un drogué. Qu'est-ce qu'il prend ? De la
cocaïne ?

— Non. » Il y eut un bref silence. « De l'héroïne.

— Mon Dieu ! Vous ne pouvez pas le convaincre de
se faire aider ?

— J'ai essayé. » Sa voix n'était plus qu'un murmure.
« Vous ne pouvez pas savoir à quel point j'ai essayé ! Il
a fait trois cures de désintoxication. » Elle hocha la tête.
« Il va bien pendant quelque temps, puis.... il rechute.
Il... n'y peut rien. »

Kendall enlaça Peggy. « Je suis vraiment désolée »,
dit-elle.

Peggy s'efforça de sourire. « Je suis sûre que tout va
bien s'arranger pour Woody. Il fait tout ce qu'il peut. Il
fait réellement tout. » Son visage s'éclaira. « A l'époque
de notre mariage, il était si amusant. Il riait tout le

temps. Il me faisait des petits cadeaux et... » Ses yeux se remplirent de larmes. « Je l'aime tant.

— Si je peux faire quelque chose...

— Je vous remercie, murmura Peggy. Je vous en suis reconnaissante. »

Kendall prit sa main dans la sienne et la serra. « On en reparlera. »

Kendall s'engagea dans l'escalier pour aller retrouver les autres. Elle pensait : *Lorsque nous étions enfants, avant la mort de maman, on faisait de si beaux projets. « Tu seras une styliste célèbre, petit sœur, et moi, je serai le plus grand athlète du monde ! » Et le plus triste*, pensa Kendall, *c'est qu'il aurait pu le devenir. Pour en arriver là maintenant.*

Kendall ne savait pas très bien lequel des deux elle plaignait le plus, de Woody ou de Peggy.

Lorsqu'elle arriva au bas de l'escalier, Clark s'approcha d'elle, portant une lettre sur un plateau. « Excusez-moi, mademoiselle Kendall. Un coursier vient de déposer ça pour vous. » Il lui tendit l'enveloppe.

Kendall jeta dessus un coup d'œil étonné. « Qui... » Elle hocha la tête. « Merci, Clark. »

Elle décacheta l'enveloppe et devint toute pâle à la lecture de la lettre. « Non ! » fit-elle à mi-voix. Elle avait le cœur battant et se sentit prise de vertige. Elle resta là, arc-boutée contre une table, essayant de reprendre son souffle.

Quelques instants plus tard, elle fit demi-tour et pénétra dans le salon, blême.

« Marc... » Kendall s'efforça de paraître calme. « Puis-je te voir un instant ? »

Il lui adressa un regard préoccupé. « Oui, bien sûr. »

Tyler demanda à Kendall : « Ça va, tu te sens bien ? »

Elle se força à sourire. « Je vais bien, je te remercie. »

Elle prit Marc par la main et l'entraîna vers leur chambre. Lorsqu'ils y furent, Kendall ferma la porte.

Marc demanda : « Qu'est-ce qu'il y a ? »

Kendall lui tendit l'enveloppe. La lettre disait :

Chère Madame Renaud,

Félicitation ! Notre Société Protectrice des Animaux Sauvages a été enchantée d'apprendre par les journaux la bonne fortune qui vous échoit. Nous n'ignorons pas l'intérêt que vous portez au travail que nous faisons et nous comptons sur votre aide financière. Par conséquent, nous vous saurions gré de bien vouloir déposer 1 million de dollars sur notre compte numéroté de Zurich d'ici dix jours. Nous espérons recevoir très bientôt de vos nouvelles.

Tout comme dans les autres lettres, les *e* étaient abîmés.

« Les salauds ! éclata Marc.

— Comment savent-ils que je suis ici ? » demanda Kendall.

Marc répondit avec véhémence : « Ils n'ont qu'à ouvrir un journal. » Il relut la lettre et hocha la tête. « Ils ne vont pas lâcher prise. Il *faut* s'adresser à la police.

— Non ! s'écria Kendall. On ne peut pas faire ça ! Tu ne comprends donc pas ? Ça ficherait tout en l'air ! *Tout !* »

Marc la prit dans ses bras et la tint serrée contre lui. « D'accord. On trouvera bien une solution. »

Mais Kendall savait qu'il n'y avait pas de solution.

Cela s'était produit quelques mois auparavant, par une belle journée de printemps. Kendall était allée à une réception donnée à l'occasion de l'anniversaire d'un ami à Ridgefield, dans le Connecticut. La réception était très réussie et Kendall avait bavardé avec de vieux amis. Elle avait bu un verre de champagne. Au beau milieu de la conversation, elle avait tout à coup regardé sa montre. « Oh, non ! J'avais complètement oublié l'heure. Marc m'attend. »

On s'était dit au revoir dans la précipitation et Kendall était repartie en voiture. Pour rentrer à New York, elle avait décidé d'emprunter une route de campagne sinueuse pour rejoindre la I-684. Elle roulait à quatre-vingts kilomètres-heure environ lorsque, dans un virage en épingle, elle avait aperçu une voiture garée sur le côté droit de la route. Elle s'était automatiquement déportée à gauche. A cet instant, une femme portant un bouquet de fleurs fraîchement cueillies s'était engagée sur la route étroite. Kendall avait tout fait pour l'éviter mais il était trop tard.

Tout s'était passé comme dans un brouillard. Il y avait eu un écœurant bruit mat lorsqu'elle avait heurté la femme avec son pare-chocs. Kendall avait freiné en faisant crisser ses pneus, le corps secoué de tremblements. Elle avait couru vers la femme étendue sur la route, toute couverte de sang.

Kendall s'était immobilisée, figée. Finalement, elle s'était penchée, avait retourné la femme et plongé son regard dans ses yeux sans vie. « Oh, mon Dieu ! » avait murmuré Kendall. Elle avait senti la bile lui monter à la gorge. Elle avait relevé les yeux, désespérée, ne sachant que faire. Elle s'était affolée. Il n'y avait pas de voitures en vue. *Elle est morte*, avait pensé Kendall. *Je ne peux rien pour elle. Ce n'était pas ma faute mais on m'accusera de conduite imprudente en état d'ivresse. On trouvera de l'alcool dans mon sang. J'irai en prison !*

Elle avait jeté un dernier regard sur le corps de la femme puis était revenue précipitamment à sa voiture. Une bosse était visible à l'avant gauche, sur lequel il y avait des taches de sang. *Il va falloir que je donne la voiture au garage*, avait pensé Kendall. *La police va la rechercher.* Elle était remontée dans la voiture et était repartie.

Pendant tout le reste du trajet jusqu'à New York, elle n'avait cessé de regarder dans le rétroviseur, s'attendant à voir des gyrophares et à entendre le bruit d'une sirène. Elle s'était engagée dans le garage de la Quatre-vingt-dix-neuvième Rue où elle garait sa voiture. Sam, le propriétaire du garage, était en conversation avec Red, son mécanicien. Elle était descendue de voiture.

« 'Soir, madame Renaud, dit Sam.

— Bon... Bonsoir. » Elle se retenait pour ne pas claquer des dents.

« On la gare pour la nuit ?

— Oui... oui, s'il vous plaît. »

Red examinait le pare-brise. « Vous avez une méchante bosse, là, madame Renaud. On dirait qu'il y a du sang dessus. »

Les deux hommes la regardaient.

Kendall avait pris une profonde respiration. « Oui. J'ai heurté un daim sur l'autoroute.

— Vous avez de la chance qu'il n'ait pas fait plus de dégâts, avait dit Sam. Un de mes amis en a heurté un et sa voiture a été bonne pour la ferraille. » Il ricana. « Le daim n'était guère en meilleur état.

— Vous voulez bien la garer ? avait demandé Kendall d'une voix tendue.

— Bien sûr. »

Kendall s'était dirigée vers la sortie du garage puis s'était retournée. Les deux hommes regardaient fixement le pare-chocs.

Lorsqu'elle avait raconté la chose à Marc en rentrant chez elle, celui-ci l'avait prise dans ses bras et avait dit : « Oh, mon Dieu ! Chérie, comment as-tu pu... »

Kendall sanglotait. « Je... Je n'ai rien pu faire. Elle a surgi sur la route devant moi. Elle... elle venait de cueillir des fleurs et...

— Chut ! Je suis sûr que ce n'est pas ta faute. C'était un accident. Il faut prévenir la police.

— Je sais. Tu as raison. Je... J'aurais dû rester là et l'attendre. Mais je... je me suis affolée, Marc. Maintenant, c'est un délit de fuite. Mais je ne pouvais rien faire pour elle. Elle était morte. Tu aurais dû voir son visage. C'était terrible. »

Il l'avait tenue un long moment contre lui, jusqu'à ce qu'elle s'apaise.

Kendall avait repris la parole pour demander d'une voix hésitante : « Marc... tu crois qu'il faut prévenir la police ?

— Qu'est-ce que tu veux dire ? »

Elle luttait pour ne pas avoir de crise de nerfs. « Enfin, c'est fait, non ? Rien ne la ramènera à la vie. A quoi ça leur servirait de me le faire payer ? Je ne l'ai pas fait exprès. Pourquoi ne pas faire comme si rien ne s'était passé ?

— Kendall, si jamais ils remontent...

— Comment le pourraient-ils ? Il n'y avait personne dans les parages.

— Et la voiture ? Elle est abîmée ?

— Elle a une bosse. J'ai dit au gardien du garage que j'avais heurté un daim. » Elle luttait pour garder son sang-froid. « Marc, personne n'a été témoin de l'accident... Tu sais ce qui m'arriverait si on m'arrêtait et si on m'envoyait en prison ? Je perdrais la boîte que j'ai montée, tout ce que j'ai mis tant d'années à construire, et pour quoi ? Pour quelque chose qui est fait ! Qui est fini et terminé ! » Elle s'était remise à sangloter.

Il l'avait prise tout contre lui. « Chut ! On verra. On verra. »

Les journaux du matin faisaient leurs choux gras de l'histoire. Le fait que la victime était en route pour Manhattan afin de s'y marier ajoutait au tragique de l'événement. Le *New York Times* l'avait traité comme un simple fait divers mais le *Daily News* et *Newsday* en exploitaient le côté mélodramatique.

Kendall, qui avait acheté un exemplaire de chacun des journaux, était de plus en plus horrifiée de ce qu'elle avait fait. Elle donnait dans l'esprit d'escalier.

Si je n'étais pas allée dans le Connecticut pour cet anniversaire...

Si j'étais restée à la maison ce jour-là...

Si je n'avais pas bu...

Si elle avait cueilli les fleurs quelques secondes plus tôt ou quelques secondes plus tard...

Je suis responsable de la mort d'un autre être humain !

Kendall avait pensé au terrible chagrin qu'elle avait causé à la famille de cette femme et à celle de son fiancé et elle avait eu de nouveau la nausée.

Selon les journaux, la police demandait à entendre quiconque possédait des indices sur le délit de fuite.

Ils n'ont aucun moyen de me retrouver, avait pensé Kendall. *Je n'ai qu'à faire comme si rien n'était arrivé.*

Lorsque Kendall était allée prendre sa voiture au garage le lendemain matin, Red était là.

« J'ai essuyé le sang qu'il y avait sur la voiture, avait-il dit. Voulez-vous que je répare la bosse ? »

Evidemment ! J'aurais dû y penser plus tôt. « Oui, je veux bien. »

Red la regardait bizarrement. A moins que ce fût son imagination qui lui jouait des tours.

« On en parlait, Sam et moi, hier soir, dit-il. C'est curieux, vous savez. Un daim aurait fait beaucoup plus de dégâts que ça. »

Kendall avait senti son cœur battre la chamade. Elle avait eu la bouche tellement sèche tout à coup qu'elle pouvait à peine parler. « C'était un... un petit daim. »

Red avait acquiescé laconiquement. « Il ne devait vraiment pas être gros. »

En sortant du garage au volant de sa voiture, Kendall avait senti ses yeux posés sur elle.

Lorsqu'elle était arrivée au bureau, sa secrétaire, Nadine, lui avait aussitôt dit, après un simple coup d'œil : « Qu'est-ce qui vous est arrivé ? »

Kendall s'était figée sur place. « Qu'est-ce que... qu'est-ce que vous voulez dire ?

— Vous avez l'air secouée. Tenez, je vais vous faire un café.

— Merci. »

Kendall s'était regardée dans la glace. Elle était blême et avait les traits tirés. *C'est écrit sur mon visage !*

Nadine était revenue dans le bureau avec une tasse de café chaud. « Tenez. Ça vous fera du bien. » Elle avait regardé Kendall avec curiosité. « Tout va comme vous voulez ?

— Je... j'ai eu un petit accident hier, avait-elle répondu.

— Oh ? Il y a eu quelqu'un de blessé ? »

Elle s'était représenté mentalement le visage de la morte. « Non... j'ai heurté un daim.

— Et votre voiture ?

— Elle est en réparation.

— Je vais téléphoner à votre compagnie d'assurances.

— Oh, non, Nadine, je vous en prie, ne l'appelez pas. »

Kendall avait saisi un regard d'étonnement dans les yeux de Nadine.

Le première lettre était arrivée deux jours plus tard :

Chère Madame Renaud,

Je suis le président de la Société pour la Protection des Animaux Sauvages, laquelle a de gros soucis d'argent. Je suis sûr que vous voudrez nous venir en aide. Notre organisme a besoin d'argent pour la protection des animaux sauvages. Nous portons un intérêt tout particulier au daim. Vous pouvez télégraphier 50 000 dollars au compte bancaire numéro 804072-A au Crédit Suisse de Zurich. Je vous conseillerais fortement d'effectuer ce virement d'ici les cinq prochains jours.

Il n'y avait pas de signature. Tous les *e* étaient abîmés. Dans l'enveloppe on avait joint une coupure de journal où il était question de l'accident.

Kendall avait relu la lettre deux fois. La menace était à peine voilée. Elle ne savait à quel saint se vouer. *Marc avait raison*, avait-elle pensé. *J'aurais dû me livrer à la police.* Maintenant, elle se trouvait dans un pétrin encore pire. Elle fuyait la justice. Si on mettait la main sur elle, ce serait la prison et la honte aussi bien que la fin sur le plan professionnel.

A l'heure du déjeuner, elle s'était rendue à sa banque. « Je voudrais faire un virement de cinquante mille dollars en Suisse... »

En rentrant ce soir-là, Kendall avait montré la lettre à Marc.

Il avait été stupéfait. « Mon Dieu ! avait-il fait. Qui est-ce qui a bien pu envoyer ça ?

— Personne... personne n'est au courant. » Elle tremblait.

« Kendall, il y a *quelqu'un* qui est au courant. »

Elle était toute contractée. « Il n'y avait personne dans les parages, Marc ! Je...

— Attends un peu. Essayons d'y voir clair. Qu'est-ce qui s'est exactement passé lorsque tu es rentrée en ville ?

— Rien. J'ai... j'ai mis la voiture au garage et... » Elle s'arrêta. « *Vous avez une méchante bosse, là, madame Renaud. On dirait qu'il y a du sang dessus.* »

L'expression de son visage n'avait pas échappé à Marc. « Quoi ? »

Elle avait dit lentement : « Le propriétaire du garage et son mécanicien étaient là. Ils ont vu le sang sur le pare-chocs. Je leur ai dit que j'avais heurté un daim et ils ont dit qu'un daim aurait fait plus de dégâts. » Elle s'était souvenue d'autre chose. « Marc...

— Oui ?

— Nadine, ma secrétaire. Je lui ai raconté la même histoire. J'ai bien vu qu'elle ne me croyait pas elle non plus. Ce ne peut donc être que l'un des trois.

— Non », avait fait Marc, lentement.

Elle l'avait regardé, interloquée. « Qu'est-ce que tu veux dire ?

— Assieds-toi, Kendall, et écoute-moi. Si l'un ou l'autre d'entre eux se doutait de quelque chose, il l'aurait raconté à des dizaines de personnes. Tous les journaux ont rapporté l'accident. C'est quelqu'un qui a fait le rapprochement. Pour moi, cette lettre, c'est du bluff, pour te tester. Tu n'aurais jamais dû envoyer cet argent.

— Mais pourquoi ?

— Parce que maintenant, tu vois, ils *savent* que tu es coupable. Tu leur as fourni la preuve dont ils avaient besoin.

— Oh, zut alors ! Qu'est-ce que je vais faire ? »

Marc Renaud demeura quelques instants pensif. « Je crois que je sais comment découvrir l'identité de ces salauds. »

A dix heures le lendemain matin, Kendall et Marc étaient assis dans le bureau de Russell Gibbons, le vice-président de la Manhattan First Security Bank.

« Et en quoi puis-je vous être utile aujourd'hui ? » avait demandé M. Gibbons.

Marc avait dit : « Nous voudrions des renseignements sur un compte numéroté à Zurich.

— Oui ?

— Nous voudrions connaître l'identité de son détenteur. »

Gibbons s'était passé les mains sur le menton. « En raison d'un délit criminel quelconque ? »

Marc avait vivement répondu : « Non ! Pourquoi demandez-vous ça ?

— Parce qu'à moins d'une activité criminelle, comme le blanchiment d'argent ou une infraction aux lois américaines ou suisses, la Suisse ne violera pas son secret bancaire. Sa réputation repose sur la discrétion.

— Mais il doit bien y avoir moyen de...

— Je regrette mais je crains que non. »

Kendall et Marc s'étaient regardés. Le désespoir se lisait sur le visage de Kendall.

Marc s'était levé. « Merci de nous avoir reçus.

— Je regrette de ne pouvoir rien faire pour vous. » Il les avait raccompagnés à la porte de son bureau.

Lorsque Kendall était entrée dans le garage ce soir-là au volant de sa voiture, ni Sam ni Red n'étaient visibles. Kendall avait garé sa voiture et, en passant devant le petit bureau, avait aperçu à travers la fenêtre une machine à écrire sur une étagère. Elle s'était arrêtée, les yeux fixés sur la machine, se demandant si elle avait une lettre *e* abîmée. *Il faut que je le sache*, s'était-elle dit.

Elle s'était approchée du bureau puis, après une seconde d'hésitation, avait ouvert la porte et s'était glissée à l'intérieur. Elle se dirigeait vers la machine à écrire lorsque Sam avait soudainement surgi de nulle part.

« 'Soir, madame Renaud, avait-il dit. Puis-je vous être utile ? »

Elle avait pivoté sur elle-même en sursautant. « Non... Je... Je viens de laisser ma voiture. Bonne nuit. » Elle s'était hâtée vers la porte.

« Bonne nuit, madame Renaud. »

Le lendemain matin, lorsque Kendall était passée devant le bureau du garage, la machine à écrire n'était plus là. A sa place, il y avait un ordinateur personnel.

Sam s'était aperçu qu'elle fixait l'ordinateur du regard. « Chouette, hein ? J'ai décidé de moderniser un peu la boutique. »

Maintenant qu'il peut se le permettre.

Lorsqu'elle en avait parlé à Marc ce soir-là, il avait dit d'un air songeur : « C'est pas impossible, mais il nous faut des preuves. »

Le lundi matin, lorsque Kendall était arrivée au bureau, Nadine l'attendait.

« Est-ce que vous allez mieux, madame Renaud ?

— Oui. Merci.

— C'était mon anniversaire hier. Regardez ce que mon mari m'a offert ! » Elle alla à un placard et en sortit un luxueux manteau de vison. « Il est beau, non ? »

CHAPITRE DIX-NEUF

Julia Stanford aimait la vie en commun avec Sally. Elle était toujours optimiste, drôle et de bonne humeur. Elle avait fait un mauvais mariage et s'était juré de ne plus jamais s'enticher d'un homme. Julia ne savait pas trop bien ce que Sally entendait par *jamais* car elle sortait avec un homme différent toutes les semaines.

« Le mieux, c'est les hommes mariés, philosophait-elle. Comme ils se sentent coupables, ils te comblent de cadeaux. Alors qu'un célibataire, on ne peut s'empêcher de se demander pourquoi il l'est encore. »

Elle demanda à Julia : « Et toi, tu ne sors avec personne ?

— Non. » Julia pensa aux hommes qui l'avaient courtisée. « Je ne veux pas sortir avec quelqu'un juste pour dire que je sors avec lui, Sally. Il faut que ce soit quelqu'un auquel je tienne.

— Eh bien, moi, j'ai quelqu'un pour toi ! dit Sally. Tu vas l'adorer ! Il s'appelle Tony Vinetti. Je lui ai parlé de toi et il veut absolument faire ta connaissance.

— Je ne sais pas si...

— Il va passer te prendre demain soir à huit heures. »

Tony Vinetti était grand, très grand, et d'une gaucherie touchante. Il avait le cheveu dru et noir. Il ne put retenir un sourire désarmant en voyant Julia.

« Sally n'avait pas exagéré. Vous êtes du tonnerre !

— Merci », dit Julia. Elle éprouva un petit frisson de plaisir.

« Etes-vous déjà allée au Houston ? »

C'était l'un des meilleurs restaurants de Kansas City.

« Non. » Elle n'avait tout simplement pas les moyens de manger au Houston. Pas même avec l'augmentation qu'on lui avait accordée.

« Eh bien, une table nous y attend. »

Durant le repas, Tony parla surtout de lui-même mais Julia n'en prit pas ombrage. Il était amusant et séduisant. *« Il a un charme fou »*, avait dit Sally, et c'était vrai.

Le repas fut délicieux. Pour dessert, Julia avait commandé une mousse au chocolat et Tony une glace. Tandis qu'ils s'attardaient à table devant un café, Julia avait pensé : *Va-t-il m'inviter chez lui ? Et si oui, qu'est-ce que je fais ? J'y vais ? Non. Je ne peux pas faire ça. Pas la première fois. Il va me prendre pour une fille facile. La prochaine fois qu'on sortira ensemble, je ne dis pas...*

On apporta l'addition. Tony l'étudia et dit : « Tout a l'air normal. » Il se mit à détailler l'addition. « Vous, vous avez pris du pâté de foie gras et du homard...

— Oui.

— Avec des frites, une salade et la mousse au chocolat, c'est ça ? »

Elle le regarda, intriguée. « Oui, c'est ça...

— OK. » Il fit une rapide addition. « Votre part est de cinquante dollars et quarante cents. »

Julia fut estomaquée. « Pardon ? »

Tony eut un beau sourire. « Je sais à quel point vous êtes indépendantes, vous les femmes modernes. Vous n'acceptez rien des mecs, n'est-ce pas ? Tenez, ajouta-t-il avec magnanimité, je vais payer votre part du pourboire. »

« Je regrette que ça n'ait pas marché, s'excusa Sally. Il est vraiment chou. Tu as l'intention de le revoir ?

— Je n'ai pas les moyens de sortir avec lui, répondit Julia d'un ton acerbe.

— Ecoute, j'ai quelqu'un d'autre pour toi. Tu l'ador...

— Non, Sally. Vraiment, ça ne me dit pas.

— Fais-moi confiance. »

Ted Riddle était un homme qui approchait de la quarantaine et, Julia dut l'admettre, plutôt séduisant. Il l'emmena chez Jenny, un restaurant réputé pour sa cuisine croate.

« Sally m'a vraiment fait une fleur, dit Riddle. Vous êtes très jolie.

— Merci.

— Est-ce qu'elle vous a dit que je possédais une agence de publicité ?

— Non. Elle ne me l'a pas dit.

— Oh, oui. Je possède l'une des plus grosses agences de Kansas City. Tout le monde me connaît.

— C'est bien. Je...

— Nous avons une des plus grosses clientèles du pays.

— Ah oui ? Je ne...

— Oh, oui. Nous avons le budget de célébrités, de banques, de grandes entreprises, de grands magasins...

— Enfin, je...

— ... de supermarchés. C'est bien simple, on les représente tous.

— C'est...

— Vous voulez que je vous dise comment j'ai débuté... »

Il n'avait pas cessé de parler de tout le repas. Et d'une seule chose : de Ted Riddle.

« C'est qu'il devait être nerveux, s'excusa Sally.

— Je ne sais pas mais *moi*, il m'a rendue nerveuse. Si tu veux savoir quelque chose sur la vie de Ted Riddle depuis le jour de sa naissance, tu n'as qu'à me le demander !

— Jerry McKinley.

— Quoi ?

— Jerry McKinley. Ça me revient à l'instant. Il sortait avec une de mes amies. Elle était absolument folle de lui.

— Merci, Sally, mais c'est non.

— Je vais l'appeler. »

Le lendemain soir, Jerry McKinley avait fait son apparition. Il était beau garçon et avait une personnalité facile et engageante. Aussitôt passé le seuil de la porte, il avait regardé Julia et dit : « Je sais qu'il est toujours difficile de sortir avec quelqu'un qu'on ne connaît pas. Je suis plutôt timide moi-même et je sais ce que vous devez ressentir, Julia. »

Il lui avait plu immédiatement.

Ils allèrent dîner dans un restaurant chinois de State Avenue.

« Vous travaillez pour un cabinet d'architectes. Ce doit être passionnant. Je pense qu'on n'apprécie pas assez le rôle que jouent les architectes. »

Il est sensible, pensa Julia, tout heureuse. Elle répondit en souriant : « C'est exactement mon avis. »

Ils passèrent une soirée délicieuse. Plus ils conversaient, plus il plaisait à Julia. Elle décida de faire les premiers pas.

« Que diriez-vous de venir prendre un dernier verre chez moi ? demanda-t-elle.

— Non. Allons plutôt chez moi.

— Chez vous ? »

Il se pencha vers elle et serra sa main dans la sienne. « Là où je garde le fouet et les chaînes. »

Henry Wesson était propriétaire d'une société de comptabilité dans l'immeuble où étaient logés Peters, Eastman & Tolkin. Julia le rencontrait dans l'ascenseur deux ou trois matins par semaine. Il n'était pas dépourvu d'un certain charme. Agé d'une trentaine d'années, il avait le cheveu blond-roux, l'air intelligent quoique réservé et portait des lunettes à monture noire.

Ils avaient fait connaissance en échangeant d'abord de petits signes de tête, puis ç'avait été « Bonjour », puis « Vous avez l'air en forme ce matin » et, après quelques mois : « Je me demandais si vous n'accepteriez pas de dîner avec moi un de ces soirs ? » L'impatience de connaître sa réponse se lisait dans son regard.

Julia avait souri. « Avec plaisir. »

Pour Henry, ç'avait été le coup de foudre. Pour leur première sortie, il emmena Julia à l'EBT, l'un des plus grands restaurants de Kansas City. Il était manifestement tout ému de sortir avec elle.

Il lui parla un peu de lui. « Je suis d'ici, de KC. Mon père aussi est né ici. Le gland ne tombe pas loin du chêne, n'est-ce pas ? Vous connaissez cette expression ? »

Julia la connaissait.

« J'ai toujours voulu être comptable. Après mes études, je suis entré à la Bigelow & Benson Financial Corporation. Maintenant je suis à mon compte.

— Parfait, dit Julia.

— Il n'y a pas grand-chose d'autre à dire en ce qui me concerne. Parlez-moi de vous. »

Julia demeura quelques instants silencieuse. *Je suis la fille naturelle de l'un des hommes les plus riches du monde. Vous avez sans doute entendu parler de lui. Il s'est noyé il n'y a pas longtemps. Je suis son héritière.* Son regard fit le tour de l'élégante salle de restaurant. *Je pourrais acheter ce restaurant si je voulais. Je pourrais même acheter toute la ville.*

Henry avait les yeux posés sur elle. « Julia ?

— Oh ! Je... Je m'excuse. Moi, je suis née à Milwaukee. Mon... mon père est mort alors que j'étais encore enfant. Ma mère et moi avons vécu un peu partout dans le pays. Lorsqu'elle est décédée, j'ai décidé de rester ici et de trouver un travail. » *J'espère que je n'ai pas le nez qui s'allonge.*

Henry Wesson posa une main sur les siennes. « Ainsi, vous n'avez jamais eu d'homme qui prenne soin de vous. » Il se pencha vers elle et dit avec ardeur : « Je voudrais prendre soin de vous jusqu'à la fin de vos jours. »

Julia le regarda avec étonnement. « Je ne voudrais pas avoir l'air vieux jeu, mais on se connaît à peine.

— Je vais remédier à cela. »

Lorsque Julia rentra, Sally l'attendait. « Et alors ? demanda-t-elle. Comment ça s'est passé ? »

Elle répondit, l'air songeur : « Il est très gentil et...

— Il est fou de toi ! »

Julia sourit. « Je pense qu'il m'a demandée en mariage. »

Sally écarquilla les yeux. « Tu *penses* qu'il t'a demandée en mariage ? Ça alors ! Tu ne sais pas s'il t'a fait sa demande ou non ?

— Enfin, il a dit qu'il voulait prendre soin de moi jusqu'à la fin de mes jours.

— Mais c'est une demande en mariage ! s'exclama Sally. Epouse-le ! Vite ! Epouse-le avant qu'il change d'avis ! »

Julia se mit à rire. « Pourquoi me presser ?

— Ecoute-moi bien. Tu vas l'inviter ici à dîner. C'est moi qui vais faire la cuisine et tu lui diras que c'est toi. »

Julia dit en riant : « Non, je te remercie. Quand je rencontrerai un homme que je veux épouser, nous mangerons peut-être des plats surgelés, mais crois-moi, ce sera à une table fleurie et aux chandelles. »

Lors de leur sortie suivante, Henry dit : « Vous savez, Kansas City est un endroit merveilleux pour élever des enfants.

— Je n'en doute pas. » Seulement, Julia n'était pas sûre de vouloir avoir des enfants avec lui. Il était fiable, honnête, sobre, mais...

Elle se confia à Sally.

« Il me demande toujours de l'épouser, dit-elle.

— Comment est-il ? »

Elle réfléchit quelques instants, cherchant ce qu'elle pourrait bien dire de passionnant au sujet de Henry Wesson. « Il est fiable, sobre, honnête... »

Sally la regarda en silence quelques instants. « Autrement dit, il est rasoir. »

Julia, sur la défensive, répondit : « Ce n'est pas exactement ça... »

Sally hocha la tête d'un air entendu. « Il est rasoir. Epouse-le.

— Quoi ?

— Epouse-le. Les bons maris ennuyeux ne courent pas les rues. »

Boucler les fins de mois était un véritable parcours du combattant. Il fallait payer les impôts, le loyer et les frais de la voiture, faire les courses et s'habiller. Julia avait une Toyota Tercel pour laquelle elle avait l'impression de dépenser plus que pour elle-même. Elle empruntait à tout bout de champ de l'argent à Sally.

Un soir que Julia s'habillait pour sortir, Sally lui dit : « Encore une folle soirée avec Henry ? Où t'emmène-t-il ce soir ?

— On va au concert entendre Cleo Laine.

— Est-ce que ce cher Henry t'a redemandée en mariage ? »

Julia hésita. Il la demandait en mariage à chacune de leurs sorties. Elle se sentait acculée au mur mais ne pouvait se résoudre à dire oui.

« Ne le perds pas », lui conseilla Sally.

Elle a sans doute raison, pensa Julia. *Henry Wesson ferait un bon mari. Il est...* Elle hésita. *Il est fiable, sobre, honnête... Est-ce suffisant ?*

Julia était sur le pas de la porte lorsque Sally lui lança du fond de l'appartement : « Tu me prêtes tes chaussures noires ?

— Bien sûr. » Et elle s'en alla.

Sally se rendit dans la chambre de Julia et ouvrit la porte du placard. La paire de chaussures se trouvait sur l'étagère supérieure. En voulant l'atteindre, elle fit tomber un carton posé en équilibre instable sur l'étagère et dont le contenu se répandit par terre.

« Zut ! » Sally se pencha pour ramasser les papiers. Il s'agissait de dizaines de coupures de journaux, de photos et d'articles, tous consacrés à Harry Stanford et à sa famille. Il devait bien y en avoir des centaines.

Soudain, Julia revint en coup de vent dans la chambre. « J'ai oublié mes... » Elle s'arrêta net en apercevant les papiers par terre. « Qu'est-ce que tu fais ?

— Je suis désolée, s'excusa Sally. La boîte est tombée. »

Rougissante, Julia se pencha et commença à remettre les papiers dans le carton.

« Je ne savais pas que tu t'intéressais aux grands de ce monde », dit Sally.

Sans dire un mot, Julia continuait de fourrer les papiers dans le carton. En rassemblant une poignée de photos, elle tomba sur un petit médaillon en or et en forme de cœur que sa mère lui avait donné avant de mourir. Elle le mit de côté.

Sally l'observait, intriguée. « Julia ?

— Oui.

— Pourquoi t'intéresses-tu à Harry Stanford ?

— Je ne... Je... Tout cela était à ma mère. »

Sally haussa les épaules. « Bon, d'accord. » Elle saisit

une coupure de journal. Elle provenait d'un magazine à sensation dont les manchettes avaient arrêté son regard : UN INDUSTRIEL A UN ENFANT AVEC LA GOUVER-NANTE DE SES ENFANTS — LA MÈRE ET L'ENFANT ONT DIS-PARU !

Sally dévisagea Julia, bouche bée. « Ça alors ! Tu es la fille de Harry Stanford ! »

Julia serra les lèvres. Elle hocha la tête et continua de remettre les papiers dans le carton.

« C'est bien ça ? »

Julia s'arrêta. « Je t'en prie, je préférerais qu'on parle d'autre chose, si ça ne t'ennuie pas. »

Sally sauta sur ses pieds. « Tu préférerais qu'on parle d'autre chose ? Tu es la fille de l'un des hommes les plus riches du monde et tu préférerais qu'on parle d'autre chose ? Tu es folle ou quoi ?

— Sally...

— Tu sais combien il vaut ? Des milliards.

— Ce n'est pas mon affaire.

— Mais tu es sa fille ! Tu hérites de lui ! Tu n'as qu'à dire à la famille qui tu es et...

— Non.

— Non... quoi ?

— Tu ne comprendrais pas. » Julia se leva puis se laissa tomber sur le lit. « Harry Stanford était un sale type. Il a abandonné ma mère. Elle le haïssait et moi aussi je le hais.

— On ne hait pas quelqu'un d'aussi riche. On le *comprend.* »

Julia hocha la tête. « Je ne veux pas avoir affaire à eux.

— Julia, les héritières ne vivent pas dans des appartement minables, ne s'habillent pas aux puces et n'empruntent pas d'argent pour payer leur loyer. Ta famille n'apprécierait pas si elle savait que tu vis comme ça. Elle aurait honte.

— Ils ne savent même pas que j'existe.

— Alors, va leur faire savoir.

— Sally...

— Oui ?

— Parlons d'autre chose. »

Sally la regarda durant un long moment. « Mais oui. A propos, tu ne pourrais pas me prêter un million ou deux en attendant la paie ? »

CHAPITRE VINGT

Tyler était fou d'inquiétude. Cela faisait vingt-quatre heures qu'il faisait le numéro de Lee et que personne ne répondait. *Avec qui est-il?* se demandait-il, au supplice. *Qu'est-ce qu'il fabrique?*

Il décrocha le combiné et composa une fois de plus le numéro. Le téléphone sonna longtemps et, au moment même où il allait raccrocher, il entendit la voix de Lee.

« Allo.

— Lee! Comment vas-tu?

— Mais qui parle?

— C'est Tyler.

— Tyler? » Il y eut un silence. « Oh, oui. »

Tyler éprouva une vive déception. « Comment vas-tu?

— Bien, répondit Lee.

— Je t'avais dit que j'aurais une grosse surprise pour toi.

— Oui? » Il avait l'air absent.

« Tu te souviens de m'avoir parlé d'aller à Saint-Tropez sur un beau yacht blanc?

— Et alors?

— Que dirais-tu de partir le mois prochain?

— Tu es sérieux?

— Il n'y a pas plus sérieux.

— Enfin, je ne sais pas. Tu as un ami qui possède un yacht?

— Je vais bientôt en acheter un.

— Tu ne te serais pas un peu shooté, des fois, mon petit juge?

— Shoo...? Non, non! Je viens de toucher de l'argent. Beaucoup d'argent.

— Saint-Tropez, hein? Ouais, ça serait pas mal. Bien sûr, je ne demande pas mieux. »

Tyler éprouva un profond sentiment de soulagement. « Fantastique! D'ici là, ne... » Il ne pouvait même pas se résoudre à y penser. « Je te ferai signe, Lee. » Il raccrocha et s'assit au bord de son lit. *Je ne demande pas mieux.* Il se voyait en train de faire le tour du monde sur un beau yacht avec Lee. *Tous les deux.*

Tyler prit l'annuaire téléphonique et l'ouvrit aux pages jaunes.

Les bureaux de John Alden Yachts, Inc., sont situés sur le Commercial Wharf de Boston, un quai transformé en commerces de luxe. Le directeur des ventes vint au-devant de Tyler aussitôt que celui-ci eut franchi la porte de l'établissement.

« Que puis-je faire pour vous aujourd'hui, monsieur? »

Tyler le regarda et dit, l'air de rien : « Je voudrais acheter un yacht. » Les mots lui étaient venus tout naturellement.

Le yacht de son père ferait sans doute partie de la succession mais Tyler n'avait pas l'intention de partager un bateau avec son frère et sa sœur.

« A voile ou à moteur?

— Je... heu... Je ne sais pas encore. Je voudrais pouvoir faire le tour du monde avec.

— Dans ce cas, c'est sans doute un bateau à moteur qu'il vous faudrait.

— Pourvu qu'il soit blanc. »

Le directeur des ventes lui jeta un regard étonné. « Oui, naturellement. A quelle taille pensiez-vous ? »

Le Blue Skies *a soixante mètres.*

« Soixante-dix mètres. »

Le directeur des ventes eut l'air consterné. « Ah, je vois. Evidemment, un yacht de cette taille n'est pas donné, monsieur... heu...

— Juge Stanford. Mon père était Harry Stanford. »

Le visage du vendeur s'éclaira.

« L'argent n'entre pas en ligne de compte, dit Tyler.

— Sûrement pas ! Ecoutez, monsieur le juge Stanford, nous allons vous trouver un yacht que tout le monde vous enviera. Blanc, évidemment. En attendant, voici un catalogue des yachts disponibles. Téléphonez-moi lorsque vous aurez décidé lesquels vous intéressent. »

Woody Stanford songeait aux poneys de polo. Toute sa vie il avait dû monter les poneys de ses amis, mais maintenant il allait pouvoir s'offrir la meilleure écurie du monde.

Il était au téléphone avec Mimi Carson. « Vends-moi tes poneys », disait Woody. L'excitation perçait dans sa voix. Il écouta quelques instants. « C'est ça, toute l'écurie. Je suis très sérieux. D'accord... »

La conversation dura une demi-heure et lorsque Woody raccrocha, il était tout sourire. Il alla retrouver Peggy.

Elle était assise toute seule sur la véranda. On pouvait voir des ecchymoses sur son visage aux endroits où il l'avait frappée.

« Peggy... »

Elle lui jeta un regard méfiant. « Oui ?

— Il faut que je te parle... Je... Je ne sais pas par où commencer. »

Elle demeura silencieuse, dans l'expectative.

Il prit une respiration profonde. « Je sais que j'ai été un mauvais mari. J'ai fait des choses impardonnables. Mais, ma chérie, tout ça va changer désormais. Penses-y un peu ! On est riches. On est vraiment riches. Rien ne sera plus comme avant pour toi. » Il lui prit la main. « Cette fois, ça y est, je ne touche plus à la drogue. Vraiment. Nous allons avoir une vie complètement différente. »

Elle le regarda dans les yeux et dit d'une voix blanche : « C'est vrai, Woody ?

— Oui. Je te le promets. Je sais que ce n'est pas la première fois que je te dis ça, mais cette fois ça va vraiment marcher. Je vais entrer dans une clinique où l'on saura me soigner. Je veux sortir de cet enfer. Peggy... » Il y avait une note de désespoir dans sa voix. « Je n'y arriverai pas sans toi. Tu le sais... »

Elle le regarda un long moment puis le berça dans ses bras. « Mon pauvre chéri. Je sais, murmura-t-elle. Je sais. Je vais t'aider... »

Le temps était venu de partir pour Margo Posner.

Tyler la trouva dans le cabinet de travail. Il ferma la porte. « Je voulais vous remercier encore une fois, Margo. »

Elle sourit. « Je me suis bien amusée. J'ai passé un bon moment. » Elle lui adressa un regard malicieux. « Je ferais peut-être une bonne actrice. »

Il lui sourit. « Vous auriez sûrement du succès. En tout cas, ce public-ci, vous l'avez drôlement fait marcher.

— En effet, n'est-ce pas ?

— Voici le reste de votre argent. » Il sortit une enveloppe de sa poche. « Et votre billet d'avion pour Chicago.

— Merci. »

Il jeta un coup d'œil à sa montre. « Vous feriez mieux d'y aller.

— D'accord. Je tenais seulement à vous dire que je vous sais gré de tout. Enfin, de m'avoir sortie de prison, de tout, quoi. »

Il lui adressa un sourire. « Parfait. Bon voyage.

— Merci. »

Il la regarda monter faire sa valise. La partie était terminée.

Echec et mat.

Margo Posner était dans sa chambre en train de finir de faire ses bagages lorsque Kendall entra.

« Salut, Julia. Je voulais seulement... » Elle s'interrompit. « Qu'est-ce que tu fais ?

— Je rentre. »

Kendall la regarda avec étonnement. « Déjà ? Pourquoi ? J'espérais que nous passerions quelque temps ensemble pour apprendre à nous connaître. On a beaucoup d'années à rattraper.

— Oui, sans doute. Mais ce sera pour une autre fois. »

Kendall s'assit au bord du lit. « On dirait un miracle, tu ne trouves pas ? De se retrouver comme ça, après tant d'années ? »

Margo continuait de faire sa valise. « Ouais, bon. C'est un miracle, d'accord.

— Tu dois te sentir comme Cendrillon. Enfin, tu vis une vie tout ce qu'il y a de normal et tout à coup on t'apporte un milliard sur un plateau. »

Margo arrêta de remplir sa valise. « Quoi ?

— Je disais...

— Un *milliard* de dollars ?

— Oui. Conformément au testament de père, c'est ce dont chacun de nous hérite. »

Margo regardait Kendall, interloquée. « Nous avons chacun un milliard de dollars ?

— On ne te l'avait pas dit ?

— Non, répondit lentement Margo. On ne me l'avait pas dit. » Son visage était devenu songeur. « Kendall, tu as raison. On devrait peut-être faire plus ample connaissance. »

Tyler regardait des photos de yachts dans le solarium lorsque Clark s'approcha de lui.

« Excusez-moi, juge Stanford. On vous demande au téléphone.

— Je vais le prendre ici. »

C'était Keith Percy qui l'appelait de Chicago.

« Tyler ?

— Oui.

— J'ai une grande nouvelle à vous annoncer.

— Oh ?

— Maintenant que j'ai décidé de prendre une retraite anticipée, que diriez-vous d'être nommé juge en chef ? »

Tyler eut du mal à retenir un fou rire. « Mais ça serait merveilleux, Keith.

— Eh bien, c'est comme si c'était fait.

— Je... Vous me prenez au dépourvu. » *Que lui dire ?* « *Un milliardaire ne siège pas dans un sale petit tribunal minable de Chicago et ne passe pas ses journées à asse-*

ner des condamnations à tous les paumés de la terre »?
*Ou bien : « Je serai en train de faire le tour du monde sur
un yacht »*?

« Dans combien de temps comptez-vous rentrer à
Chicago ?

— Pas tout de suite, répondit Tyler. J'ai encore beaucoup à faire.

— Eh bien, tout le monde ici vous attendra. »

Retiens ton souffle. « Au revoir. » Il raccrocha et jeta
un coup d'œil à sa montre. Il était temps que Margo
parte pour l'aéroport. Tyler monta voir si elle était
prête.

Lorsqu'il entra dans sa chambre, elle était en train de
défaire sa valise.

Il eut l'air surpris. « Vous n'êtes pas prête. »

Elle le regarda en souriant. « Non. Je défais ma
valise. J'ai réfléchi. Ça me plaît ici. J'ai envie d'y rester
quelque temps. »

Il s'assombrit. « Qu'est-ce que vous racontez ? Vous
prenez l'avion pour Chicago.

— Les avions, ce n'est pas ce qui manque, monsieur
le juge. » Elle eut un large sourire. « J'en aurai peut-
être même un à moi.

— Qu'est-ce que vous dites ?

— Vous m'aviez dit que vous vouliez faire une petite
plaisanterie à quelqu'un.

— Oui ?

— On dirait bien que cette plaisanterie est en train
de tourner à mon avantage. Je vaux un milliard de dollars. »

Le visage de Tyler se durcit. « Vous allez fiche le
camp d'ici. Tout de suite.

— Ah oui ? Je partirai quand ça me dira, répondit
Margo. Et ça ne me dit pas encore. »

Tyler se figea, scrutateur. « Qu'est-ce... qu'est-ce que
vous voulez ? »

Elle hocha la tête. « C'est déjà mieux. Le milliard qui me revient. Vous aviez prévu de le garder pour vous, c'est ça ? Je m'étais dit que vous ne faisiez que tirer légèrement sur la corde pour ramasser un peu d'argent en plus, mais un milliard de dollars ! Là, c'est autre chose. Je crois que j'ai droit à ma part. »

On frappa à la porte de la chambre.

« Excusez-moi, dit Clark. Le déjeuner est servi. »

Margo se tourna vers Tyler. « Allez-y, vous. Moi, j'ai des courses importantes à faire. »

A la fin de l'après-midi, ce jour-là, il y eut un afflux de colis à Rose Hill. Robes de chez Armani, vêtements de sport de la boutique Scaasi, lingerie de chez Jordan Marsh, manteau en zibeline de chez Neiman Marcus et un bracelet en diamants de Cartier. Tous ces colis étaient adressés à mademoiselle Julia Stanford.

Lorsque Margo rentra à quatre heures et demie, Tyler, furieux, l'attendait de pied ferme.

« Mais, bon Dieu, qu'est-ce que vous fabriquez ? »

Elle sourit. « Il me manquait deux ou trois choses. Après tout, votre sœur doit être bien habillée, non ? Incroyable à quel point les magasins vous font crédit lorsque vous êtes une Stanford. Je vous laisse régler les factures, n'est-ce pas ?

— Margo...

— Julie, lui rappela-t-elle. A propos, j'ai vu des photos de yachts sur la table. Vous avez l'intention d'en acheter un ?

— Ça ne vous regarde pas.

— N'en soyez pas aussi sûr. Et si on faisait une croisière, vous et moi ? On baptiserait le yacht *Margo*. Ou *Julia*, si vous préférez. On pourrait faire le tour du monde tous les deux. La solitude me pèse. »

—

Tyler réfléchit un instant. « On dirait que je vous ai sous-estimée. Vous êtes une jeune femme très intelligente.

— Venant de vous, ce n'est pas un mince compliment.

— J'espère que vous êtes aussi une jeune femme raisonnable.

— Tout dépend de ce que vous entendez par là.

— Un million de dollars, en espèces. »

Le cœur de Margo se mit à battre plus fort. « Et je pourrai garder tout ce que j'ai acheté aujourd'hui ?

— Tout. »

Elle prit une profonde respiration. « Marché conclu.

— Parfait. Je vais me procurer l'argent le plus vite possible. Je rentre à Chicago dans quelques jours. » Il prit une clé dans sa poche et la lui remit. « Voici la clé de ma maison. Vous allez vous y installer et m'attendre là-bas. Et pas un mot à qui que ce soit.

— D'accord. » Elle essaya de dissimuler son excitation. *J'aurais peut-être dû demander davantage*, pensait-elle.

« Je vais vous réserver une place sur le prochain avion.

— Et tous mes achats...

— Je vous les ferai envoyer.

— Bien. Hé, dites donc, on s'en est drôlement bien sortis, vous et moi, non ? »

Il acquiesça. « Oui, drôlement bien. »

Tyler conduisit Margo à l'aéroport international Logan pour assister à son départ.

A l'aéroport, elle dit : « Et les autres ? Comment allez-vous leur expliquer mon départ ?

— Je vais leur dire que vous deviez aller voir une

vieille amie à vous qui est tombée malade, une amie d'Amérique latine. »

Son regard se fit mélancolique. « Vous savez quoi, monsieur le juge ? Une croisière en yacht avec vous ne m'aurait pas déplu. »

Les haut-parleurs annoncèrent son vol.

« Je crois que c'est le mien.

— Bon vol.

— Merci. Je vous reverrai à Chicago. »

Tyler la regarda se diriger vers le terminal des départs et resta immobile, attendant que l'avion décolle. Il revint ensuite à la limousine et dit au chauffeur : « Rose Hill. »

Aussitôt rentré, il monta dans sa chambre et téléphona au juge en chef Keith Percy.

« Tout le monde vous attend, ici, Tyler. Quand revenez-vous ? Nous avons prévu une petite fête en votre honneur.

— Très bientôt, Keith, répondit Tyler. En attendant, il se pourrait que j'aie besoin de vos lumières pour m'aider à résoudre un problème qui me tombe dessus.

— Bien sûr. Qu'est-ce que je peux faire pour vous ?

— Il s'agit de cette criminelle que j'ai essayé d'aider. Margo Posner. Je crois que je vous ai parlé d'elle.

— Je me souviens. Qu'y a-t-il ?

— La pauvre s'est mise dans la tête qu'elle était ma sœur. Elle m'a suivi à Boston et a essayé de m'assassiner.

— Ça alors ! Quelle horreur !

— Elle est en route pour Chicago à l'heure qu'il est, Keith. Elle a volé la clé de ma maison et je ne sais pas ce qu'elle compte faire ensuite. Cette femme est une folle dangereuse. Elle a menacé de tuer toute ma

famille. Je voudrais qu'on l'interne à l'hôpital psychiatrique. Faxez-moi les formulaires d'internement d'office
et je les signerai. Je m'occuperai moi-même de l'exa-
men psychiatrique.

— Bien entendu. Je vais faire ce qu'il faut tout de
suite, Tyler.

— Je vous en serais reconnaissant. Elle est sur le vol
307 de la United Airlines. Elle arrive à huit heures
quinze ce soir. Je vous conseille d'envoyer du monde la
cueillir à l'aéroport. Et dites-leur d'être prudents. Il faudrait la mettre dans le quartier de haute surveillance de
Reed et l'interdire de visites.

— Je vais faire le nécessaire. Je suis désolé que vous
ayez dû vivre tout ça, Tyler. »

Il y avait un petite pointe de mépris dans la voix de
Tyler lorsqu'il dit : « Vous connaissez le proverbe,
Keith : " Il n'est pas de bonne action, si infime soit-elle,
qui demeure impunie. " »

Ce soir-là, à table, Kendall demanda : « Julia n'est
pas avec nous ce soir ? »

Tyler répondit d'un ton désolé : « Hélas ! non. Elle
m'a demandé de vous faire ses adieux. Elle est allée au
chevet d'une amie sud-américaine qui a eu une attaque
d'apoplexie. C'était plutôt imprévisible.

— Mais le testament n'a pas été...

— Julia m'a remis une procuration de son avocat
pour que je dépose sa part sur un fonds en fidéi-
commis. »

Un domestique posa un bol de potage de clams
devant Tyler.

« Ah, fit-il. Ça a l'air délicieux ! J'ai faim ce soir. »

Le vol 307 de la United Airlines amorçait sa descente vers l'aéroport international O'Hare selon l'horaire prévu. Une voix métallique annonça dans le haut-parleur : « Mesdames et messieurs, veuillez attacher vos ceintures, s'il vous plaît. »

Margo Posner avait énormément apprécié son voyage en avion. Elle avait passé le plus clair de son temps à rêver de ce qu'elle ferait du million de dollars et à tous les vêtements et aux bijoux qu'elle s'achèterait. *Et tout ça parce que je m'étais fait choper ! C'est vraiment la meilleure !*

A l'atterrissage, Margo rassembla les objets qu'elle avait pris avec elle à bord et s'engagea sur la passerelle. Un membre de l'équipage se tenait sur ses talons. Près de l'avion, il y avait une ambulance de chaque côté de laquelle se tenaient deux infirmiers en blouse blanche ainsi qu'un médecin. L'officier de bord les aperçut et leur désigna Margo.

Au moment où elle mettait pied au bas de la passerelle, l'un des hommes s'approcha d'elle. « Excusez-moi », dit-il.

Margo le regarda de haut. « Oui ? »

— Vous êtes Margo Posner ?

— Pourquoi, oui. Qu'est-ce...

— Je suis le Dr Zimmerman. » Il lui prit le bras. « Voudriez-vous nous accompagner, s'il vous plaît ? » Il voulut l'entraîner vers l'ambulance.

Margo essaya de se dégager. « Hé là ! Une seconde ! Qu'est-ce que vous faites ? »

Les deux infirmiers étaient venus se placer de chaque côté d'elle pour lui tenir les bras.

« Allez, accompagnez-nous sans faire d'histoires, mademoiselle Posner, dit le médecin.

— Au secours ! hurla Margo. Venez à mon aide ! »

Les autres passagers assistaient à la scène, bouche bée.

« Mais qu'est-ce que avez tous ! hurla Margo. Vous êtes aveugles ou quoi ? On est en train de me kidnapper ! Je suis Julia Stanford ! Je suis la fille de Harry Stanford !

— Mais oui, bien sûr, dit le Dr Zimmerman d'un ton apaisant. Calmez-vous. »

Les spectateurs stupéfaits suivirent Margo des yeux tandis qu'on la faisait monter à l'arrière de l'ambulance. Elle se débattait et criait à tue-tête.

A l'intérieur de l'ambulance, le médecin prit une seringue et lui fit une piqûre dans le bras. « Détendez-vous, dit-il. Tout va bien se passer.

— Vous devez être fou ! dit Margo. Vous devez... » Ses paupières commencèrent à s'alourdir.

On ferma les portes de l'ambulance qui s'éloigna.

Lorsqu'on rapporta la chose à Tyler, il éclata de rire tout haut. Il se représentait cette salope cupide qu'on embarquait. Il ferait en sorte qu'on la garde à l'asile jusqu'à la fin de ses jours.

Maintenant, la partie est vraiment finie, pensa-t-il. *J'ai réussi ! Le vieux se retournerait dans sa tombe – s'il en a encore une – s'il savait que j'ai pris le contrôle de Stanford Enterprises. Je donnerai à Lee tout ce dont il a pu rêver.*

Parfait. Tout était parfait.

Les événements du jour avaient émoustillé Tyler sexuellement. *J'ai besoin de me changer un peu les idées.* Il ouvrit son attaché-case et retira d'une pochette un exemplaire du *Damron Address Book*. Plusieurs bars *gay* de Boston y figuraient.

Il choisit le Quest dans Boylston Street. *Je vais sauter le dîner. Je vais aller directement au club.*

Julia et Sally s'habillaient pour se rendre à leur travail.

Sally demanda : « Comment ça s'est passé hier soir avec Henry ?

— Même chose que d'habitude.

— Si mal que ça, hein ? Et on n'a pas encore publié les bans ?

— Dieu m'en garde ! répondit Julia. Henry est bien gentil mais... » Elle soupira. « Ce n'est pas l'homme qu'il me faut.

— *Lui*, peut-être pas, dit Sally, mais *ça*, c'est pour toi. » Elle remit cinq enveloppes à Julia.

C'étaient des factures. Julia les ouvrit. Trois d'entre elles portaient la mention DÉLAI EXPIRÉ et une autre indiquait TROISIÈME RAPPEL. Julia les étudia quelques instants.

« Sally, peut-être pourrais-tu me prêter... »

Sally lui jeta un regard étonné. « Je ne te comprends pas.

— Comment ça ?

— Tu travailles comme une bête de somme et tu ne peux pas payer tes factures alors qu'il te suffirait de lever le petit doigt pour entrer en possession de quelques millions de dollars, à des poussières près.

— Ce n'est pas mon argent.

— Mais si, c'est ton argent ! rétorqua Sally. Harry Stanford était ton père, oui ou non ? Conclusion, tu as droit à ta part de l'héritage. Et tu sais que des conclusions, je n'en tire pas souvent.

— Change de rengaine. Je t'ai raconté comment il traitait ma mère. Il ne m'aurait pas laissé un centime. »

Sally soupira. « Zut alors ! Et moi qui espérais vivre avec une milliardaire ! »

Elles se dirigèrent vers le terrain de stationnement où elles garaient leurs voitures. La place de Julia était vide. Elle n'en croyait pas ses yeux. « Elle n'est plus là !

— Tu es bien sûre de l'avoir garée ici hier soir ? demanda Sally.

— Oui.

— On te l'a volée ! »

Julia hocha la tête. « Non, fit-elle lentement.

— Qu'est-ce que tu veux dire ? »

Elle se tourna pour regarder Sally. « On a dû la reprendre. J'avais trois mensualités de retard.

— Il ne manquait vraiment plus que ça », dit Sally d'une voix blanche.

Sally avait sans cesse présente à l'esprit la situation de son amie. *On dirait un conte de fées*, pensait-elle. *Une princesse qui ignore qu'elle l'est. Sauf que, cette fois, elle le sait mais est trop fière pour réagir. Ce n'est pas juste ! La famille empoche tout cet argent et elle, elle n'a rien ! Eh bien, si elle ne fait rien, moi je vais agir ! Elle me remerciera plus tard.*

Ce soir-là, après que Julia fut sortie, Sally examina de nouveau le carton de coupures de journaux. Elle prit un article récent qui signalait que les héritiers Stanford étaient retournés à Rose Hill après les obsèques.

Si la princesse ne va pas à eux, pensa Sally, *ce sont eux qui viendront à la princesse.*

Sally s'assit et commença à écrire une lettre. Elle était adressée au juge Tyler Stanford.

CHAPITRE VINGT ET UN

Tyler Stanford signa le formulaire de placement d'office de Margo Posner au Reed Mental Hospital. Trois psychiatres devaient donner leur accord au placement d'office mais Tyler savait qu'il ne s'agirait là que d'une formalité.

Ayant passé en revue tout ce qu'il avait fait depuis le début, il en arriva à la conclusion que sa stratégie avait été appliquée sans anicroche. Dmitri avait disparu en Australie et on avait réglé son compte à Margo Posner. Restait Hal Baker, mais il ne ferait pas de difficulté. Tout le monde a son talon d'Achille : celui de Baker, c'était son idiote de famille. *Non, Baker ne parlera pas parce que l'idée de passer sa vie en prison loin des siens lui est insupportable.*

Tout était parfait.

Dès que le testament sera homologué, je rentre à Chicago et je passe prendre Lee. On pourrait même acheter une maison à Saint-Tropez. A cette idée, il sentit un début d'érection. *On fera le tour du monde sur mon*

yacht. Moi qui ai toujours voulu voir Venise... et Posi-
tano... et Capri... On fera un safari au Kenya et on verra
le Taj Mahal au clair de lune ensemble. Et à qui est-ce
que je dois tout cela? A papa. Cher vieux papa. « T'es
rien qu'une pédale, Tyler. Je ne sais vraiment pas com-
ment mes couilles ont pu engendrer un type de ton
espèce. »

Et qui donc, père, rit le dernier maintenant?

Tyler descendit retrouver son frère et sa sœur pour le
déjeuner. Il avait retrouvé l'appétit.

« C'est quand même dommage que Julia ait dû nous
quitter si vite, dit Kendall. J'aurais aimé la connaître
mieux.

— Je suis sûr qu'elle a l'intention de revenir dès
qu'elle pourra », dit Marc.

Aucun doute là-dessus, pensa Tyler. Il veillerait à ce
qu'elle reste enfermée pour de bon.

On en vint à parler de l'avenir.

Peggy dit, timidement : « Woody va s'acheter un
groupe de poneys pour jouer au polo.

— C'est pas un groupe ! jeta sèchement Woody. C'est
une écurie. Une *écurie* de poneys.

— Je m'excuse, chéri. Je voulais seulement...

— Ecrase ! »

Tyler dit à Kendall : « Et toi, quels sont tes projets ?

« ... nous comptons sur votre aide financière... Nous
vous saurions gré de bien vouloir déposer 1 million de
dollars... d'ici dix jours. »

— Kendall ?

— Oh ! Je vais... développer mon entreprise. Je vais
ouvrir des boutiques à Londres et à Paris.

— Ça a l'air passionnant, dit Peggy.

— J'ai un défilé à New York dans deux semaines. Il

faut que je descende là-bas au plus vite pour tout préparer. »

Kendall jeta un coup d'œil à Tyler. « Qu'est-ce que tu comptes faire de ta part de l'héritage ? »

Tyler répondit d'un ton édifiant : « La donner à une organisation caritative, pour l'essentiel. Il y a tellement de gens qui vivent dans le besoin. »

Il n'écoutait la conversation que d'une oreille distraite. Il fit des yeux le tour de la table, examinant son frère et sa sœur. *Sans moi, vous n'auriez rien. Rien !*

Il arrêta son regard sur Woody. Son frère se droguait, il fichait sa vie en l'air. *L'argent ne l'aidera pas*, pensa Tyler. *Ça lui permettra seulement d'acheter davantage de drogue.* Il se demanda où Woody se fournissait.

Tyler se tourna vers sa sœur. Kendall était brillante, elle réussissait dans la vie et avait su tirer profit de ses dons.

Marc, assis à côté d'elle, entretenait Peggy d'une anecdote amusante. *Il est séduisant et charmant. Dommage qu'il soit marié.*

Et il y avait Peggy. Lorsqu'il pensait à elle, il pensait « pôôvre Peggy ». Qu'elle eût réussi à mettre le grappin sur Woody le dépassait. *Elle l'aime beaucoup, certainement. Son mariage ne doit rien lui apporter.*

Il se demanda quelle tête ils feraient s'il se levait et disait : « *Je contrôle Stanford Enterprises. J'ai fait assassiner notre père, déterrer son corps et j'ai engagé quelqu'un pour prendre la place de notre demi-sœur.* » Cette pensée le fit sourire. Il était difficile de garder un secret aussi délicieux que le sien.

Après le déjeuner, Tyler monta dans sa chambre et téléphona de nouveau à Lee. On ne répondit pas. *Il est avec quelqu'un*, pensa Tyler, au désespoir. *Il ne me croit*

pas pour le yacht. Eh bien, je vais lui en apporter la
preuve! Quand cette fichue homologation va-t-elle avoir
lieu? Il faut que je téléphone à Fitzgerald ou à ce jeune
avocat, Steve Sloane.

On frappa à la porte. C'était Clark. « Je vous prie de
m'excuser, monsieur le juge. Une lettre est arrivée pour
vous. »

Sans doute de Keith Percy, pour me féliciter. « Merci,
Clark. » Il prit l'enveloppe. Elle portait une adresse de
retour à l'envoyeur à Kansas City. Il l'examina un instant, intrigué, puis l'ouvrit et se mit à la lire.

Cher juge Stanford,

Je pense qu'il faut que vous sachiez que vous
avez une demi-sœur du nom de Julia Stanford. Elle est
la fille de Rosemary Nelson et de votre père. Elle vit ici,
à Kansas City. Son adresse est 1425 Metcalf Avenue,
appartement 3B, Kansas City, Kansas.

Julia serait sûrement très heureuse d'avoir de
vos nouvelles.

Mes sentiments respectueux,

Une amie.

Tyler regarda fixement la lettre d'un air incrédule et
il eut des sueurs froides. « Non! s'écria-t-il à voix haute.
Non! » *Non, pas question! Pas maintenant! C'est peut-*
être une imposture. Mais il eut la terrible conviction que
cette Julia était la vraie. *Et maintenant, cette salope va se*
pointer pour réclamer sa part de l'héritage! Ma part!
rectifia Tyler. *Elle ne lui appartient pas. Je ne peux pas*
la laisser venir ici. Ça gâcherait tout. J'aurais à m'expli-
quer pour l'autre Julia et... Il frissonna. « Non! » *Il faut*
que je la fasse liquider. Vite.

Il décrocha et composa le numéro de Hal Baker.

CHAPITRE VINGT-DEUX

Le dermatologue hocha la tête. « J'ai vu des cas comme le vôtre, mais jamais aussi graves. »

Hal Baker se gratta la main et acquiesça.

« Vous voyez, monsieur Baker, nous nous trouvons devant trois éventualités. Votre démangeaison peut avoir été causée par un champignon, une allergie ou encore il peut s'agir d'une neurodermatose. L'échantillon de peau que j'ai prélevé sur votre main et que j'ai examiné au microscope m'a montré qu'il ne s'agissait pas d'un champignon. Et vous dites ne pas être en contact avec des produits chimiques à votre travail...

— En effet.

— Ce qui réduit notre champ d'investigation. Vous souffrez d'un lichen *simplex chronicus*, ou d'une neurodermatose locale.

— Ce n'est pas encourageant. Ça se soigne ?

— Heureusement, oui. » Le médecin prit un tube dans une armoire dans un coin du bureau et l'ouvrit. « Est-ce que votre main vous démange maintenant ? »

Hal Baker se gratta de nouveau. « Oui. Ça brûle.

— Passez-vous cet onguent sur la main. »

Hal Baker fit sortir un peu d'onguent du tube et se le passa sur la main. L'effet fut instantané.

« La démangeaison a cessé ! dit Baker.

— Parfait. Avec ça vous n'aurez plus de problème.

— Merci, docteur. Je ne saurais vous dire le soulagement que j'éprouve.

— Je vais vous faire une prescription. Vous pouvez garder ce tube.

— Merci. »

En rentrant chez lui en voiture, Hal Baker chantait à tue-tête. C'était la première fois depuis qu'il avait rencontré le juge Stanford que sa main ne le démangeait pas. Il éprouvait une délicieuse sensation de liberté. Toujours sifflotant, il mit sa voiture au garage et entra dans la cuisine. Helen l'attendait.

« Il y a eu un appel pour toi, dit-elle. Un certain M. Jones. Il a dit que c'était urgent. »

Il ressentit une démangeaison à la main.

Il lui était arrivé de faire du mal à des gens, mais il l'avait fait par amour pour ses enfants. Il avait commis des crimes, mais c'était pour sa famille. Il ne se croyait pas vraiment fautif. Cette fois, c'était différent. Il s'agissait d'un crime avec préméditation.

Lorsqu'il avait rappelé le juge Stanford, il avait protesté. « Je ne peux pas faire ça, monsieur le juge. Là, vous vous trompez d'adresse. »

Il y avait eu un silence à l'autre bout du fil. Puis : « Comment va la petite famille ? »

Le vol jusqu'à Kansas City se déroula sans incident. Le juge Stanford lui avait donné des instructions détaillées. *« Elle s'appelle Julia Stanford. Vous avez son adresse et le numéro de son appartement. Elle ne vous attend pas. Tout ce que vous avez à faire, c'est d'aller là-bas et de vous occuper d'elle. »*

Il se fit conduire en taxi du Kansas City Downtown Airport jusqu'au centre-ville.

« Belle journée, fit le chauffeur.

— En effet.

— D'où venez-vous ?

— De New York. Je vis ici.

— Ville agréable, non ?

— Pour ça, oui. J'ai des petits travaux à effectuer chez moi. Pourriez-vous me déposer à une quincaillerie ?

— D'accord. »

Cinq minutes plus tard, Hal Baker disait à un vendeur du magasin : « Je voudrais un couteau de chasse.

— Nous avons exactement ce qu'il vous faut, monsieur. Voulez-vous me suivre, s'il vous plaît. »

Le couteau, d'environ quinze centimètres de long, faisait un bel objet avec sa pointe effilée et sa lame dentelée.

« Est-ce que cela fera l'affaire ?

— Certainement, répondit Hal Baker.

— Vous paierez comptant ou à crédit ?

— Comptant. »

Il s'arrêta ensuite dans une papeterie.

Hal Baker demeura cinq minutes en observation devant le 1425 Metcalf Avenue dont il étudia les accès. Il partit et revint à vingt heures, au crépuscule. Il voulait s'assurer que Julia Stanford rentrerait chez elle après le travail – si elle travaillait. Il avait remarqué que l'immeuble n'avait pas de gardien. Il y avait un ascenseur mais il emprunta l'escalier. Il valait toujours mieux éviter les endroits clos. C'étaient des pièges. Il atteignit le deuxième étage. L'appartement 3B était au bout du couloir à gauche. Le couteau était fixé par du sparadrap à l'intérieur de son veston. Il sonna. Un instant plus tard, la porte s'ouvrit et il se retrouva en face d'une jolie femme.

« Bonjour. » Elle avait un beau sourire. « Je peux faire quelque chose pour vous ? »

Elle était plus jeune qu'il ne l'eût cru et il se demanda pourquoi le juge Stanford voulait la faire tuer. *Enfin, ça ne me regarde pas.* Il sortit une carte qu'il lui tendit.

« Je travaille pour la société d'audimat A. C. Nielsen Company, dit-il d'une voix égale. Nous n'avons personne dans le coin et nous cherchons des gens que ça pourrait intéresser. »

Elle hocha la tête. « Non, merci. » Elle commença à refermer la porte.

« Nous payons cent dollars par semaine. »

La porte demeura entrouverte.

« Cent dollars par semaine ?

— Oui, madame. »

La porte s'ouvrit toute grande.

« Tout ce que vous avez à faire est de noter le nom des programmes que vous regardez. Nous vous ferons un contrat d'un an. »

Cinq mille dollars par an ! « Entrez », dit-elle.

Il pénétra dans l'appartement.

« Asseyez-vous, monsieur...

— Allen. Jim Allen.

— Monsieur Allen. Comment se fait-il que vous m'ayez choisie ?

— Notre société fait des repérages aléatoires. Ce

qu'il nous faut, c'est être sûrs que les gens en question ont la télé de manière à ce que nos enquêtes soient précises. Vous n'avez pas de liens particuliers avec des chaînes ou des studios de production d'émissions télévisées, n'est-ce pas ? »

Elle se mit à rire. « Pour ça, non. Qu'est-ce que je dois faire exactement ?

— C'est vraiment très simple. Nous allons vous remettre un tableau sur lequel figurent tous les programmes de télé et vous, tout ce que vous avez à faire, c'est de mettre une croix à chaque fois que vous regardez une émission. Comme ça, notre ordinateur peut calculer l'audience de chaque émission. Notre société a des antennes partout aux Etats-Unis, si bien que nous pouvons savoir avec une assez grande précision quelles sont le émissions les plus populaires, dans quelle région et auprès de qui. Ça vous dit ?

— Oh, oui. »

Il sortit des formulaires imprimés et un stylo. « Combien d'heures par jour regardez-vous la télévision ?

— Pas beaucoup. Je travaille toute la journée.

— Mais il vous arrive de regarder la télévision ?

— Oh, bien sûr. Je regarde les informations du soir et parfois un vieux film. J'aime bien Larry King*. »

Il nota quelque chose. « Regardez-vous la télévision éducative ?

— Je regarde PBS ** le dimanche.

— A propos, vous vivez seule ici ?

— Je partage l'appartement avec une amie, mais elle n'est pas ici. »

Ils étaient donc seuls.

Sa démangeaison à la main se fit de nouveau sentir. Il

---

* Larry King est l'animateur de l'un des *talk-shows* les plus populaires des Etats-Unis. (N.d.T.)
** L'équivalent d'Arte. (N.d.T.)

allait porter la main à l'intérieur de son veston pour en détacher le couteau lorsqu'il entendit des pas dans le couloir à l'extérieur. Il suspendit son geste.

« Vous avez bien dit cinq mille dollars par an rien que pour faire ça ?

— Exact. Oh, j'avais oublié de vous dire. Nous vous offrons aussi un téléviseur neuf.

— C'est fantastique ! »

Le bruit de pas s'éteignit. Il porta de nouveau la main à l'intérieur de son veston et sentit le manche du couteau. « Est-ce que je pourrais avoir un verre d'eau, s'il vous plaît ? J'ai eu une dure journée.

— Certainement. » Il la vit se lever et se rendre à un petit bar dans un coin. Il sortit en douce le couteau de son étui et s'approcha d'elle par-derrière.

Elle était en train de dire : « L'amie avec laquelle je partage cet appartement regarde PBS plus que moi. »

Il leva le couteau, prêt à frapper.

« Mais Julia est plus intellectuelle que moi. »

La main de Baker s'immobilisa en plein mouvement. « Julia ?

— L'amie qui habite ici avec moi. Ou plutôt qui habitait avec moi. J'ai trouvé un mot en rentrant disant qu'elle était partie et ignorait quand elle re... » Elle fit demi-tour en tenant le verre d'eau à la main et vit le couteau brandi par Baker. « Qu'est-ce que... »

Elle hurla.

Hal Baker tourna les talons et fila.

Il téléphona à Tyler Stanford. « Je suis à Kansas City, mais elle est partie.

— Comment ça, elle est partie ?

— C'est ce que m'a dit la fille avec laquelle elle habite. »

Tyler demeura quelques secondes silencieux. « Elle doit être en route pour Boston. Ramenez-vous ici le plus vite possible.

— Oui, monsieur. »

Tyler Stanford raccrocha violemment et commença à faire les cent pas. *Tout se passait si bien !* Il fallait la retrouver et la liquider. Elle était de trop dans le décor. Tyler savait qu'il ne serait pas tranquille tant qu'elle serait en vie, et cela même lorsqu'il serait entré en possession de l'héritage. *Il faut que je la retrouve*, pensa-t-il. *Il le faut ! Mais où ?*

Clark entra dans la pièce. Il avait l'air perplexe. « Excusez-moi, monsieur le juge. Une demoiselle Julia Stanford demande à vous voir. »

CHAPITRE VINGT-TROIS

C'était à cause de Kendall que Julia s'était décidée à aller à Boston. En rentrant de déjeuner un jour, elle était passée devant une boutique de luxe dans la vitrine de laquelle il y avait un vêtement signé de Kendall. Julia était restée un long moment à le regarder. *C'est ma sœur*, avait-elle pensé. *Je ne peux pas lui en vouloir pour ce qui est arrivé à ma mère. Et je ne peux pas en vouloir à mes frères.* Elle avait soudainement été prise d'une envie folle de les voir, de faire leur connaissance, de leur parler, d'avoir enfin une famille.

De retour au bureau, elle avait dit à Max Tolkin qu'elle s'absenterait quelques jours. Et, un peu gênée, elle avait demandé : « Est-ce que je ne pourrais pas avoir une avance sur mon salaire ? »

Tolkin avait souri. « Bien sûr. Les vacances approchent. Tenez. Amusez-vous bien. »

Est-ce que je vais m'amuser ? s'était demandé Julia. *Ou est-ce que je ne suis pas en train de commettre une erreur terrible ?*

Lorsque Julia était rentrée chez elle, Sally n'était pas encore de retour. *Je ne l'attends pas*, avait décidé Julia. *Si je n'y vais pas maintenant, je n'irai jamais.* Elle avait fait sa valise et laissé un mot.

Durant le trajet jusqu'à la gare routière, Julia avait commencé à douter de la justesse de sa démarche. *Qu'est-ce que je suis en train de faire là ? Pourquoi ai-je pris cette décision soudaine ?* Puis elle avait pensé avec une ironie désabusée, *Soudaine ? Il m'a fallu quatorze ans !* Elle se sentait tout excitée. Comment serait sa famille ? Elle savait que l'un de ses frères était juge, que l'autre était un joueur de polo célèbre et que sa sœur était une styliste en vue. *C'est une famille de gens qui font quelque chose de leur vie*, pensait-elle, *et moi, qui suis-je ? J'espère qu'ils ne vont pas me regarder de haut.* Le seul fait de penser à ce qui l'attendait lui faisait battre le cœur un peu plus vite. Elle avait pris place à bord d'un bus Greyhound et s'était mise en route.

A l'arrivée du bus à la gare routière de South Station, à Boston, Julia avait hélé un taxi.

« Où va-t-on, ma petite dame ? » avait demandé le chauffeur.

Julia s'était complètement dégonflée. Elle avait l'intention de répondre : « A Rose Hill », mais elle avait répondu au lieu de cela : « Je ne sais pas. »

Le chauffeur s'était retourné pour la regarder. « Hé ben, moi non plus.

— Si vous rouliez un peu ? C'est la première fois que je viens à Boston. »

Il avait acquiescé. « Bien sûr. »

Ils avaient pris vers l'ouest par Summer Street jusqu'au Boston Common.

Le chauffeur avait dit : « C'est le plus ancien jardin

public des Etats-Unis. C'est là qu'on faisait les pendai-
sons. »

Et Julia avait pu entendre la voix de sa mère :
« *J'emmenais les enfants patiner au Common, en hiver.
Woody avait tout du sportif. C'était un si beau garçon.
J'ai toujours pensé que c'est lui qui réussirait le mieux
dans la famille.* » C'était comme si sa mère était à ses
côtés et partageait cet instant avec elle.

Ils avaient atteint Charles Street, l'entrée du jardin
public. Le chauffeur avait dit : « Vous voyez ces canards
en bronze ? Eh bien, croyez-le ou non, ils ont tous un
nom. »

« *On allait pique-niquer au jardin public. Il y a de jolis
canards en bronze à l'entrée. Ils s'appellent Jack, Kack,
Lack, Mack, Ouack, Pack et Quack.* » Julia avait trouvé
ces noms si drôles qu'elle n'avait cessé de se les faire
répéter par sa mère.

Elle avait jeté un coup d'œil au compteur. La course
commençait à coûter cher. « Pourriez-vous me conseiller un hôtel bon marché ?

— Bien sûr. Le Copley Square Hotel, ça vous va ?

— Pouvez-vous m'y conduire, s'il vous plaît ?

— D'accord. »

Cinq minutes plus tard, il s'arrêtait devant l'hôtel.
« Profitez bien de Boston, ma petite dame.

— Merci. » *Est-ce que je vais en profiter ou tout cela
va-t-il finir en catastrophe ?* Julia avait réglé le chauffeur
et était entrée dans l'hôtel. Elle s'était approchée du
jeune préposé à la réception.

« Bonjour, avait-il dit. Puis-je vous aider ?

— Je voudrais une chambre, s'il vous plaît.

— Pour une personne ?

— Oui.

— Combien de temps comptez-vous rester ? »

Elle avait hésité. *Une heure ? Dix ans ?* « Je ne sais
pas.

— D'accord. » Il avait vérifié le tableau où étaient suspendues les clés. « J'ai une belle chambre pour vous au troisième étage.

— Merci. » Elle avait signé le registre d'une main ferme. JULIA STANFORD.

Le réceptionniste lui avait tendu une clé. « Voici. Profitez bien de votre séjour. »

La chambre était petite mais bien tenue et propre. Aussitôt ses bagages défaits, Julia avait téléphoné à Sally.

« Julia ? Ça alors ! Où es-tu ?

— A Boston.

— Tu es sûre que ça va ? » Elle avait l'air au bord de la crise de nerfs.

« Oui. Pourquoi ?

— Quelqu'un est venu à l'appartement. Il te cherchait et je crois qu'il voulait te tuer !

— Qu'est-ce que tu racontes ?

— Il avait un couteau et... tu aurais dû voir l'air qu'il avait... » Elle respirait difficilement. « Quand il s'est aperçu que je n'étais pas toi, il s'est enfui.

— Qu'est-ce que tu racontes !

— Il a dit qu'il travaillait pour A. C. Nielsen, mais j'ai téléphoné à leurs bureaux et ils n'ont jamais entendu parler de lui ! Tu connais quelqu'un qui t'en veut ?

— Bien sûr que non, Sally ! Ne sois pas ridicule ! As-tu appelé la police ?

— Oui, mais elle n'a rien trouvé de mieux que de me dire d'être plus prudente.

— Ecoute, tout va bien, ne t'inquiète pas. »

Elle avait entendu Sally prendre une profonde respiration. « D'accord. Pourvu que tu n'aies pas d'ennuis. Julia ?

— Oui.

— Fais attention, tu veux ?

— Mais oui. » *Sally et son imagination ! Qui pourrait bien vouloir me tuer ?*

« Tu sais quand tu rentres ? »

Le réceptionniste lui avait posé une question de la sorte. « Non.

— Tu es là pour voir ta famille, n'est-ce pas ?

— Oui.

— Bonne chance.

— Merci, Sally.

— Tiens-moi au courant.

— Oui. »

Julia avait raccroché. Elle était restée immobile un bon moment à se demander quelle conduite adopter désormais. *Si j'avais un peu de cervelle, je retournerais à la gare routière et rentrerais chez moi. J'ai assez perdu de temps. Je ne suis tout de même pas venue à Boston pour faire du tourisme. Je suis venue pour faire connaissance de ma famille. Alors je vais les voir, oui... non... ?*

Elle s'était assise au bord du lit, dans tous ses états. *Et si par hasard je leur déplaisais ? N'y pensons pas. Ils vont m'aimer et moi aussi.* Elle avait regardé le téléphone et s'était dit : *Il serait peut-être préférable que je les appelle ? Non. Ils refuseraient peut-être de me recevoir.* Elle était allée au placard et avait choisi sa plus belle robe. *Si je ne le fais pas maintenant, je ne le ferai jamais,* avait-elle conclu.

Trente minutes plus tard, elle était en route vers Rose Hill pour faire la connaissance de sa famille.

CHAPITRE VINGT-QUATRE

Tyler regardait Clark d'un air incrédule. « Julia Stanford... est ici ?

— Oui, monsieur. » Une note de perplexité perçait dans la voix du majordome. « Mais ce n'est pas la Julia Stanford qui était ici il y a quelque temps. »

Tyler se força à sourire. « Bien sûr que non. J'ai bien peur que ce soit une simulatrice.

— Une simulatrice, monsieur ?

— Oui. Il va en sortir de partout, Clark, qui vont toutes prétendre avoir droit à la fortune familiale.

— C'est épouvantable, monsieur. Dois-je appeler la police ?

— Non », répondit vivement Tyler. Il ne voulait surtout pas de cela. « Je vais régler ça moi-même. Conduisez-la à la bibliothèque.

— Oui, monsieur. »

L'esprit de Tyler tournait à toute vitesse. La véritable Julia avait donc fini par se manifester. Encore heureux qu'aucun autre membre de la famille ne fût présent à la maison à ce moment-là. Il allait se débarrasser d'elle sur-le-champ.

Tyler entra dans la bibliothèque. Julia était debout au milieu de la pièce, en train de regarder un portrait de Harry Stanford. Tyler resta un moment immobile à étudier la jeune femme. Elle était belle. Dommage que...

Julia se retourna et le vit. « Bonjour.

— Bonjour.

— Vous êtes Tyler.

— En effet. Et vous, qui êtes-vous ? »

Le sourire de Julia s'effaça. « On ne vous... Je suis Julia Stanford.

— Vraiment ? Vous m'excuserez de vous poser pareille question, mais en avez-vous la preuve ?

— La preuve ? Enfin, oui... Je... ce n'est pas... une *preuve*. Je pensais seulement... »

Il se rapprocha d'elle. « Qu'est-ce qui vous a pris de venir ici ?

— J'avais décidé qu'il était temps que je fasse connaissance de ma famille.

— Après vingt-six ans ?

— Oui. »

Il suffisait de la regarder, de l'écouter, aucun doute n'était permis : c'était bien elle. Elle était dangereuse et il allait falloir lui régler rapidement son compte.

Tyler se força à sourire. « Vous pouvez imaginer un peu le choc que c'est pour moi. Enfin, vous surgissez comme ça et...

— Je sais. Je suis désolée. J'aurais sans doute dû téléphoner avant. »

Tyler lui demanda d'un ton détaché : « Vous êtes venue à Boston seule ?

— Oui. »

Il pensait très vite. « Quelqu'un sait que vous êtes ici ?

— Non. Enfin, il y a l'amie avec laquelle j'habite, à Kansas City...

— Où êtes-vous descendue ?

— Au Copley Square Hotel.

— C'est un bon hôtel. Dans quelle chambre êtes-vous ?

— Trois cent dix-neuf.

— Parfait. Pourquoi ne pas retourner à votre hôtel et nous y attendre ? Je voudrais préparer Woody et Kendall à la nouvelle. Ils vont être aussi surpris que je l'ai été.

— Je regrette. J'aurais dû...

— Non, ça va. Maintenant que nous avons fait connaissance, je sais que tout va bien se passer.

— Merci, Tyler.

— Vous êtes la bienvenue – il faillit s'étouffer en prononçant ce mot – Julia. Permettez que je vous appelle un taxi. »

Cinq minutes plus tard, elle était partie.

Hal Baker venait tout juste de revenir à sa chambre d'hôtel dans le centre-ville de Boston lorsque lui parvint l'appel téléphonique. Il décrocha.

« Hal ?

— Je regrette, mais je n'ai rien de nouveau, monsieur le juge. J'ai passé toute la ville au peigne fin. Je suis allé à l'aéroport et...

— Elle est ici, imbécile !

— Quoi ?

— Elle est ici, à Boston. Elle est descendue au Copley Square Hotel, chambre trois cent dix-neuf. Je veux que vous vous occupiez d'elle ce soir. Et je ne veux plus de bévues, c'est compris ?

— Oui, monsieur.

— Alors, passez aux actes ! » Tyler raccrocha violemment. Il alla trouver Clark.

« Clark, à propos de cette jeune femme qui prétendait être ma sœur ?

— Oui, monsieur ?

— Si j'étais vous, je n'en parlerais pas aux autres membres de la famille. Ça les inquiéterait pour rien.

— Je comprends, monsieur. C'est très délicat de votre part. »

Julia se rendit à pied au Ritz-Carlton pour dîner. C'était un hôtel superbe, exactement tel que sa mère le lui avait décrit. « *Le dimanche, j'y emmenais les enfants pour le brunch.* » Julia prit place dans la salle à manger et se représenta sa mère assise là avec Tyler, Woody et Kendall, encore tout petits. *J'aurais bien aimé être élevée avec eux*, pensa-t-elle. *Mais maintenant je vais au moins faire leur connaissance.* Elle se demanda si sa mère aurait approuvé sa démarche. Elle avait été déconcertée par l'accueil que lui avait réservé Tyler. Il avait paru... froid. *Mais c'est tout à fait normal*, se dit-elle. *Une inconnue entre et dit : « Je suis votre sœur. » Il y avait de quoi être méfiant. Mais je suis sûre que j'arriverai à les convaincre.*

Lorsqu'on lui apporta l'addition, Julia fut abasourdie en la voyant. *Il faut que je fasse attention*, pensa-t-elle. *Il faut que je garde assez d'argent pour rentrer à Kansas City.*

Lorsqu'elle sortit de l'hôtel, un car de tourisme allait partir. Mue par une impulsion subite, elle y monta. Elle voulait connaître davantage la ville de sa mère.

Hal Baker entra à pas vifs dans le hall du Copley Square Hotel comme s'il y avait ses habitudes et emprunta l'escalier jusqu'au troisième étage. Cette fois, il n'y aurait pas d'erreur. La chambre 319 se trouvait au milieu du couloir. Il examina celui-ci pour s'assurer qu'il n'y avait personne dans les parages et frappa à la porte. Il n'y eut pas de réponse. Il frappa de nouveau. « Mademoiselle Stanford ? » Toujours pas de réponse.

Il prit un petit étui dans sa poche et y choisit un pic. Il ne lui fallut que quelques secondes pour ouvrir la porte. Il entra en la refermant derrière lui. La chambre était vide.

« Mademoiselle Stanford ? »

Il alla dans la salle de bains. Vide. Il revint dans la chambre. Il sortit un couteau de sa poche, plaça une chaise contre la porte et s'assit dans l'obscurité pour attendre. Une heure plus tard, il entendit des pas se rapprocher.

Il se leva aussitôt et se tint derrière la porte, le couteau à la main. Il entendit la clé tourner dans la serrure et la porte s'ouvrit toute grande. Il leva le couteau au-dessus de sa tête, prêt à frapper. Julia Stanford entra et appuya sur le commutateur. Il l'entendit dire : « Très bien. Entrez. »

Une foule de journalistes s'engouffra dans la pièce.

CHAPITRE VINGT-CINQ

Ce fut Gordon Wellman, le veilleur de nuit du Copley Square Hotel, qui sauva par inadvertance la vie de Julia. En prenant son poste à six heures ce soir-là, il avait automatiquement vérifié le registre de l'hôtel. Lorsque son regard était tombé sur le nom de Julia Stanford, il avait été médusé. Depuis la mort de Harry Stanford, les journaux étaient remplis de reportages sur la famille Stanford. Ils avaient ressorti cette vieille liaison scandaleuse entre Stanford et la gouvernante de ses enfants et le suicide de la femme du milliardaire. Harry Stanford avait une fille naturelle du nom de Julia. La rumeur courait qu'elle était venue à Boston en secret. Peu après avoir dévalisé les magasins, elle était censée être partie pour l'Amérique latine. Tout portait maintenant à croire qu'elle était de retour. *Et elle est descendue dans mon hôtel!* avait pensé Gordon Wellman, tout excité.

Il s'était tourné vers le préposé à la réception. « Tu imagines un peu la publicité que ça ferait pour l'hôtel ? »

Une minute plus tard, il téléphonait aux journaux.

Lorsque Julia était revenue à l'hôtel après sa visite touristique, le hall grouillait de journalistes qui l'attendaient impatiemment. Elle avait à peine mis le pied dans l'hôtel qu'ils se jetaient sur elle.

« Mademoiselle Stanford ! Je suis du *Boston Globe*. Nous vous cherchions mais avions appris que vous aviez quitté la ville. Pourriez-vous nous dire... »

Une caméra de télévision était pointée sur elle. « Mademoiselle Stanford, je suis de la chaîne WCVB. J'aimerais avoir une déclaration... »

« Mademoiselle Stanford, je suis du *Boston Phoenix*. Nous aimerions connaître votre réaction à... »

« Regardez de ce côté-ci, mademoiselle Stanford ! Souriez ! Merci. »

Les flashs crépitaient.

Julia, interloquée, était toute confuse. *Oh, mon Dieu*, avait-elle pensé. *La famille va penser que je cherche à me faire mousser.* Elle s'était tournée vers les journalistes. « Je regrette, je n'ai rien à dire. »

Elle s'était réfugiée dans l'ascenseur. Ils s'y étaient entassés à sa suite.

« Le magazine *People* veut faire un reportage sur votre vie. Nous aimerions savoir quelle impression cela vous fait d'avoir été séparée de votre famille depuis plus de vingt-cinq ans... »

« Nous avions entendu dire que vous étiez partie en Amérique latine... »

« Avez-vous l'intention de vivre à Boston... »

« Pourquoi ne vous êtes-vous pas installée à Rose Hill... ? »

Elle était sortie de l'ascenseur au troisième étage et s'était précipitée dans le couloir. Ils ne la lâchaient pas. Il n'y avait aucun moyen de leur échapper.

Julia avait pris sa clé et avait ouvert la porte de sa chambre.

Elle était entrée et avait allumé. « Très bien. Entrez. »

Caché derrière la porte, Hal Baker fut surpris le couteau à la main. Lorsque les journalistes passèrent près de lui dans la bousculade, il remit vite le couteau dans sa poche et se mêla au groupe.

Julia se tourna vers les journalistes. « D'accord. Une question à la fois, s'il vous plaît. »

Dépité, Baker rebroussa chemin en direction de la porte et s'éclipsa. Le juge Stanford n'allait pas être content.

Durant les trente minutes suivantes, Julia répondit de son mieux aux questions. Puis ils finirent par s'en aller.

Julia ferma la porte à clé et se coucha.

Le matin, les chaînes de télévision et les journaux faisaient leur une sur Julia Stanford.

La lecture des journaux rendit Tyler furieux. Woody et Kendall vinrent le retrouver au petit déjeuner.

« Qu'est-ce que c'est toutes ces inepties au sujet d'une femme qui se fait appeler Julia Stanford ? demanda Woody.

— Elle est bidon, répondit Tyler avec désinvolture. Elle s'est présentée ici hier. Elle exigeait de l'argent et je l'ai envoyée se faire voir. Je ne m'attendais pas à ce qu'elle monte un coup publicitaire aussi ringard que ça. Ne vous en faites pas. Je vais m'occuper d'elle. »

Il téléphona à Simon Fitzgerald. « Avez-vous vu les journaux du matin ?

— Oui.

— Cette espèce de frimeuse s'étale partout en racontant qu'elle est notre sœur. »

Fitzgerald dit : « Vous voulez que la fasse arrêter ?

— Non ! Ça ne ferait que plus de publicité. Je voudrais que vous lui fassiez quitter la ville.

— D'accord. Je vais m'en occuper, monsieur le juge.

— Je vous remercie. »

Simon Fitzgerald fit venir Steve Sloane.

« Il y a un problème », dit-il.

Steve acquiesça. « Je sais. J'ai écouté les informations ce matin et j'ai vu les journaux. Qui est-ce ?

— Manifestement quelqu'un qui aimerait bien avoir sa part du gâteau. Le juge Stanford est d'avis qu'on lui fasse quitter la ville. Vous vous occuperez d'elle ?

— Avec plaisir », répondit Steve.

Une heure plus tard, Steve frappait à la porte de la chambre d'hôtel de Julia.

Lorsqu'elle ouvrit la porte et l'aperçut dans l'embrasure, elle dit : « Je regrette. Je ne fais plus de déclarations à la presse. Je...

— Je ne suis pas journaliste. Puis-je entrer ?

— Qui êtes-vous ?

— Je m'appelle Steve Sloane. Je travaille pour le cabinet juridique qui représente la succession Stanford.

— Oh. Je vois. Oui. Entrez. »

Steve entra dans la chambre.

« C'est vous qui avez déclaré aux journaux que vous étiez Julia Stanford ?

— Je crains d'avoir été prise au dépourvu. Je ne m'attendais pas à les voir, vous comprenez, et...

— Mais vous avez bien affirmé être la fille de Harry Stanford.

— Oui. Je suis sa fille. »

Il lui adressa un regard cynique. « Et évidemment vous en avez la preuve.

— Enfin, non, dit lentement Julia. Je n'ai pas de preuve.

— Allons, insista Steve. Vous devez bien avoir une preuve ou une autre. » Il voulait la prendre au piège de ses propres mensonges.

« Aucune », répondit-elle.

Il l'observa, étonné. Elle ne correspondait pas à ce qu'il attendait. *Elle semble intelligente. Comment a-t-elle pu être assez bête pour venir ici prétendre sans la moindre preuve qu'elle est la fille de Harry Stanford?*

« Dommage, dit Steve. Le juge Stanford veut vous voir quitter la ville. »

Les yeux de Julia s'écarquillèrent. « Quoi ?

— Vous avez bien entendu.

— Mais... je ne comprends pas. Je n'ai même pas fait la connaissance de mon autre frère et de ma sœur. »

Elle est donc décidée à bluffer jusqu'au bout, pensa Steve. « Ecoutez, je ne sais pas qui vous êtes ou à quel petit jeu vous jouez, mais ça pourrait vous conduire derrière les barreaux. Nous allons vous donner une chance. Vous avez le choix. Ou vous quittez la ville et cessez d'importuner la famille Stanford ou on vous fait arrêter. »

Julia n'en revenait pas. « Arrêter ? Je... Je ne sais pas quoi dire.

— A vous de choisir.

— Ils ne veulent même pas me voir ? demanda-t-elle, paralysée.

— C'est le moins qu'on puisse dire. »

Elle prit une profonde inspiration. « D'accord. Si c'est ce qu'ils veulent, je vais retourner au Kansas. Je puis vous assurer qu'ils n'entendront plus jamais parler de moi. »

Kansas. Vous êtes venue de loin pour faire votre

cinéma. « Voilà qui est sage. » Il demeura quelques instants à l'observer, perplexe. « Eh bien, au revoir. »
Elle ne répondit pas.

Steve était dans le bureau de Simon Fitzgerald.
« Vous avez vu cette femme, Steve ?
— Oui. Elle retourne chez elle. » Il paraissait distrait.
« Bien. Je vais l'annoncer au juge Stanford. Il sera content.
— Vous savez ce qui me me tracasse, Simon ?
— Quoi ?
— Le chien n'a pas aboyé.
— Je vous demande pardon ?
— C'est l'histoire de Sherlock Holmes. L'indice résidait dans ce qui ne s'était *pas* passé.
— Steve, qu'est-ce ça à voir avec...
— Elle est venue ici sans la moindre *preuve.* »
Fitzgerald lui adressa un regard intrigué. « Je ne comprends pas. C'est justement ça qui aurait dû vous convaincre.
— Au contraire. Pourquoi aurait-elle fait tout ce chemin depuis le Kansas en prétendant être la fille de Harry Stanford sans quoi que ce soit pour étayer ses dires ?
— Ce ne sont pas les cinglés qui manquent, Steve.
— Elle n'est pas cinglée. Vous auriez dû la voir. Et il y a deux ou trois choses qui me chiffonnent aussi, Simon.
— Oui ?
— Le corps de Harry Stanford a disparu... Lorsque j'ai voulu parler à Dmitri Kaminsky, le seul témoin de l'accident de Stanford, il avait disparu... Et personne ne semble savoir où est passée la première Julia Stanford. »
Simon Fitzgerald fronça les sourcils. « Qu'est-ce que vous dites ? »

Steve répondit, lentement : « Il y a quelque chose de pas clair dans tout ça. Je vais aller faire encore un petit brin de causette avec la demoiselle. »

Steve Sloane entra dans le hall du Copley Square Hotel et s'approcha du réceptionniste. « Pourriez-vous appeler Mlle Stanford, s'il vous plaît. »

Le réceptionniste vérifia. « Oh, je regrette, mais Mlle Stanford a quitté l'hôtel.

— Elle n'a pas laissé d'adresse où l'on puisse la joindre ?

— Non, monsieur. Je crains que non. »

Steve demeura un moment sans bouger, dépité. Il ne pouvait rien faire d'autre. *Enfin, je m'étais peut-être trompé*, pensa-t-il philosophiquement. *C'est peut-être vraiment une simulatrice. On ne le saura jamais.* Il fit demi-tour et sortit dans la rue. Le portier aidait un couple à monter dans un taxi.

Il se retourna. « Un taxi, monsieur ?

— Non. Je voulais vous poser une question. Avez-vous vu Mlle Stanford quitter l'hôtel ce matin ?

— Bien sûr. Tout le monde n'avait d'yeux que pour elle. C'est une vraie célébrité. Je lui ai appelé un taxi.

— Vous ne savez sans doute pas où elle allait ? » Il s'aperçut qu'il retenait son souffle.

« Bien sûr. C'est moi qui ai dit au chauffeur où la conduire.

— Et où était-ce ? demanda Steve d'une voix impatiente.

— A South Station, la gare routière des cars Greyhound. J'ai trouvé curieux que quelqu'un d'aussi riche prenne...

— Appelez-moi un taxi. »

Steve s'avança au milieu de la cohue de la gare routière et regarda autour de lui. Julia était invisible. *Elle est partie*, pensa-t-il, désemparé. Une voix au haut-parleur annonçait les départs de cars. Il entendit : « ... et Kansas City », et se précipita sur le quai d'embarquement.

Julia s'apprêtait à monter dans le car.

« Attendez ! » cria-t-il.

Elle se retourna en sursautant.

Steve courut vers elle. « Il faut que je vous parle. »

Elle lui adressa un regard irrité. « Je n'ai plus rien à vous dire. » Elle se détourna pour monter dans le car.

Il la saisit par le bras. « Attendez un instant ! Il faut vraiment que nous nous parlions.

— Mon car va partir.

— Il y en aura un autre.

— Ma valise est à bord. »

Steve s'adressa à un porteur. « Cette femme est sur le point d'accoucher. Sortez sa valise de là. Vite ! »

Le porteur regarda Julia, interloqué. « D'accord. » Il s'empressa d'ouvrir le compartiment à bagages. « Laquelle est la vôtre, madame ? »

Julia se retourna vers Steve, perplexe. « Vous savez ce que vous faites ?

— Non », répondit Steve.

Elle l'étudia un instant puis se décida. « Celle-là. »

Le porteur déposa la valise à ses pieds. « Vous voulez peut-être que j'appelle une ambulance ?

— Je vous remercie. Ça ira. »

Steve prit la valise et ils se dirigèrent vers la sortie. « Vous avez pris votre petit déjeuner ?

— Je n'ai pas faim, répondit-elle froidement.

— Vous feriez mieux de manger quelque chose. Vous mangez pour deux maintenant, vous savez. »

Ils prirent un petit déjeuner chez Julien. Elle prit place devant Steve, le corps rigide sous l'effet de la colère.

Lorsqu'ils eurent passé leur commande, Steve dit : « Je voudrais bien savoir quelque chose. Qu'est-ce qui vous fait croire que vous pouvez prétendre à une partie de la succession Stanford sans posséder la moindre preuve de votre identité ? »

Julia lui adressa un regard indigné. « Je ne suis pas venue ici pour réclamer une partie de l'héritage. Mon père ne m'a sûrement rien laissé. Je voulais connaître ma famille. Manifestement, elle ne veut pas de moi.

— Avez-vous des documents quelconques... n'importe quoi qui puisse prouver qui vous êtes ? »

Elle pensa aux coupures de journaux entassées chez elle et hocha la tête. « Non. Rien.

— Il y a quelqu'un que j'aimerais que vous rencontriez. »

« Voici Simon Fitzgerald. » Steve hésita. « Heu...

— Julia Stanford. »

Fitzgerald dit d'un ton sceptique : « Asseyez-vous, mademoiselle. »

Julia s'assit au bord d'une chaise, prête à se lever pour partir.

Fitzgerald l'examinait. Elle avait les yeux gris foncé des Stanford mais elle n'était pas la seule. « Vous prétendez être la fille de Rosemary Nelson ?

— Je ne prétends rien. Je *suis* la fille de Rosemary Nelson.

— Et où est votre mère ?

— Elle est morte il y a plusieurs années.

— Oh, voilà une bien mauvaise nouvelle. Pouvez-vous nous parler d'elle ?

— Non, répondit Julia. Je n'en ai vraiment pas envie. » Elle se leva. « Je veux sortir d'ici.

— Ecoutez, nous essayons de vous aider », dit Steve.

Elle se tourna vers lui. « Ah oui ? Ma famille ne veut pas me voir. Et vous, vous voulez me livrer à la police. Je peux me passer de ce genre d'aide. » Elle se dirigea vers la porte.

Steve dit : « Attendez ! Si vous êtes la personne que vous dites, vous devez bien avoir quelque chose qui prouve que vous êtes la fille de Harry Stanford.

— Je vous ai dit que je n'avais rien, répondit Julia. Ma mère et moi avions chassé Harry Stanford de nos vies.

— Comment était votre mère ? demanda Simon Fitzgerald.

— Elle était belle », répondit Julia. Sa voix s'adoucit. « C'était la plus jolie... » Elle se rappela quelque chose. « J'ai une photo d'elle. » Elle retira le petit médaillon en forme de cœur qu'elle portait au cou et le tendit à Fitzgerald.

Son regard s'attarda un instant sur Julia puis il ouvrit le médaillon. D'un côté, on voyait une photo de Harry Stanford et de l'autre une photo de Rosemary Nelson. L'inscription disait A R.N. AVEC AMOUR, H.S. Il y avait une date : 1969.

Simon Fitzgerald garda longuement les yeux fixés sur le médaillon. Lorsqu'il les leva, ce fut pour dire d'une voix rauque : « Nous vous devons toutes nos excuses, ma chère. » Il se tourna vers Steve. « C'est Julia Stanford. »

CHAPITRE VINGT-SIX

Kendall n'arrivait pas à chasser de son esprit la conversation qu'elle avait eue avec Peggy. Celle-ci semblait dépassée par les événements. « *Woody fait tout ce qu'il peut. Vraiment... Oh, je l'aime tant !* »

Il a drôlement besoin d'aide, pensa Kendall. *Il faut que je fasse quelque chose. C'est mon frère. Il faut que je lui parle.*

Elle alla trouver Clark.

« Est-ce que M. Woodrow est à la maison ?

— Oui, madame. Je crois qu'il est dans sa chambre.

— Merci. »

Elle repensa à la scène à table et au visage tuméfié de Peggy. « *Qu'est-ce qui vous est arrivé ? — Je me suis cognée à une porte...* » *Comment a-t-elle pu supporter ça si longtemps ?* Kendall monta et frappa à la porte de la chambre de Woody. Il n'y eut pas de réponse. « Woody ? »

Elle ouvrit la porte et entra dans la pièce. Une odeur amère d'amandes imprégnait la chambre. Kendall demeura immobile quelques instants puis se dirigea vers la salle de bains. Elle aperçut Woody par la porte ouverte. Il faisait chauffer de l'héroïne sur une feuille de papier aluminium. Lorsque l'héroïne commença à se liquéfier et à s'évaporer, elle le vit inhaler la fumée au moyen d'une paille recourbée qu'il tenait à la bouche.

Kendall entra dans la salle de bains. « Woody...? »

Il se retourna avec un grand sourire. « Bonjour, petite sœur ! » Il se tourna et inhala de nouveau profondément.

« Pour l'amour du ciel ! Arrête ça !

— Hé là, du calme. Tu sais comment on appelle ça ? Chasser le dragon. Tu vois le petit dragon qui monte dans les volutes de fumée ? » Il avait un sourire béat.

« Woody, je t'en prie, laisse-moi te parler.

— Bien sûr, petite sœur. Qu'est-ce que je peux faire pour toi ? Je sais que ce n'est pas un problème d'argent. On est milliardaires ! Qu'est-ce qui te donne cet air si déprimé ? Il fait soleil et la journée est superbe ! » Il avait les yeux brillants.

Kendall se figea, les yeux posés sur lui, pleine de compassion. « Woody, j'ai eu une conversation avec Peggy. Elle m'a dit que tu avais commencé à te droguer à l'hôpital. »

Il acquiesça. « Ouais. C'est la meilleure chose qui me soit jamais arrivée.

— Non. C'est la pire chose qui pouvait t'arriver. Te rends-tu compte de ce que tu es en train de faire de ta vie ?

— Bien sûr que oui. Ça s'appelle mener la grande vie, sœurette ! »

Elle lui prit la main et lui dit avec ferveur : « Tu as besoin d'aide.

— Moi ? Je n'ai besoin d'aucune aide. Je suis en pleine forme !

— Non, tu ne l'es pas. Ecoute-moi bien, Woody. C'est de ta vie qu'il s'agit, et pas uniquement de la *tienne*. Pense à Peggy. Ça fait des années que tu lui fais mener une vie infernale. Elle est restée parce qu'elle t'aime. Tu ne gâches pas uniquement ta vie, tu lui gâches aussi la sienne. Il faut que tu fasses quelque chose *maintenant*, avant qu'il ne soit trop tard. Peu importe la raison qui t'a amené à te droguer. L'important, c'est que tu t'en libères. »

Le sourire de Woody s'effaça. Il regarda Kendall dans les yeux et allait dire quelque chose lorsqu'il s'interrompit. « Kendall...

— Oui ? »

Il passa sa langue sur ses lèvres. « Je... Je sais que tu as raison. Je veux arrêter. J'ai essayé. Pour essayer, j'ai essayé. Mais je ne peux pas.

— Bien sûr que tu peux ! dit-elle avec chaleur. Tu peux y arriver. Nous en viendrons à bout ensemble. Peggy et moi sommes avec toi. Qui te fournit en héroïne, Woody ? »

Cloué sur place, il la regarda avec stupéfaction. « Ça alors ! Tu ne le sais pas ? »

Kendall hocha la tête. « Non.

— Peggy. »

CHAPITRE VINGT-SEPT

Simon Fitzgerald examina longuement le médaillon en or. « J'ai connu votre mère, Julia, et je l'aimais bien. Elle était merveilleuse avec les enfants Stanford et eux, ils l'adoraient.

— Elle aussi, elle les adorait, dit Julia. Elle me parlait tout le temps d'eux.

— C'est terrible, ce qui est arrivé à votre mère. Vous n'avez pas idée du scandale que ça a été. Boston peut être une très petite ville. Harry Stanford s'est très mal conduit. Votre mère n'avait pas d'autre solution que de partir. » Il hocha la tête. « La vie n'a pas dû être facile pour vous deux.

— Ça a été dur pour maman. Le plus terrible, c'est que je crois qu'elle aimait encore Harry Stanford malgré tout. » Elle regarda Steve. « Je ne comprends pas ce qui se passe. Pourquoi ma famille refuse-t-elle de me voir ? »

Les deux hommes échangèrent un regard. « Je vais vous expliquer », dit Steve. Il hésita, pesant bien chaque mot. « Il y a quelque temps, une femme a débarqué ici en prétendant être Julia Stanford.

— Mais c'est impossible ! dit Julia. Je suis... »

Steve leva la main. « Je sais. La famille a engagé un

détective privé pour s'assurer qu'il s'agissait bien de la vraie Julia Stanford.

— Et on a découvert qu'elle ne l'était pas.

— Non. On a découvert qu'elle l'était. »

Julia le regarda, stupéfaite. « *Quoi?*

— Ce détective a affirmé avoir découvert des empreintes que l'on avait fait prendre à cette femme lorsqu'elle avait passé son permis de conduire à San Francisco à dix-sept ans. Ces empreintes correspondaient à celles de la femme qui se faisait appeler Julia Stanford. »

Julia était plus intriguée que jamais. « Mais je... Je ne suis jamais allée en Californie. »

Fitzgerald dit : « Julia, il n'est pas impossible qu'il y ait un complot d'envergure destiné à mettre la main sur une partie de la succession Stanford. J'ai bien peur que vous ne soyez prise au beau milieu de ce complot.

— Je n'arrive pas à le croire !

— La personne qui tire les fils ne peut pas se permettre de laisser deux Julia Stanford en circulation. »

Steve ajouta : « Ce plan ne peut marcher que si on vous élimine.

— Quand vous parlez d'" éliminer "... » Se souvenant tout à coup de quelque chose, elle s'interrompit. « Oh, non !

— De quoi s'agit-il? demanda Fitzgerald.

— Il y a deux jours, lorsque j'ai parlé à l'amie avec qui j'habite, elle était folle de peur. Elle a dit qu'une homme était venu dans notre appartement armé d'un couteau et avait essayé de l'attaquer. Il pensait avoir affaire à moi ! » Julia avait la voix brisée. « Qui... qui est-ce qui fait ça ?

— A mon avis, c'est un membre de la famille, lui répondit Steve.

— Mais... *pourquoi?*

— Il y a une grosse fortune en jeu et le testament va être homologué dans quelques jours.

— Qu'est-ce que cela a à voir avec moi ? Mon père ne m'a jamais reconnue. Il ne m'a sûrement rien laissé. »

Fitzgerald dit : « A propos, si nous arrivons à établir votre identité, votre part de l'ensemble de la succession s'élève à plus d'un milliard de dollars. »

Elle resta comme paralysée. Lorsqu'elle retrouva la parole, ce fut pour dire : « Un milliard de dollars ?

— Parfaitement. Mais quelqu'un d'autre a des vues sur cet argent. C'est pour cela que vous êtes en danger.

— Je vois. » Elle demeura immobile à les regarder, sentant croître l'affolement en elle. « Qu'est-ce que je vais faire ?

— Moi, je vais vous dire ce que vous ne devez *pas* faire, lui dit Steve. Vous n'allez pas retourner dans un hôtel. Je veux que vous ne vous fassiez pas voir en attendant qu'on ait découvert ce qui se trame.

— Je pourrais rentrer au Kansas d'ici à ce que... »

Fitzgerald dit : « Je crois qu'il serait préférable que vous restiez ici, Julia. Nous allons trouver un endroit où vous cacher.

— Elle pourrait demeurer chez moi, proposa Steve. Personne ne songera à aller la chercher là. »

Les deux hommes se tournèrent vers elle.

Elle était hésitante. « Enfin... oui. Très bien.

— Parfait. »

Julia dit lentement : « Rien de tout cela ne se serait produit si mon père n'était pas tombé de son yacht.

— Oh, je ne crois pas qu'il soit tombé, lui dit Steve. Je pense qu'on l'a poussé. »

Ils prirent l'ascenseur de service jusqu'au garage de l'immeuble et montèrent dans la voiture de Steve.

« Je ne veux pas qu'on vous voie, dit-il. On va vous mettre au vert pendant quelques jours. »

Ils s'engagèrent dans State Street.

« Si on allait déjeuner ? »

Julia lui jeta un coup d'œil et sourit. « Vous n'arrêtez pas de me faire manger.

— Je connais un restaurant hors des sentiers battus. C'est une vieille demeure dans Gloucester Street. Je ne pense pas qu'on nous voie là-bas. »

L'Espalier était un élégant hôtel particulier du siècle dernier qui possédait l'un des plus beaux points de vue de Boston. Steve et Julia y furent accueillis à leur entrée par le chef de rang.

« Bonjour, dit-il. Si vous voulez me suivre, j'ai une belle table pour vous près de la fenêtre.

— Si ça ne vous ennuie pas, dit Steve, nous préférerions quelque chose contre le mur.

Le chef de rang sourcilla. « Contre le mur ?

— Oui. Nous aimons l'intimité.

— Naturellement. » Il les conduisit à une table dans un coin. « Je vous envoie le garçon. » Son regard s'attarda sur Julia et soudain son visage s'éclaira. « Ah ! mademoiselle Stanford. C'est un plaisir que de vous avoir ici. J'ai vu votre photo dans le journal. »

Julia, interdite, regarda Steve.

Steve s'écria : « Ça alors ! On a laissé les enfants dans la voiture ! Allons les chercher ! » Et au chef de rang : « Nous aimerions deux martinis, très secs. Sans olives. On revient tout de suite.

— Oui, monsieur. » Le chef de rang les regarda se précipiter hors du restaurant.

« Qu'est-ce que vous faites ? demanda Julia.

— On fiche le camp d'ici. Il suffit qu'il téléphone aux journaux et on sera dans de beaux draps. Allons ailleurs. »

Ils trouvèrent un petit restaurant dans Dalton Street et passèrent leur commande.

Steve demeura un moment silencieux à l'observer. « Quelle impression cela vous fait-il d'être une célébrité ? demanda-t-il.

— Je vous en prie, ne plaisantez pas avec ça. C'est épouvantable.

— Je le sais, dit-il d'un ton contrit. Je m'excuse. » Il se sentait très à l'aise en sa compagnie. Il repensa à la brutalité dont il avait fait preuve envers elle lors de leur première rencontre.

« Croyez-vous que... que je sois réellement en danger, monsieur Sloane ? demanda-t-elle.

— Appelez-moi Steve. Oui. J'en ai bien peur. Mais ça ne va pas être pour longtemps. D'ici à ce que le testament soit homologué, on saura qui est derrière tout ça. En attendant, je vais veiller à votre sécurité.

— Merci. Je... je vous en sais gré. »

Ils se regardaient et un garçon qui s'approchait décida en voyant leurs visages de ne pas les interrompre.

Dans la voiture, Steve demanda : « C'est la première fois que vous venez à Boston ?

— Oui.

— C'est une ville intéressante. » Ils longeaient le vieux John Hancock Building. Steve désigna la tour. « Vous voyez ce signal lumineux ?

— Oui.

— Il donne la température.

— Comment un signal lumineux peut...

— Je suis heureux que vous me posiez la question.

Lorsque la lumière est d'un bleu constant, ça veut dire que le temps est clair. Si elle est d'un bleu clignotant, on peut s'attendre à des nuages. Un rouge constant annonce la pluie et le rouge clignotant la neige. »

Julia se mit à rire.

Ils atteignirent le pont de Harvard. Steve ralentit. « C'est le pont qui relie Boston à Cambridge. Il mesure exactement trois cent soixante-quatre points quatre Smoots et des poussières. »

Julia se retourna pour le dévisager. « Je vous demande pardon. »

Steve eut un grand sourire. « C'est vrai.

— Qu'est-ce qu'un Smoot ?

— Un Smoot est une unité de mesure dont l'étalon a été le corps d'Oliver Reed Smoot, qui mesurait un mètre soixante et des poussières. Au début, c'était une plaisanterie, mais lorsque la municipalité a rebâti le pont, on a conservé cette mesure. Le Smoot est devenu un étalon de longueur en 1958. »

Elle éclata de rire. « C'est incroyable ! »

Lorsqu'ils passèrent devant le Bunker Hill Monument, Julia s'écria : « Oh ! C'est ici qu'a eu lieu la bataille de Bunker Hill, n'est-ce pas ?

— Non, répondit Steve.

— C'est-à-dire ?

— La bataille de Bunker Hill a eu lieu à Breed's Hill. »

Steve habitait dans le quartier de Newbury Street une charmante maison à un étage confortablement meublée et dont les murs étaient décorés de gravures aux couleurs vives.

« Vous vivez seul ? demanda Julia.

— Oui. J'ai une femme de ménage qui vient deux fois par semaine. Je vais lui demander de ne pas venir pour quelques jours. Je ne veux pas qu'on sache que vous êtes ici. »

Julia regarda Steve et dit avec chaleur : « Je tiens à ce que vous sachiez que je vous sais vraiment gré de ce que vous faites pour moi.

— Tout le plaisir est pour moi. Venez, je vais vous montrer votre chambre. »

Il la conduisit à l'étage dans la chambre d'amis. « Tenez, c'est ici. J'espère que vous y serez bien.

— Oh, oui. Elle est jolie, dit-elle.

— Je rapporterai quelque chose de l'épicerie. Je mange généralement dehors.

— Je pourrais... » Elle s'interrompit. « A la réflexion, autant pas. L'amie avec qui j'habite dit que ma cuisine est mortelle.

— Moi, je ne ne crois pas être trop mauvais cuistot. Je nous ferai des petits plats. » Il la regarda et dit lentement : « Il y a un moment que je n'ai pas fait la cuisine pour quelqu'un. »

Fiche-lui la paix, se dit-il. *Tu fais fausse route. Elle n'est pas pour toi.*

Elle posa sur lui un long regard puis sourit. « Je vous remercie. »

Ils redescendirent.

Steve lui désigna les commodités. « Télévision, magnétoscope, radio, lecteur de CD... Soyez à l'aise.

— C'est merveilleux. » Elle eût voulu dire : *« Tout comme je me sens avec vous. »*

« Bon, s'il n'y a rien d'autre », ajouta-t-il d'un air embarrassé.

Julia lui adressa un sourire chaleureux. « Non, je ne vois pas, dit Julia.

— Dans ce cas, je vais retourner au bureau. Beaucoup de questions demeurent sans réponses. »

Elle le regarda se diriger vers la porte.

« Steve ? »

Il se retourna. « Oui ?

— Est-il possible que je téléphone à mon amie Sally ?
Elle va se faire du mauvais sang pour moi. »

Il hocha la tête. « Pas question. Je ne veux pas que vous
téléphoniez ou que vous quittiez cette maison. Il se peut
que votre vie en dépende. »

CHAPITRE VINGT-HUIT

« Je suis le Dr Westin. Vous comprenez que cette conversation va être enregistrée ?

— Oui, docteur.

— Vous sentez-vous plus calme maintenant ?

— Je suis calme mais je suis en colère.

— Pourquoi en colère ?

— Je ne devrais pas être ici. Je ne suis pas folle. J'ai été victime d'un coup monté.

— Oh ! Et par qui ?

— Par Tyler Stanford.

— Le *juge* Tyler Stanford ?

— Parfaitement.

— Pourquoi aurait-il fait ça ?

— Pour de l'argent.

— Vous en avez ?

— Non. Enfin, oui... c'est-à-dire... je pourrais en avoir. Il m'a promis un million de dollars, un manteau de zibeline et des bijoux.

— Pourquoi le juge Stanford vous a-t-il promis cela ?

— Permettez que je commence par le commencement. Je ne suis pas réellement Julia Stanford. Je m'appelle Margo Posner.

— En arrivant ici, vous affirmiez *mordicus* être Julia Stanford.

— Oubliez ça. Ce n'est pas moi. Ecoutez... voici ce qui s'est passé. Le juge Stanford m'a engagée pour que je me fasse passer pour sa sœur.

— Pourquoi a-t-il fait ça ?

— Afin que j'aie une part de la succession Stanford et que je la lui remette.

— Et en échange il vous a promis un million de dollars, un manteau de zibeline et des bijoux ?

— Vous ne me croyez pas, n'est-ce pas ? Eh bien, je peux le prouver. Il m'a emmenée à Rose Hill. C'est la résidence de la famille Stanford à Boston. Je peux vous la décrire et tout vous dire sur la famille elle-même.

— Vous vous rendez compte que ce sont des accusations très graves que vous portez là ?

— Vous parlez que je m'en rends compte. Mais je suppose que vous n'allez rien faire pour la simple raison qu'un juge est mêlé à cette histoire.

— Vous vous trompez complètement. Je peux vous assurer que l'on va enquêter sérieusement sur vos accusations.

— Parfait ! Je veux qu'on enferme cette ordure exactement comme on l'a fait avec moi. Je veux sortir d'ici !

— Vous comprenez qu'en plus de mes examens, deux de mes collègues vont devoir aussi apprécier votre état mental ?

— Qu'ils le fassent. Je suis aussi saine d'esprit que vous.

— Le Dr Gifford sera là cet après-midi et nous verrons quelle suite donner à tout cela.

— Le plus vite sera le mieux. Je ne supporte pas cette saleté d'endroit ! »

En apportant son déjeuner à Margo, l'infirmière en chef dit : « Je viens de parler au Dr Gifford. Il sera ici dans une heure.

— Merci. » Margo l'attendait de pied ferme. Elle allait tout lui raconter depuis le début. *Et lorsque j'aurai fini*, pensa-t-elle, *ils vont le boucler et me laisser partir.* Cette pensée la combla de satisfaction. *Je vais être libre !* Puis elle pensa : *Libre pour quoi faire ? Je vais me retrouver de nouveau à la rue. Et si on me retirait ma liberté conditionnelle pour me remettre au trou !*

Elle lança son déjeuner contre le mur. *Qu'ils aillent au diable ! Ils ne peuvent pas me faire ça ! Hier je valais un million de dollars et aujourd'hui... Holà ! Attends un peu !* Une idée venait de lui traverser l'esprit, si excitante qu'elle la fit frissonner. *Ce que je suis bête ! Qu'est-ce que je suis en train de faire ? J'ai déjà apporté la preuve que je suis Julia Stanford. J'ai des témoins. Toute la famille a entendu Frank Timmons dire que mes empreintes démontraient que j'étais Julia Stanford. Pourquoi est-ce que je tiendrais à être Margo Posner quand je peux être Julia Stanford ? Pas étonnant qu'on m'ait bouclée ici. J'avais dû perdre la boule !* Elle sonna l'infirmière en chef.

Lorsque celle-ci arriva, Margo, tout excitée, dit : « Je veux voir le médecin tout de suite !

— Je sais. Vous avez rendez-vous avez lui dans...

— *Maintenant*. Tout de suite ! »

L'infirmière étudia un instant l'expression de Margo et dit : « Du calme. Je vais aller le chercher. »

Dix minutes plus tard, le Dr Franz Gifford entrait dans la chambre de Margo.

« Vous avez demandé à me voir ?

— Oui. » Elle lui adressa un sourire piteux. « J'ai bien peur d'avoir fait un peu de cinéma, docteur.

— Vraiment ?

— Oui. C'est très ennuyeux. La vérité, voyez-vous, c'est que j'étais très fâchée contre mon frère Tyler et que j'ai voulu le punir. Mais je me rends compte maintenant que j'ai eu tort. Je ne suis plus fâchée et je voudrais rentrer à Rose Hill.

— J'ai lu la transcription de votre entretien de ce matin. Vous avez dit vous appeler Margo Posner et avoir été victime d'un coup monté... »

Margo se mit à rire. « Ce n'était pas gentil de ma part. J'ai dit ça uniquement pour embêter Tyler. Non, je suis Julia Stanford. »

Il le regarda. « Pouvez-vous le prouver ? »

C'était le moment qu'attendait Margo. « Oh, oui ! répondit-elle d'un ton triomphant. C'est Tyler lui-même qui l'a apportée, cette preuve. Il a engagé un détective privé du nom de Frank Timmons qui a comparé mes empreintes avec celles que j'avais fait faire pour passer mon permis de conduire quand j'étais plus jeune. Elles sont identiques. Incontestablement.

— Le détective Frank Timmons, dites-vous ?

— C'est ça. Il travaille pour le bureau du procureur général, ici, à Chicago. »

Il l'observa quelques instants. « Allons, vous en êtes bien sûre ? Vous n'êtes pas Margo Posner – vous êtes Julia Stanford ?

— Absolument.

— Et ce détective privé, Frank Timmons, peut le vérifier ? »

Elle sourit. « Il l'a déjà vérifié. Vous n'avez qu'à téléphoner au bureau du procureur général pour le contacter. »

Le Dr Gifford acquiesça. « D'accord. C'est ce que je vais faire. »

A dix heures le lendemain matin, le Dr Gifford, accompagné de l'infirmière en chef, revint à la chambre de Margo.

« Bonjour.

— Bonjour, docteur. » Elle lui adressa un regard impatient. « Avez-vous parlé à Frank Timmons ?

— Oui. Je veux être certain de bien comprendre. Cette histoire selon laquelle le juge Stanford vous aurait embarquée dans une sorte de complot est fausse, c'est ça ?

— Complètement. J'ai raconté ça parce que je voulais punir mon frère. Mais c'est de l'histoire ancienne. Je suis prête à rentrer chez moi.

— Frank Timmons peut apporter la preuve que vous êtes Julia Stanford ?

— Absolument. »

Le Dr Gifford se tourna vers l'infirmière et hocha la tête en sa direction. Elle fit signe à quelqu'un. Un Noir, grand et mince, entra dans la chambre.

Il regarda Margo et dit : « Je suis Frank Timmons. En quoi puis-je vous être utile ? »

C'était un parfait inconnu.

CHAPITRE VINGT-NEUF

Le défilé de mode se passait bien. Les mannequins évoluaient gracieusement sur la piste et chaque nouveau modèle était accueilli par des applaudissements enthousiastes. La salle de bal était bondée. Chaque siège était occupé et il y avait des spectateurs debout au fond.

Il y eut du remue-ménage en coulisse et Kendall se retourna pour voir ce qui se passait. Deux policiers en uniforme se frayaient un chemin vers elle.

Le cœur de Kendall battit plus vite.

L'un des policiers dit : « Etes-vous Kendall Stanford Renaud ?

— Oui.

— Je vous arrête pour le meurtre de Martha Ryan.

— Non ! hurla-t-elle. Je n'ai pas fait exprès ! C'était un accident ! Je vous en supplie ! Je vous en supplie... ! »

Elle se réveilla affolée, le corps tremblant.

C'était un cauchemar qu'elle faisait souvent. *Je ne*

peux plus continuer comme ça, pensa Kendall. *Ce n'est pas possible! Il faut que je fasse quelque chose.*

Elle éprouva une envie folle de parler à Marc. Il avait dû, bien à contrecœur, retourner à New York. « J'ai un travail, chérie. On refuse de prolonger mon congé.

— Je comprends, Marc. Je vais rentrer dans quelques jours. J'ai un défilé à préparer. »

Kendall allait partir pour New York ce matin-là mais elle considérait avoir une démarche à accomplir avant son départ. La conversation avec Woody avait été très troublante. *Il rejette la responsabilité de ses problèmes sur Peggy.*

Kendall trouva celle-ci sur la véranda.

« Bonjour, dit Kendall.

— Bonjour. »

Kendall prit un siège en face d'elle. « J'ai à vous parler.

— Oui? »

C'était gênant. « J'ai parlé à Woody. Il est mal en point. Il... il croit que c'est vous qui le fournissez en héroïne.

— Il vous a dit ça?

— Oui. »

Il y eut un long silence. « Eh bien, c'est vrai. »

Kendall la dévisagea, incrédule. « *Quoi?* Je... Je ne comprends pas. Vous m'avez dit que vous essayiez de l'arracher à la drogue. Pourquoi voulez-vous entretenir son vice?

— Vous ne comprenez vraiment pas, n'est-ce pas? » De l'amertume perçait dans sa voix. « Vous, vous vivez dans votre monde. Eh bien, laissez-moi vous dire quelque chose, toute grande styliste que vous soyez! J'étais serveuse lorsque je suis tombée enceinte de Woody. Je

n'aurais jamais cru que Woodrow Stanford m'épouserait. Et vous savez pourquoi il l'a fait ? Pour avoir le
sentiment qu'il était meilleur que son père. Oui, il m'a
épousée, d'accord. Et tout le monde m'a traitée comme
une moins que rien. Quand Hoop, mon frère, est des-
cendu pour le mariage, ils se sont comportés avec lui
comme s'il était une merde.

— Peggy...

— Pour ne rien vous cacher, j'étais sidérée quand
votre frère m'a proposé de m'épouser. Je ne savais
même pas si l'enfant était de lui. J'aurais pu faire une
bonne épouse pour Woody mais on ne m'en a même
pas laissé la chance. Pour eux, j'étais toujours une serveuse. Je n'ai pas fait de fausse couche, je me suis fait
avorter. J'ai pensé que Woody demanderait le divorce
mais il ne l'a pas fait. J'étais la preuve vivante de ses
vertus démocratiques. Eh bien, laissez-moi vous dire
une chose, ma petite dame. Je n'ai pas besoin de ça. Je
vaux aussi bien que vous ou que n'importe qui. »

Chaque mot était un coup. « Vous avez aimé
Woody ? »

Peggy haussa les épaules. « Il était beau gosse et
drôle mais il a fait cette chute grave en jouant au polo
et tout a changé. A l'hôpital, on lui a donné des médicaments en espérant qu'à sa sortie il cesserait de les
prendre. Un soir qu'il avait mal, je lui ai dit : " J'ai un
petit nanan pour toi. " Par la suite, à chaque fois qu'il
avait mal, je lui donnais son petit nanan. Il a bientôt été
incapable de s'en passer, souffrant ou non. Comme mon
frère est revendeur de drogue je pouvais me procurer
de l'héroïne à volonté. J'ai amené Woody à me supplier
de lui en donner. Quelquefois, je lui disais que j'étais à
court juste pour le voir suer et pleurer – oh, comme
monsieur Woodrow Stanford avait alors besoin de moi !
Là, il la ramenait moins ! Je le poussais à me frapper et
ensuite il s'en voulait de l'avoir fait et il me revenait en

rampant et me couvrait de cadeaux. Quand Woody ne se drogue pas, je n'existe pas. Quand il se drogue, c'est moi qui ai le pouvoir, vous pigez ? C'est peut-être un Stanford et je ne suis peut-être qu'une serveuse, mais je le tiens en main. »

Kendall la dévisageait, horrifiée.

« Votre frère a essayé de cesser de se droguer, d'accord. Lorsqu'il allait vaiment trop mal, ses amis le faisaient admettre dans un centre de désintoxication et moi, j'allais lui rendre visite pour voir le grand Stanford souffrir les tortures de l'enfer. Et à chaque fois qu'il sortait, je l'attendais avec mon petit nanan. C'était l'heure de la revanche. »

Kendall s'aperçut qu'elle respirait difficilement. « Vous êtes un monstre, dit-elle lentement. Je veux que vous quittiez cette maison.

— Chiche ! Je ne demande pas mieux que de quitter cet endroit. » Un rictus déforma son visage. « Naturellement, je ne pars pas sans une petite compensation. De combien sera-t-elle ?

— Peu importe, répondit Kendall, ce sera toujours trop. Maintenant, débarrassez le plancher.

— D'accord. » Elle ajouta alors avec affectation : « Je vais demander à mon avocat de contacter le vôtre. »

« Elle me quitte vraiment ?

— Oui.

— Ça veut dire que...

— Je sais ce que ça veut dire, Woody. Tu t'en sortiras ? »

Il regarda sa sœur et sourit. « Je crois. Oui. Je pense que oui.

— Moi, j'en suis sûre. »

Il prit une profonde respiration. « Merci, Kendall. Je

n'aurais jamais eu le courage de me débarrasser d'elle. »

Elle sourit. « Mais à quoi crois-tu que servent les sœurs ? »

Cet après-midi-là, Kendall partit pour New York. Le défilé de mode devait avoir lieu la semaine suivante.

A New York, l'industrie du vêtement occupe une place unique. Un grand styliste peut exercer une influence sur l'économie mondiale. Un caprice de sa part a des effets à long terme sur tout le monde, depuis les cueilleurs de coton de l'Inde et les tisserands écossais jusqu'aux éleveurs de vers à soie de Chine. Les industries de la laine et de la soie s'en ressentent. Les Donna Karan, les Calvin Klein et les Ralph Laurens jouent un rôle économique essentiel, et Kendall était désormais des leurs. La rumeur voulait qu'elle soit sur le point d'être nommée Styliste Féminine de l'Année, la plus prestigieuse distinction conférée par les représentants de la profession.

Kendall Stanford Renaud menait une vie débordante d'activité. En septembre, elle examinait des échantillons de tissus et en octobre elle choisissait ceux qu'elle retenait pour ses nouveaux modèles. Décembre et janvier étaient consacrés à leur conception et février à leur apporter les dernières touches. En avril, elle était prête à montrer sa collection.

Kendall Stanford Designs était situé au numéro 550 de la Septième Avenue dans un immeuble que la société partageait avec Bill Bass et Oscar de la Renta. Son prochain défilé devait se tenir sous le chapiteau de Bryant Park qui pouvait accueillir mille personnes.

Lorsque Kendall arriva au bureau, Nadine dit : « J'ai de bonnes nouvelles. Toutes les places ont été réservées pour le défilé.

— Merci », dit Kendall d'un air absent. Elle avait l'esprit ailleurs.

« A propos, il y a une lettre portant la mention URGENT pour vous sur votre bureau. Un coursier vient de l'apporter. »

Ces mots lui envoyèrent comme une décharge électrique à travers le corps. Elle alla vers son bureau et jeta un coup d'œil sur l'enveloppe. L'adresse de l'expéditeur était *Société pour la Protection des Animaux Sauvages, 3000 Park Avenue, New York*. Elle la regarda fixement un long moment. Il n'y avait pas de 3000 Park Avenue.

Kendall décacheta la lettre de ses doigts tremblants.

Chère Madame Renaud,

Mon banquier suisse m'apprend qu'il n'a pas encore reçu le million de dollars exigé par mon association. Vu votre infraction, je dois vous informer que nos besoins ont été portés à 5 millions de dollars. Ce paiement effectué, je vous promets que nous ne vous importunerons plus. Vous avez quinze jours pour déposer l'argent sur notre compte. Si vous négligiez de le faire, je serais au regret de devoir contacter les autorités compétentes.

Il n'y avait pas de signature.

Kendall, affolée, lut et relut la lettre. *Cinq millions de dollars ! C'est impossible*, pensa-t-elle. *Je ne pourrai jamais trouver une pareille somme aussi vite. Quelle idiote j'ai été !*

Lorsque Marc rentra ce soir-là, Kendall lui montra la lettre.

« Cinq millions de dollars ! éclata-t-il. C'est ridicule ! Pour qui te prennent-ils ?

— Ils savent qui je suis, dit Kendall. C'est bien là le problème. Il faut que je trouve vite une partie de l'argent. Mais comment ?

— Je ne sais pas... Une banque te consentirait sans doute un prêt contre ton héritage mais je n'aime pas l'idée de...

— Marc, il s'agit de ma vie. De *nos* vies. Je vais essayer d'obtenir ce prêt. »

George Meriwether était vice-président en exercice de la New York Union Bank. Agé d'une quarantaine d'années, il avait commencé au bas de l'échelle comme caissier. C'était un homme ambitieux. *Un jour, je ferai partie du conseil d'administration*, pensait-il, *et après... qui sait ?* Il fut interrompu dans ses réflexions par sa secrétaire.

« Mlle Kendall Stanford demande à vous voir. »

Il eut un petit frisson de plaisir. Kendall Stanford était une bonne cliente comme styliste mais elle était désormais l'une des femmes les plus riches du monde. Des années durant il avait vainement tenté d'avoir le compte de Harry Stanford. Et maintenant...

« Faites-la entrer », dit Meriwether à sa secrétaire.

Lorsque Kendall pénétra dans le bureau, il se leva et l'accueillit avec un sourire et une poignée de main chaleureuse.

« Quel plaisir de vous voir, dit-il. Asseyez-vous. Un café ou quelque chose de plus fort ?

— Non, merci, répondit Kendall.

— Permettez-moi de vous offrir mes condoléances pour le décès de votre père. » Sa voix était empreinte d'une gravité de circonstance.

« Merci.

— Que puis-je faire pour vous ? » Il savait ce qu'elle allait lui dire. Elle allait lui confier ses milliards pour qu'il les investisse.

« Je voudrais emprunter de l'argent. »

Il sourcilla. « Je vous demande pardon.

— J'ai besoin de cinq millions de dollars. »

Il pensa rapidement. *D'après les journaux, sa part de la succession serait de plus d'un milliard de dollars. Même en tenant compte des impôts...* Il sourit. « Enfin, je ne crois pas que cela pose problème. Vous avez toujours été l'une de nos clientes préférées, vous savez. Quelle garantie souhaitez-vous offrir ?

— Je figure sur le testament de mon père. »

Il acquiesça. « Oui. Je l'ai appris par les journaux.

— J'aimerais emprunter l'argent contre la garantie que présente ma part de la succession.

— Je vois. Est-ce que le testament de votre père a été homologué ?

— Non, mais il le sera bientôt.

— Parfait. » Il se pencha vers elle. « Evidemment, nous aurons besoin de voir une copie du testament.

— Oui, fit Kendall avec empressement. Je peux arranger ça.

— Et nous aurions besoin de connaître le montant exact de votre part de l'héritage.

— Je ne le connais pas, répondit Kendall.

— C'est que, vous comprenez, les règlements bancaires sont formels sur ce point. L'homologation risque de demander encore du temps. Pourquoi ne reviendriez-vous pas lorsque ce sera fait. Je me ferai alors un plaisir de...

— J'ai besoin de cet argent tout de suite », dit-elle d'un ton éperdu. Elle aurait voulu hurler.

« Mais oui, mais oui. Naturellement, il n'y a rien que nous ne ferions pour vous rendre service. » Il leva les mains en un geste désespéré. « Mais malheureusement, nous ne pouvons rien faire tant que... »

Kendall se leva. « Merci.

— Dès que... »

Elle s'en alla.

Lorsqu'elle revint au bureau, Nadine, tout excitée, lui dit : « Il faut que je vous parle. »

Elle n'était pas d'humeur à écouter les problèmes de Nadine.

« De quoi s'agit-il ? demanda Kendall.

— Mon mari m'a téléphoné il y a quelques minutes. Son entreprise le mute à Paris. Je vais donc devoir partir.

— Vous allez... vous partez vivre à Paris ? »

Nadine était aux anges. « Oui ! C'est merveilleux, non ? Ça va me faire de la peine de vous quitter. Mais ne vous en faites pas, je vous ferai signe. »

C'était donc Nadine. Mais il n'y a aucun moyen de le prouver. D'abord le manteau de vison, puis maintenant Paris. Avec cinq millions, elle peut se permettre de vivre où elle veut dans le monde. Comment devrais-je prendre la chose ? Si je lui dis que je sais, elle niera. Elle exigera peut-être davantage. Marc saura ce qu'il faut faire.

« Nadine... »

L'une des assistantes de Kendall entra. « Kendall ! Il faut que je vous parle au sujet de la collection du défilé. On n'a pas assez de modèles pour... »

Kendall ne pouvait pas en supporter davantage. « Excusez-moi. Je ne me sens pas bien. Je vais rentrer. »

Son assistante lui jeta un regard ahuri. « Mais on est en plein milieu de...

— Je regrette... »

Et elle s'en alla.

En arrivant chez elle, elle trouva l'appartement désert. Marc travaillait tard. Son regard fit le tour des magnifiques objets qui se trouvaient dans la pièce et elle pensa : *Ils n'arrêteront pas avant de m'avoir tout pris. Ils vont me saigner à blanc. Marc avait raison. J'aurais dû prévenir la police ce soir-là. Maintenant je suis une criminelle. Il faut que j'avoue. Maintenant, pendant que j'en ai le courage.* Elle pensa aux conséquences de son geste pour elle, pour Marc, pour sa famille. Il y aurait des manchettes à sensation, un procès et ce serait sans doute la prison. La fin de sa carrière. *Mais je ne peux plus continuer comme ça*, pensa Kendall. *Je vais devenir folle.*

Presque sans s'en rendre compte, elle se leva et se rendit dans le bureau de Marc. Elle se souvenait qu'il rangeait sa machine à écrire sur une étagère du placard. Elle la prit et la posa sur le bureau. Elle glissa une feuille de papier sous le rouleau et commença à taper.

    A qui de droit,
      Je m'appelle Kendall

Elle s'arrêta. Le lettre *e* était abîmée.

CHAPITRE TRENTE

« Pourquoi, Marc ? Pour l'amour du ciel, pourquoi ? »
L'angoisse perçait dans la voix de Kendall.

« C'est ta faute.

— Non ! Je te l'ai dit... C'était un accident ! Je...

— Je ne parle pas de l'accident. Je parle de *toi* ! La
chère épouse qui a tellement de succès qu'elle n'a plus de
temps à consacrer à son mari. »

Ce fut comme s'il l'avait giflée. « Ce n'est pas vrai.
J'ai...

— Tu n'as toujours pensé qu'à toi, Kendall. Partout où
on allait, tu occupais toujours le devant de la scène. Tu
me traînais derrière toi comme un caniche.

— Ce n'est pas juste !

— Ah non ? Toi, tu pars pour tes défilés de mode à travers le monde rien que pour avoir ta photo dans les journaux et moi, je reste ici tout seul à attendre ton retour. Tu
crois que ça me plaît d'être " Monsieur Kendall " ? Je
voulais une épouse. Mais ne t'en fais pas, Kendall chérie.
Je me consolais avec d'autres femmes pendant tes
absences. »

Elle avait le visage terreux.

« C'étaient des femmes en chair et en os, qui avaient

du temps à me consacrer. Pas des foutues carcasses creuses et maquillées.

— Tais-toi ! cria Kendall.

— Quand tu m'as parlé de l'accident, j'ai vu un moyen de me libérer de toi. Tu veux que je te dise quelque chose, ma chère ? Ça me plaisait de te voir te torturer en lisant ces lettres. Ça compensait un peu pour toutes les humiliations que j'avais subies.

— Ça suffit ! Fais tes valises et sors d'ici. Je ne veux plus jamais te revoir ! »

Marc eut un large sourire. « Ça ne risque pas. A propos, tu comptes toujours te livrer à la police ?

— Dehors ! dit Kendall. *Tout de suite !*

— Je m'en vais. Je crois que je vais retourner à Paris. Et, chérie, je ne dirai rien si tu ne veux pas. Tu n'as rien à craindre. »

Une heure plus tard, il était parti.

Le lendemain matin, à neuf heures, Kendall téléphona à Steve Sloane.

« Bonjour, madame Renaud. Que puis-je faire pour vous ?

— Je rentre à Boston cet après-midi, dit Kendall. J'ai une confession à faire. »

Elle était assise en face de Steve, pâle et les traits tirés. Elle était comme paralysée, incapable de commencer.

Steve l'encouragea. « Vous avez dit que vous aviez une confession à faire.

— Oui. Je... J'ai tué quelqu'un. » Elle se mit à pleurer. « C'était un accident mais... je me suis enfuie. » Son visage était un masque d'angoisse. « Je me suis enfuie... et l'ai laissée là.

— Prenez votre temps, dit Steve. Commencez par le début. »

Elle commença à parler.

Trente minutes plus tard, Steve regardait par la fenêtre, réfléchissant à ce qu'il venait d'entendre.

« Et vous voulez prévenir la police ?

— Oui. C'est ce que j'aurais dû faire tout d'abord. Je... Je me fiche maintenant de ce qui m'attend. »

Steve dit d'un ton pensif : « Etant donné que vous vous livrez et que c'était un accident, je pense que la cour fera preuve de clémence. »

Elle essayait de garder son sang-froid. « Tout ce que je veux, c'est en finir avec cette histoire.

— Et pour votre mari ? »

Elle le dévisagea. « Que voulez-vous dire ?

— Le chantage est illégal. Vous possédez le numéro de compte en Suisse où vous avez envoyé l'argent qu'il vous a volé. Vous n'avez qu'à le poursuivre et...

— Non ! » Son ton était sans appel. « Je ne veux plus avoir affaire à lui. Qu'il vive sa vie, je vais vivre la mienne. »

Steve acquiesça. « Comme vous voudrez. Je vais vous conduire à la police. Vous devrez peut-être passer une nuit en prison mais je vais vous faire rapidement libérer sous caution. »

Kendall eut un pâle sourire. « Je vais maintenant pouvoir faire quelque chose que je n'avais jamais fait.

— Quoi donc ?

— Dessiner une robe à rayures. »

Ce soir-là, en rentrant chez lui, Steve fit à Julia le récit des événements. Elle fut horrifiée. « Son propre mari la faisait chanter ? C'est épouvantable. » Elle l'étudia un long moment. « Je trouve magnifique que vous consacriez votre vie à aider les gens qui ont des ennuis. »

Steve la regarda et pensa : *Des ennuis, c'est moi qui en ai.*

Steve Sloane fut réveillé par un arôme de café et par l'odeur du bacon qui cuisait. Il s'assit dans son lit, étonné. *La femme de ménage est donc venue aujourd'hui ?* Il l'avait décommandée. Il enfila sa robe de chambre et ses pantoufles et se précipita à la cuisine.

Julia était là, en train de préparer le petit déjeuner. Elle leva les yeux à son entrée.

« Bonjour, dit-elle gaiement. Comment aimez-vous vos œufs ? »

« Heu... Brouillés.

— D'accord. Les œufs brouillés et le bacon sont ma spécialité. En fait, c'est ma seule spécialité. Je vous l'ai dit, je suis très mauvaise cuisinière. »

Steve sourit. « Vous n'êtes pas obligée de faire la cuisine. Si vous le voulez, vous pourrez engager des centaines de cuisiniers.

— Je vais vraiment avoir tout cet argent, Steve ?

— Parfaitement. Votre part de la succession s'élève à plus d'un milliard de dollars. »

C'était un peu fort. « Un milliard... ? Je n'arrive pas à le croire !

— C'est pourtant vrai.

— De telles fortunes n'existent pas, Steve.

— Eh bien, votre père, lui, en possédait une.

— Je... je ne sais pas quoi dire.

— Dans ce cas, puis-je dire quelque chose ?

— Bien sûr.

— Les œufs sont en train de brûler.

— Oh ! Je m'excuse. » Elle les retira aussitôt du feu. « Je vais en faire d'autres.

— Laissez. Le bacon brûlé suffira. »

Elle se mit à rire. « Je regrette. »

Steve alla chercher une boîte de céréales dans le placard. « Que diriez-vous d'un bon petit déjeuner froid ?

— Parfait », dit-elle.

Il leur remplit à chacun un bol de céréales, prit du lait dans le réfrigérateur et s'assit à la table de la cuisine.

« Vous n'avez personne qui vous fasse la cuisine ?

— Vous voulez dire, est-ce qu'il y a quelqu'un dans ma vie ? »

Elle rougit. « Quelque chose comme ça.

— Non. J'ai fréquenté quelqu'un durant deux ans mais ça n'a pas marché.

— Je suis désolée.

— Et vous ? » demanda-t-il.

Elle pensa à Henry Wesson. « Je ne crois pas. »

Il posa sur elle un regard chargé de curiosité. « Vous n'en êtes pas sûre ?

— C'est difficile à expliquer. L'un de nous veut se marier, répondit-elle avec diplomatie, et l'autre ne veut pas.

— Je vois. Une fois cette affaire terminée, vous comptez retourner dans le Kansas ?

— Honnêtement, je n'en sais rien. Ça me fait tout drôle d'être ici. Ma mère me parlait si souvent de Boston. Elle était née ici et aimait cette ville. En un sens, c'est comme si je revenais chez moi. Je regrette de ne pas avoir connu mon père. »

Non, ne le regrettez pas, pensa Steve.

« Et vous, vous l'avez connu ?

— Non. Il ne traitait qu'avec Simon Fitzgerald. »

Ils restèrent ainsi plus d'une heure à bavarder. Une camaraderie facile s'était établie entre eux. Steve fit à Julia le récit détaillé des événements antérieurs – l'arrivée de l'inconnue qui se faisait appeler Julia Stanford, la tombe vide et la disparition de Dmitri Kaminsky.

« C'est incroyable ! dit-elle. Qui peut bien être derrière tout ça ?

— Je ne sais pas. C'est ce que j'essaie de savoir, l'assura Steve. Entre-temps, vous n'avez rien à craindre ici. Absolument rien à craindre. »

Elle sourit et dit : « Je me sens en sécurité ici. Merci. »

Il allait dire quelque chose puis s'interrompit. Il jeta un coup d'œil à sa montre. « Je ferais mieux de m'habiller et de filer au bureau. J'ai du pain sur la planche. »

Steve était en réunion avec Fitzgerald.

« Alors, ça progresse ? » demanda ce dernier.

Steve hocha la tête. « C'est le brouillard total. Celui qui a concocté ça est un génie. J'essaie de retrouver la trace de Dmitri Kaminsky. Il a pris l'avion de la Corse pour Paris et de là pour l'Australie. J'ai eu la police de Sydney. Ils n'en revenaient pas d'apprendre que Kaminsky était chez eux. Interpol a lancé un avis de recherche. Je crois que Harry Stanford a signé son propre arrêt de mort lorsqu'il a téléphoné ici pour dire qu'il voulait modifier son testament. Quelqu'un a décidé de l'en empêcher. Le seul témoin de ce qui s'est passé sur le yacht cette nuit-là est Dmitri Kaminsky. Lorsqu'on l'aura retrouvé, on en saura beaucoup plus.

— Je me demande si on ne devrait pas faire intervenir notre police ? » dit Fitzgerald.

Steve hocha la tête. « Nous ne savons rien de définitif, Simon. Tout ce que nous pouvons prouver, c'est que quelqu'un a déterré le corps – et nous ne savons même pas qui.

— Et ce détective qu'ils ont engagé, celui qui a vérifié les empreintes de cette femme ?

— Frank Timmons. Je lui ai laissé trois messages. Si je suis sans nouvelles de lui à six heures ce soir, je vais prendre l'avion pour Chicago. Je crois qu'il est mêlé de très près à cette affaire.

— Selon vous, qu'est-ce que cette simulatrice avait prévu de faire avec la part de l'héritage qu'elle allait toucher ?

— Mon petit doigt me dit que celui qui a combiné tout ça lui avait fait signer des papiers aux termes desquels elle lui remettait sa part. Cet individu s'est sans doute servi de sociétés écrans pour cacher la chose. Je suis convaincu qu'on a affaire à un membre de la famille... Je ne pense pas qu'on puisse suspecter Kendall. » Il raconta à Fitzgerald la conversation qu'il avait eue avec elle. « Si elle était derrière ça, elle ne se serait pas présentée de son propre chef pour faire une confession, pas à ce moment-ci en tout cas. Elle aurait attendu que la succession soit réglée et d'avoir l'argent. Quant à son mari, je pense qu'on peut l'écarter. C'est un maître chanteur sans envergure. Il est incapable de monter un coup pareil.

— Et les autres ?

— Le juge Stanford. J'ai téléphoné à un de mes amis du barreau de Chicago. Il dit que tout le monde le tient en haute estime. En fait, il vient d'être nommé juge en chef. Une autre chose plaide en sa faveur : le juge Stanford a été le premier à déclarer que la première Julia était une simulatrice et c'est lui qui a insisté pour que l'on fasse un test d'ADN. Ça m'étonnerait qu'il fasse une chose pareille. C'est Woody qui m'intéresse. Je suis sûr qu'il se drogue et c'est une habitude qui coûte cher. J'ai pris des information sur Peggy, sa femme. Elle n'est pas assez futée pour être derrière ce plan. Mais il paraîtrait qu'elle a un frère qui n'est pas tout blanc. Je vais chercher de ce côté-là. »

Steve parla à sa secrétaire dans l'interphone. « Essayez de m'avoir le lieutenant Michael Kennedy de la police de Boston, s'il vous plaît. »

Quelques minutes plus tard, elle rappela Steve. « Le lieutenant Kennedy sur la une. »

Steve décrocha.

« Lieutenant. Merci d'avoir pris mon appel. Je suis Steve Sloane de Renquist, Renquist et Fitzgerald. Nous sommes à la recherche d'un proche de la famille Stanford au sujet de la succession de Harry Stanford.

— Monsieur Sloane, je serai heureux de vous venir en aide si je le peux.

— Pourriez-vous, s'il vous plaît, vérifier auprès de la police de New York pour voir s'ils ont quelque chose dans leurs dossiers sur le frère de Mme Woodrow Stanford. Il s'appelle Hoop Malkovich. Il travaille dans une boulangerie du Bronx.

— Aucun problème. Je vous trouve ça.

— Je vous remercie. »

Après le déjeuner, Simon Fitzgerald passa par le bureau de Steve.

« Alors cette enquête, ça avance ? demanda-t-il.

— Trop lentement à mon goût. Celui qui a manigancé ça a soigneusement brouillé les pistes.

— Et Julia ? Ça va ? »

Steve sourit. « Elle est merveilleuse. »

Il y avait quelque chose dans son intonation qui incita Simon Fitzgerald à le regarder plus attentivement.

« Elle est très séduisante.

— Je sais, dit Steve sur un ton mélancolique. Je sais. »

Une heure plus tard, on appela d'Australie.

« Monsieur Sloane ?

— Oui.

— Ici l'inspecteur principal McPhearson de Sydney.

— Oui, monsieur l'inspecteur principal.

— Nous avons retrouvé votre homme. »

Steve sentit son rythme cardiaque s'accélérer. « Fantastique ! J'aimerais prendre les mesures pour qu'on l'extrade immédiatement afin de le faire...

— Oh, je crois que rien ne presse. Dmitri Kaminsky est mort. »

Steve sentit ses espoirs s'envoler. « *Quoi ?*

— Nous avons trouvé son corps tout à l'heure. On lui avait coupé les doigts et on l'avait abattu de plusieurs balles. »

« *Les gangs russes ont de drôles de mœurs. D'abord on vous tranche les doigts, on vous laisse saigner un bon moment, puis on vous abat.* »

« Je vois. Merci, inspecteur. »

Cul-de-sac. Steve demeura sans bouger à regarder le mur. Toutes ses pistes disparaissaient. Il comprit alors à quel point il avait compté sur le témoignage de Dmitri Kaminsky.

Sa secrétaire interrompit le cours de ses pensées. « Il y a un M. Timmons pour vous sur la quatre. »

Steve regarda sa montre. Il était dix-sept heures cinquante-cinq. Il décrocha. « Monsieur Timmons ?

— Oui... Je regrette de n'avoir pu vous rappeler plus tôt. J'étais à l'extérieur ces deux derniers jours. Que puis-je pour vous ? »

Beaucoup de choses, pensa Steve. *Vous pourriez me dire, par exemple, comment vous avez falsifié ces empreintes.* Steve pesa soigneusement ses mots. « Je vous appelle au sujet de Julia Stanford. Lorque vous étiez à Boston récemment, vous avez vérifié ses empreintes et...

— Monsieur Sloane...

— Oui ?

— Je n'ai jamais mis les pieds à Boston. »

Steve prit une profonde respiration. « Monsieur Timmons, si l'on en croit le registre du Holiday Inn, vous étiez ici le...

— On s'est servi de mon nom. »

Steve n'en croyait pas ses oreilles. C'était le dernier cul-de-sac, la dernière piste. « Vous n'avez sans doute pas la moindre idée de qui il pourrait s'agir ?

— Voilà qui est très étrange, monsieur Sloane. Une femme a prétendu que j'étais à Boston et que je pouvais l'identifier comme étant Julia Stanford. Je ne l'avais jamais vue de ma vie. »

Steve eut un sursaut d'espoir. « Vous savez qui elle est ?

— Oui. C'est une nommée Posner. Margo Posner. »

Steve prit un stylo. « Où puis-je la joindre ?

— Elle est à l'hôpital psychiatrique Reed, à Chicago.

— Merci beaucoup. Je vous suis vraiment reconnaissant.

— Restons en contact. J'aimerais bien moi-même voir un peu plus clair dans cette histoire. Je n'aime pas qu'on se fasse passer pour moi.

— D'accord. » Steve raccrocha. *Margo Posner.*

Lorsque Steve rentra chez lui ce soir-là, Julia l'attendait.

« J'ai préparé le dîner, lui dit-elle. Enfin, ce n'est pas exactement moi qui l'ai préparé. Vous aimez la cuisine chinoise ? »

Il sourit. « J'adore.

— Parfait. Nous en avons huit cartons différents *. »

---

* En Amérique, il est courant de se faire livrer des mets chinois à domicile. Ils sont servis dans des cartons. *(N.d.T.)*

Lorsque Steve entra dans la salle à manger, une table fleurie et éclairée aux chandelles était dressée.

« Il y a du nouveau ? » demanda Julia.

Steve répondit sans trop s'avancer : « Il se peut qu'on ait enfin quelque chose à se mettre sous la dent. J'ai le nom d'une femme qui semble impliquée dans l'histoire. Je prends l'avion pour Chicago demain matin pour causer un peu avec elle. J'ai comme l'impression que l'on aura réponse à tout demain.

— Ce serait merveilleux ! dit Julia avec enthousiasme. J'ai tellement hâte que toute cette hisoire soit terminée.

— Moi aussi », dit Steve. *Vraiment ? Elle sera alors membre à part entière de la famille Stanford – hors d'atteinte pour moi.*

Le dîner dura deux heures sans qu'ils se rendissent bien compte de ce qu'ils mangeaient. Ils parlèrent de tout et de rien comme s'ils se connaissaient depuis toujours. Ils évoquèrent le passé et le présent, évitant soigneusement toute allusion à l'avenir. *Il n'y a pas d'avenir pour nous deux*, songeait tristement Steve.

Finalement, à contrecœur, Steve dit : « Bon, on ferait peut-être mieux d'aller se coucher. »

Elle leva vers lui un sourcil interrogatif et ils éclatèrent de rire tous les deux.

« Enfin, je voulais dire...

— Je sais ce que vous vouliez dire. Bonne nuit, Steve.

— Bonne nuit, Julia. »

CHAPITRE TRENTE ET UN

De bonne heure le lendemain matin, Steve prit un avion de la United Airlines pour Chicago. A l'aéroport O'Hare, il héla un taxi.

« Où allons-nous ? demanda le chauffeur.

— A l'hôpital psychiatrique Reed. »

Le chauffeur se retourna pour regarder Steve. « Ça va ?

— Oui. Pourquoi ?

— Oh, je demandais ça comme ça. »

A l'hôpital Reed, Steve s'approcha du vigile armé à la réception.

Celui-ci leva les yeux. « Puis-je vous être utile ?

— Oui. Je voudrais voir Margo Posner.

— Elle travaille ici ? »

Steve ne s'était pas posé la question. « Peut-être, je n'en suis pas sûr. »

Le vigile le regarda avec attention. « Vous n'en êtes pas sûr ?

— Tout ce que je sais, c'est qu'elle est ici. »

Le vigile ouvrit un tiroir et en sortit un tableau sur

lequel figurait une liste de noms. Après quelques instants, il dit : « Elle ne travaille pas ici. Ce ne serait pas une patiente, des fois ?

— Je... Je ne sais pas. C'est possible. »

Le vigile adressa un nouveau regard à Steve et fouilla dans un autre tiroir d'où il tira une feuille de listing informatique. Il la parcourut des yeux et, au milieu, s'arrêta. « Posner. Margo.

— C'est ça. » Steve fut étonné. « Elle est hospitalisée ici ?

— Hum hum. Vous êtes de la famille ?

— Non...

— Ça m'étonnerait que vous puissiez la voir.

— Il faut que je la voie, dit Steve. C'est très important.

— Je regrette. J'ai des ordres. Les visites sont interdites sans autorisation préalable.

— Qui est le responsable ici ?

— Moi.

— Je veux dire, qui dirige l'hôpital.

— Le Dr Kingsley.

— Je veux le voir.

— D'accord. » Le vigile décrocha le téléphone et composa un numéro. « Docteur Kingsley, ici Joe à la réception. Il y a un monsieur ici qui voudrait vous voir. » Il leva les yeux vers Steve. « Votre nom ?

— Steve Sloane. Je suis avocat.

— Steve Sloane. Il est avocat... très bien. »

Il raccrocha et se tourna vers Steve. « Quelqu'un va vous accompagner à son bureau. »

Cinq minutes plus tard, on fit entrer Steve dans le bureau du Dr Gary Kingsley. Celui-ci était un quinquagénaire d'apparence négligée et qui faisait plus vieux que son âge.

« Que puis-je faire pour vous, monsieur Sloane ?

— Il faut que je voie une de vos patientes. Margo Posner.

— Ah oui. Cas intéressant. Vous lui êtes apparenté ?

— Non mais j'enquête sur l'éventualité d'un meurtre et il est très important que je puisse lui parler. Je crois qu'elle détient peut-être la clé de l'affaire.

— Je regrette, je ne puis rien pour vous.

— Il le *faut*, dit Steve. C'est...

— Monsieur Sloane, je ne pourrais rien faire pour vous même si je le voulais.

— Et pourquoi ?

— Parce que Margo Posner est dans une cellule capitonnée. Elle attaque quiconque s'approche d'elle. Ce matin, elle a essayé de tuer l'infirmière en chef et deux médecins.

— *Quoi ?*

— Elle n'arrête pas de changer d'identité et à demander à cor et à cri son frère Tyler et l'équipage de son yacht. Le seul moyen que nous avons de la calmer est de lui donner de puissants sédatifs.

— Oh, mon Dieu, dit Steve. Vous croyez qu'elle en a pour longtemps ? »

Le Dr Kingsley hocha la tête. « Elle est sous étroite observation. Peut-être qu'avec le temps elle finira par se calmer et qu'on pourra réexaminer son cas. En attendant.. »

CHAPITRE TRENTE-DEUX

A six heures du matin, un bateau de la police portuaire patrouillait sur la Charles River lorsque l'un des policiers qui se trouvait à bord remarqua un objet qui flottait dans l'eau à l'avant.

« A tribord toute ! cria-t-il. On dirait un tronc d'arbre. Il faut le ramasser avant qu'un bateau le heurte. »

Le tronc d'arbre s'avéra être un corps et, plus étonnant encore, un corps qui avait été embaumé.

Le policier le regarda fixement quelques instants et dit : « Qu'est-ce qu'un corps embaumé peut bien fiche dans la Charles River ? »

Le lieutenant Michael Kennedy s'entretenait avec le coroner. « Vous en êtes sûr ? »

Le coroner répondit : « Absolument. C'est Harry Stanford. C'est moi-même qui l'ai embaumé. Par la suite, on a reçu un ordre d'exhumer et lorsqu'on a déterré le cercueil*...

---

* En Amérique, on embaume les défunts en retirant le sang des veines et

— Qui a demandé l'exhumation du corps ?

— La famille. Par l'intermédiaire de son avocat, Simon Fitzgerald.

— Je crois que je vais aller échanger deux mots avec M. Fitzgerald. »

En rentrant de Chicago, Steve se rendit directement au bureau de Simon Fitzgerald.

« Vous avez l'air abattu, dit ce dernier.

— Pas abattu – battu. Toute cette histoire part en eau de boudin, Simon. Nous avions trois pistes possibles : Dmitri Kaminsky, Frank Timmons et Margo Posner. Eh bien, Kaminsky est mort, Timmons n'est pas le bon et Margo Posner est enfermée dans un asile. On n'a rien à... »

La voix de la secrétaire de Fitzgerald leur parvint dans l'interphone. « Excusez-moi. Il y a un certain lieutenant Kennedy ici qui voudrait vous voir.

— Faites-le entrer. »

Michael Kennedy était un homme d'aspect fruste, au regard blasé.

« Monsieur Fitzgerald ?

— Oui. Voici Steve Sloane, mon associé. Je crois que vous vous êtes déjà parlé au téléphone. Que peut-on faire pour vous ?

— On vient de découvrir le corps de Harry Stanford.

— *Quoi ? Où ça ?*

— Il flottait dans la Charles. C'est bien vous qui aviez fait exhumer son corps ?

— Oui.

— Puis-je savoir pourquoi ? »

en y injectant des liquides de conservation. Il est rare toutefois que cette tâche soit exécutée par un coroner. *(N.d.T.)*

Fitzgerald le lui dit.

Lorsque Fitzgerald se tut, Kennedy dit : « Vous ne voyez pas qui a bien pu se faire passer pour cet enquêteur, Timmons ?

— Non. J'ai eu Timmons au téléphone, répondit Steve. Il n'en a pas la moindre idée lui non plus. »

Kennedy soupira. « Ça devient de plus en plus bizarre.

— Où est le corps de Harry Stanford maintenant ? demanda Steve.

— On le garde à la morgue pour le moment. J'espère qu'il ne va pas disparaître de nouveau.

— Moi aussi, dit Steve. Nous allons faire faire un test d'ADN sur Julia par Perry Winger. »

Lorsque Steve téléphona à Tyler pour lui apprendre que l'on avait trouvé le corps de son père, il fut authentiquement bouleversé.

« C'est terrible ! dit-il. Qui a bien pu faire une chose pareille ?

— C'est ce que nous essayons de savoir », lui dit Steve.

Tyler était furieux. *Cet incapable de Baker ! Le crétin ! Il va me le payer cher. Il faut que je lui règle son compte avant qu'il ne devienne incontrôlable.* « Monsieur Sloane, comme vous l'avez peut-être appris, je viens d'être nommé juge en chef du comté de Cook. J'ai un emploi du temps très chargé et on me presse de rentrer. Je ne peux pas retarder mon retour plus longtemps. Je vous serais reconnaissant de faire quelque chose pour que l'homologation soit terminée au plus vite.

— J'ai téléphoné ce matin, lui dit Steve. Ce devrait être bouclé d'ici trois jours.

— Ce serait épatant. Tenez-moi au courant, je vous prie.

— Oui, monsieur le juge. »

Steve était à son bureau en train de passer en revue les événements des dernières semaines. Il repensa à sa conversation avec l'inspecteur en chef McPhearson.

« Nous avons trouvé son corps tout à l'heure. On lui avait coupé les doigts et on l'avait abattu de plusieurs balles. »

Un instant, pensa Steve. *Il y a quelque chose qu'il ne m'a pas dit.* Il décrocha le combiné et téléphona de nouveau en Australie.

La voix, à l'autre bout du fil, dit : « Ici l'inspecteur en chef McPhearson.

— Oui, inspecteur. Ici Steve Sloane. J'avais oublié de vous poser une question. Lorsque vous avez trouvé le corps de Dmitri Kaminsky, est-ce qu'il avait des papiers sur lui ?... Je vois... c'est ça... Merci beaucoup. »

Steve venait de raccrocher lorsque sa secrétaire l'appela sur l'interphone. « Le lieutenant Kennedy est en ligne sur la deux. »

Steve appuya sur le bouton du combiné.

« Lieutenant. Je regrette de vous avoir fait attendre. Je téléphonais à l'étranger.

— La brigade des stupéfiants de New York m'a donné des renseignements intéressants sur Hoop Malkovich. Ça m'a tout l'air d'être un personnage plutôt douteux. »

Steve prit un stylo. « Je vous écoute.

— La police croit que la boulangerie où il travaille sert de couverture à un trafic de drogues. » Le lieutenant marqua une pause puis continua. « Malkovich est sans doute revendeur de drogues. Mais il est malin. On n'a pas encore pu l'épingler.

— Rien d'autre ? demanda Steve.

— La police pense que l'opération est de mèche avec la mafia française et qu'elle a un contact à Marseille. Si j'apprends autre chose, je vous appellerai.

— Merci, lieutenant. Cette information m'est très utile. »

Steve raccrocha et se dirigea vers la porte de son bureau.

En arrivant chez lui, saisi d'une sorte d'appréhension, il appela : « Julia ? »

Il n'y eut pas de réponse.

Il commença à s'affoler. « Julia ! » *On l'a kidnappée ou on l'a tuée*, pensa-t-il. Soudain, il prit peur.

Julia fit son apparition au haut de l'escalier. « Steve ? »

Il prit une profonde inspiration. « J'ai cru... » Il était pâle.

« Vous allez bien ?

— Oui. »

Elle descendit. « Ça s'est bien passé à Chicago ? »

Il hocha la tête. « Je crains que non. » Il lui fit le récit des événements. « On va ouvrir le testament jeudi, Julia. C'est dans trois jours seulement. Celui qui est derrière tout ça doit se débarrasser de vous d'ici là, sinon son plan va capoter. »

Elle demeura sans réaction. « Je vois. Vous avez une idée de qui ça peut bien être ?

— A propos... » Le téléphone sonna. « Excusez-moi. » Il décrocha. « Allo ?

— Ici le Dr Tichner, en Floride. Je regrette de ne pas vous avoir rappelé plus tôt mais j'étais en voyage.

— Docteur Tichner. Merci de me rappeler. Notre cabinet représente la succession Stanford.

— Que puis-je faire pour vous ?

— Je vous appelais au sujet de Woodrow Stanford. Je crois que c'est un de vos patients.

— Oui.

— Est-ce qu'il a des problèmes de drogue, docteur ?

— Monsieur Sloane, je n'ai pas le droit de discuter de mes patients.

— Je comprends. Je ne vous pose pas la question par curiosité. C'est très important...

— Je crains de ne pouvoir...

— C'est bien vous qui l'aviez fait admettre à la clinique du Harbour Group de Jupiter, n'est-ce pas ? »

Il y eut une longue hésitation. « Oui. Il s'agit de quelque chose d'officiel.

— Merci, docteur. C'est tout ce que je voulais savoir. »

Steve raccrocha et resta silencieux quelques instants. « C'est incroyable !

— Quoi ? demanda Julia.

— Asseyez-vous... »

Trente minutes plus tard, Steve se dirigeait vers Rose Hill au volant de sa voiture. Tous les éléments du puzzle étaient enfin en place. *Il est brillant. Ça a failli marcher. Et ça pourrait encore marcher si quelque chose arrivait à Julia*, pensa Steve.

A Rose Hill, Clark répondit à la porte. « Bonsoir, monsieur Sloane.

— Bonsoir, Clark. Est-ce que le juge Stanford est visible ?

— Il est dans la bibliothèque, monsieur. Je vais aller lui dire que vous êtes ici.

— Merci. » Il regarda Clark s'éloigner.

Une minute plus tard, le majordome revint. « Le juge Stanford va vous recevoir.

— Merci. »

Steve entra dans la bibliothèque.

« Vous voulez me voir ?

— Oui. Je crois que la jeune femme qui est venue vous voir l'autre jour est la véritable Julia. L'autre était une fausse.

— Mais ce n'est pas possible.

— Je crains bien que ce soit la vérité et j'ai découvert qui était derrière toute cette affaire. »

Un silence tomba. Puis Tyler dit lentement « Ah oui ?

— Oui. J'ai peur que ce que je vais vous dire ne vous cause un choc. C'est votre frère, Woody. »

Tyler regarda Steve avec stupéfaction. « Etes-vous en train de me dire que Woody est à l'origine de tout ça ?

— Exactement.

— Je... Je n'arrive pas à le croire.

— Je ne le croyais pas moi non plus mais tout concorde. J'ai parlé à son médecin à Hobe Sound. Vous saviez que votre frère se droguait ?

— Je... Je m'en doutais.

— La drogue coûte cher. Woody ne travaille pas. Il a besoin d'argent et il s'attendait manifestement à une part plus importante de l'héritage. C'est lui qui a engagé la fausse Julia mais, quand vous êtes venu nous voir pour nous demander de faire un test d'ADN, il s'est affolé et a fait retirer le corps de votre père du cercueil parce qu'il était exclu pour lui que l'on fasse ce test. C'est ça qui m'a mis la puce à l'oreille. Et je le soupçonne d'avoir envoyé quelqu'un à Kansas City pour faire tuer la vraie Julia. Vous saviez que Peggy avait un frère lié à la pègre ? Tant que Julia est vivante et qu'il y a deux Julia dans le décor, son plan ne peut pas marcher.

— Vous êtes sûr de tout ce que vous avancez là ?

— Absolument. Il y a autre chose, monsieur le juge.

— Oui ?

— Je ne crois pas que votre père soit tombé de son yacht. Je pense que Woody l'a fait *assassiner*. Le frère de Peggy a très bien pu organiser ça aussi. Je prends l'avion pour l'Italie ce soir afin de m'entretenir avec le capitaine du yacht. »

Tyler était tout oreilles. Lorsqu'il prit la parole, ce fut pour dire sur un ton d'approbation : « Excellente idée. » *Le capitaine Vacarro ne sait rien.*

« J'essaierai d'être de retour jeudi pour l'ouverture du testament.

— Et la vraie Julia... Etes-vous sûr qu'elle est en sécurité ? demanda Tyler.

— Oh, oui, répondit Steve. Elle se trouve là où personne n'ira la chercher. Elle est chez moi. »

CHAPITRE TRENTE-TROIS

Les dieux sont avec moi. Il n'arrivait pas à croire à sa bonne fortune. C'était un coup de chance incroyable. Le soir précédent, Steve Sloane lui avait livré Julia pieds et mains liés. *Hal Baker est un incapable, un crétin*, pensait Tyler. *Cette fois, je vais m'occuper de Julia moi-même.*

Il leva les yeux lorsque Clark entra dans la pièce.

« Excusez-moi, monsieur le juge. On vous demande au téléphone. »

C'était Keith Percy. « Tyler ?

— Oui, Keith.

— Je voulais seulement vous donner les dernières nouvelles concernant l'affaire Margo Posner.

— Oui ?

— Le Dr Gifford vient de me téléphoner. Elle est démente. Elle fait tellement d'histoires qu'on a dû l'enfermer dans le pavillon des agités. »

Tyler éprouva un profond sentiment de soulagement. « Je regrette d'apprendre ça.

— En tout cas, je voulais vous rassurer et vous faire savoir qu'elle ne représente plus aucun danger pour vous ou pour votre famille.

— Je vous en sais gré », dit Tyler. Et c'était bien vrai.

Tyler monta dans sa chambre et téléphona à Lee. Un long moment s'écoula avant que celui-ci ne réponde.

« Allo ? » Tyler entendit des voix à l'arrière-fond. « Lee ?

— Qui parle ?

— C'est Tyler.

— Oh, ouais, Tyler. »

Il put entendre des verres tinter. « Tu donnes une petite fête, Lee ?

— Hum hum ! Tu nous rejoins ? »

Tyler se demanda qui était de la fête. « Je voudrais bien. Je t'appelais pour te dire de te préparer pour ce voyage dont nous avons parlé. »

Lee se mit à rire. « Tu veux dire sur ce gros yacht blanc qui doit nous conduire à Saint-Tropez ?

— C'est ça.

— Mais oui. Moi, je suis toujours partant, dit-il d'un ton sarcastique.

— Lee, je suis sérieux.

— Oh, arrête ton char, Tyler. Les juges n'ont pas de yacht. Il faut que j'y aille maintenant. Mes invités me réclament.

— Attends une minute ! dit Tyler d'une voix désespérée. Est-ce que tu sais qui je suis ?

— Mais oui, mais oui.

— Je suis Tyler Stanford. Mon père était Harry Stanford. »

Il y eut un moment de silence. « Tu me fais marcher ou quoi ?

— Non. Je suis à Boston, en train de régler la succession.

— Ça alors ! Tu es *ce* Stanford-là. Je ne savais pas. Je m'excuse. Je... J'avais entendu parler de quelque chose

aux informations mais je n'y avais pas trop porté attention. Je ne me serais jamais douté qu'il s'agissait de toi.

— Ce n'est rien.

— C'était vraiment sérieux cette histoire de croisière à
Saint-Tropez ?

— Evidemment que c'était sérieux. On va faire des tas
de choses ensemble, toi et moi, dit Tyler. Enfin, si tu veux.

— Pour sûr que je veux ! » La voix de Lee était soudainement devenue tout enthousiaste. « Ça alors, Tyler,
quelle nouvelle... »

En raccrochant, Tyler souriait. Tout allait bien de ce
côté-là. *Maintenant*, pensa-t-il, *le moment est venu de
m'occuper de ma demi-sœur.*

Tyler se rendit dans la bibliothèque et se dirigea vers le
cabinet où l'on gardait la collection d'armes à feu de
Harry Stanford, l'ouvrit et en retira un coffret en acajou.
Il prit des munitions dans un tiroir du bas. Il mit les munitions dans sa poche, emporta le coffret dans sa chambre,
ferma la porte et ouvrit la boîte. A l'intérieur, il y avait
deux revolvers assortis, les préférés de Harry Stanford.
Tyler en retira un, le chargea soigneusement puis déposa
dans le tiroir de son bureau le reste des munitions et le
coffret contenant l'autre revolver. *Un coup suffira*, pensa-
t-il. On lui avait appris à tirer à l'école militaire où son
père l'avait envoyé. *Merci, père.*

Tyler prit ensuite l'annuaire téléphonique et y chercha
l'adresse de Steve Sloane.

280 Newbury Street, Boston.

Il se dirigea vers le garage où une demi-douzaine de
voitures étaient garées. Il choisit la Mercedes noire parce
que c'était elle qui passait le plus inaperçue. Il ouvrit la
porte du garage et tendit l'oreille pour s'assurer que le
bruit n'avait troublé personne. Tout était silencieux.

En roulant vers la maison de Steve Sloane, Tyler pensa à ce qu'il s'apprêtait à faire. Il n'avait jamais commis de meurtre personnellement. Mais, cette fois, il n'avait pas le choix. Julia Stanford était le dernier obstacle qui le séparait de ses rêves. Elle disparue, il n'aurait plus d'ennuis. *Pour toujours*, pensa-t-il.

Il conduisait lentement, soucieux de ne pas attirer l'attention. Arrivé dans Newbury Street, il roula à petite vitesse devant le domicile de Steve. Quelques voitures étaient garées dans la rue mais il n'y avait pas de piétons en vue.

Il gara la voiture dans la rue voisine et revint à pied vers la maison. Il sonna à la porte et attendit.

La voix de Julia lui parvint à travers la porte. « Qui est-ce ?

— C'est le juge Stanford. »

Julia ouvrit la porte. Elle parut étonnée de le voir. « Vous ici ? Que se passe-t-il ?

— Rien, rien du tout, répondit-il d'une voix naturelle. Steve Sloane m'a demandé d'avoir une conversation avec vous. C'est lui qui m'a dit que vous étiez ici. Puis-je entrer ?

— Oui, bien sûr. »

Tyler pénétra dans le hall d'entrée et regarda Julia refermer la porte derrière lui. Elle le précéda dans le living.

« Steve n'est pas là, dit-elle. Il est en route pour San Remo.

— Je sais. » Il fit le tour de la pièce du regard. « Vous êtes seule ? On vous a laissée ici sans personne pour vous tenir compagnie ?

— Non. Je n'ai rien à craindre ici. Je peux vous offrir quelque chose ?

— Non, merci.

— De quoi vouliez-vous m'entretenir ?

— Je suis venu vous parler de vous, Julia. Vous me décevez beaucoup.

— Je vous déçois... ?

— Vous n'auriez jamais dû venir ici. Pensiez-vous vraiment débarquer comme ça pour essayer de mettre la main sur une fortune qui ne vous appartient pas ? »

Elle le regarda quelques instants. « Mais j'ai droit à...

— Vous n'avez droit à rien ! jeta sèchement Tyler. Où étiez-vous durant toutes ces années, pendant que notre père nous humiliait et nous punissait ? Il ne ratait pas une occasion de nous blesser. Il nous a fait vivre un enfer. Vous, vous n'avez rien connu de tout ça. Eh bien, nous, oui, et cet argent, nous le méritons. Pas vous.

— Je... Que voulez-vous que je fasse ? »

Tyler gloussa. « Ce que je veux que vous fassiez ? Rien. Vous l'avez déjà fait. Vous avez bien failli tout gâcher, vous savez ça ?

— Je ne comprends pas.

— C'est pourtant très simple. » Il sortit le revolver. « Vous allez disparaître. »

Elle recula d'un pas. « Mais je...

— Ne dites rien. Nous n'avons pas de temps à perdre. Nous allons faire une petite balade, vous et moi. »

Elle se raidit. « Et si je refuse ?

— Oh, vous allez m'accompagner. Morte ou vive. A vous de décider. »

Durant l'instant de silence qui suivit, Tyler entendit sa voix résonner dans la pièce voisine. « *Oh, vous allez m'accompagner. Morte ou vive. A vous de décider.* » Il pivota sur lui-même. « Qu'est-ce... ? »

Steve Sloane, Simon Fitzgerald, le lieutenant Kennedy et deux policiers en tenue entrèrent dans le living. Steve tenait un magnétophone.

Le lieutenant Kennedy dit : « Donnez-moi votre arme, monsieur le juge. »

Tyler demeura interloqué un instant puis s'efforça de sourire. « Bien sûr. Je voulais seulement lui faire peur pour qu'elle s'en aille d'ici. C'est une simulatrice, vous savez. » Il posa le revolver dans la main tendue du lieutenant. « Elle voulait une part de la succession Stanford. Je n'allais tout de même pas la laisser s'en tirer à si bon compte. Aussi je...

— Vous êtes fait, dit Steve.

— De quoi parlez-vous ? Vous disiez que c'était Woody qui...

— Woody n'était pas de taille à concevoir un coup aussi intelligent et Kendall faisait déjà une très belle carrière. Je me suis donc intéressé à vous. Dmitri Kaminsky a été assassiné en Australie mais on a trouvé *votre* numéro de téléphone sur lui. Vous vous êtes servi de lui pour tuer votre père. C'est vous qui avez fait intervenir Margo Posner et qui avez ensuite soutenu que c'était une simulatrice afin d'écarter les soupçons. C'est vous qui avez insisté pour que l'on fasse un test d'ADN et qui avez fait disparaître le corps. Et c'est vous qui avez donné ce faux coup de fil à Timmons. Vous avez engagé Margo Posner pour qu'elle prenne la place de Julia puis vous l'avez fait interner dans un hôpital psychiatrique. »

Tyler fit des yeux le tour de la pièce et, lorsqu'il prit la parole, sa voix avait un calme inquiétant. « Et un *numéro de téléphone* sur un cadavre est une preuve ? Mais je rêve ! C'est avec *ça* que vous voulez me coincer ? Vous n'avez pas l'ombre d'une preuve. Mon numéro de téléphone était dans la poche de Dmitri parce que je pensais que mon père était peut-être en danger. J'avais dit à Dmitri d'être vigilant. C'est sans doute la personne qui a tué mon père qui a tué Dmitri. C'est de ce côté-là que la police devrait diriger ses recherches. J'ai téléphoné à Timmons parce que je voulais qu'il fasse la lumière sur cette histoire. Quelqu'un s'est fait passer pour lui. Je ne vois pas qui ce peut être. Et à moins que vous puissiez trouver des accointances entre lui et moi, vous n'avez rien. Quant à Margo Posner, j'ai vraiment cru que c'était notre sœur. Lorsqu'elle est subitement devenue folle, qu'elle s'est mise à dévaliser les magasins et à menacer de nous tuer tous, je l'ai convaincue d'aller à Chicago. J'ai alors fait en sorte qu'on l'embarque et qu'on l'interne. Je ne voulais pas que les journaux apprennent la chose afin de protéger ma famille. »

Julia dit : « Mais vous êtes venu ici pour me tuer. »

Tyler hocha la tête. « Je n'avais pas l'intention de vous tuer. Vous êtes une simulatrice. Je voulais seulement vous faire peur.

— Vous mentez. »

Tyler se tourna vers les autres. « Vous pourriez aussi envisager autre chose. Il se peut qu'aucun membre de la famille ne soit mêlé à tout ça. Il est possible qu'une personne ayant accès à toutes les informations ait monté toute l'affaire, quelqu'un qui aurait introduit une simulatrice en essayant de faire croire à la famille que c'était la vraie pour ensuite partager une part de l'héritage avec elle. Ça, ça n'est venu à l'idée d'aucun d'entre vous, je suppose ? »

Il se tourna vers Simon Fitzgerald. « Je vais vous poursuivre tous les deux pour diffamation et je vais vous prendre jusqu'à votre dernière chemise. Eux, ils sont témoins. Quand j'en aurai fini avec vous, vous regretterez de m'avoir connu. J'ai des milliards de dollars à ma disposition et je vais m'en servir pour vous ruiner. » Il regarda Steve. « Et vous, je peux vous jurer que votre dernière prestation en tant qu'avocat sera la lecture du testament Stanford. Maintenant, à moins que vous ne vouliez m'accuser de port d'arme prohibé, je m'en vais. »

Les autres se regardèrent, indécis.

« Non ? Alors, bonsoir. »

Sans esquisser le moindre geste, ils le regardèrent quitter les lieux.

Le lieutenant Kennedy fut le premier à reprendre ses esprits. « Ça alors ! dit-il. Vous avez vu ça ?

— Il bluffe, dit lentement Steve. Mais on ne peut pas le prouver. Il a raison. Il nous faut des preuves. Je pensais qu'il allait craquer mais je l'avais sous-estimé. »

Simon Fitzgerald prit la parole. « On dirait bien que notre petit plan a fait long feu. En dehors de Dmitri Kaminsky ou le témoignage de la Posner, nous n'avons que des soupçons.

— Et ses menaces de mort à mon endroit ? demanda Julia.

— Vous avez entendu ce qu'il a dit, dit Steve. Qu'il essayait seulement de vous faire peur parce qu'il pensait que vous étiez une simulatrice.

— Il n'essayait pas seulement de me faire peur, dit-elle. Il voulait me tuer.

— Je sais. Mais on ne peut rien faire. Dickens avait raison : " La justice est une idiote... " Nous voilà revenus au point de départ. »

Fitzgerald dit d'un air sombre : « C'est pire que ça, Steve. Tyler était sérieux quand il a parlé de nous poursuivre. Il va falloir étayer nos accusations, sinon on va avoir des ennuis. »

Lorsque les autres furent partis, Julia dit à Steve : « Je suis vraiment désolée que les choses aient tourné de cette manière. C'est ma faute en un sens. Si je n'étais pas venue...

— Ne dites pas de bêtises, dit Steve.

— Mais il a dit qu'il allait vous ruiner. Il en est capable, vous croyez ? »

Steve haussa les épaules. « On verra. »

Julia marqua un moment d'hésitation. « Steve, je voudrais vous aider. »

Il lui adressa un regard intrigué. « Que voulez-vous dire ?

— Eh bien, je vais avoir beaucoup d'argent. Je voudrais vous en donner assez pour que vous puissiez... »

Il posa ses mains sur ses épaules. « Merci, Julia. Je ne veux pas de votre argent. Je vais me débrouiller.

— Mais...

— Ne vous faites pas de souci avec ça. »

Elle frissonna. « C'est un individu malfaisant.

— C'était très courageux de votre part de faire ce que vous avez fait.

— Vous disiez qu'il n'y avait pas moyen de le coincer. J'ai donc pensé que si vous l'attiriez ici, ce serait un moyen de le piéger.

— J'ai comme l'impression que c'est nous qui sommes tombés dans le piège, non ? »

Cette nuit-là, Julia resta éveillée à penser à Steve et à se demander comment elle pourrait le protéger. *Je n'aurais pas dû venir ici*, pensait-elle, *mais si je n'étais pas venue, je ne l'aurais pas connu.*

Dans la chambre voisine, Steve resta éveillé à penser à Julia. Cela le frustrait de songer qu'elle était couchée juste à côté et qu'une mince cloison seulement les séparait. *Qu'est-ce que je dis là ? Ce mur a un milliard de dollars d'épaisseur.*

Tyler était d'excellente humeur. En rentrant à Rose Hill, il repensa à ce qui venait d'avoir lieu et comment il les avait roulés dans la farine. *Des nains qui essaient d'abattre un géant*, pensa-t-il. Il ne se doutait pas que c'était là une idée chère à son père jadis.

Lorsque Tyler arriva à Rose Hill, il fut accueilli par Clark. « Bonsoir, monsieur le juge. J'espère que vous allez bien ce soir.

— Je n'ai jamais été si bien, Clark. Jamais.

— Puis-je vous servir quelque chose ?

— Oui. Je prendrais bien une coupe de champagne.

— Bien sûr, monsieur. »

Il fêtait sa victoire. *Demain, je vaudrai deux milliards de dollars.* Il se répéta cette phrase avec délectation. « Deux milliards de dollars... deux milliards de dollars... » Il décida de téléphoner à Lee.

Cette fois, ce dernier reconnut immédiatement sa voix.

« Tyler ! Comment vas-tu ? » Sa voix était chaleureuse.

« Ça va, Lee.

— J'attendais de tes nouvelles. »

Tyler eut un petit frisson de plaisir. « C'est vrai ? Que dirais-tu de venir à Boston demain ?

— Bien sûr... mais pourquoi ?

— Pour l'ouverture du testament. Je vais hériter de deux milliards de dollars.

— Deux... c'est fantastique !

— Je veux que tu sois à mes côtés. On ira choisir ce yacht tous les deux.

— Oh, Tyler ! Mais c'est merveilleux !

— Alors tu viendras ?

— Bien sûr que je vais venir. »

Après avoir raccroché, il resta sans bouger à se répéter avec délectation : « Deux milliards de dollars... deux milliards de dollars... »

CHAPITRE TRENTE-QUATRE

La veille de l'ouverture du testament, Kendall et Woody étaient assis dans le bureau de Steve.

« Je ne comprends pas ce que nous faisons ici, dit Woody. C'est demain qu'on est censé ouvrir le testament.

— Je voudrais vous présenter quelqu'un », leur dit Steve.

« Qui ?

— Votre sœur. »

Ils le dévisagèrent avec étonnement. « Nous avons déjà fait sa connaissance », dit Kendall.

Steve appuya sur le bouton de l'interphone. « Voulez-vous lui demander d'entrer, je vous prie ? »

Kendall et Woody se regardèrent, intrigués.

La porte s'ouvrit et Julia Stanford entra dans le bureau.

Steve se leva. « Voici votre sœur, Julia.

— Qu'est-ce que c'est que cette histoire, éclata Woody. A quel petit jeu jouez-vous ?

— Permettez que je vous explique », dit calmement Steve. Il parla durant quinze minutes et termina en disant : « Perry Winger est formel : son ADN correspond à celui de votre père. »

Lorsque Steve se tut, Woody dit : « Tyler ! Je n'arrive pas à le croire !

— Croyez-le.

— Je ne comprends pas. Les empreintes de l'autre femme prouvent qu'il s'agit bien de Julia, dit Woody. J'ai encore la carte avec les empreintes. »

Steve sentit son pouls battre plus vite. « Vous l'avez ?

— Si. Je l'ai gardée comme ça, pour rire.

— Vous pourriez peut-être me rendre un service », dit Steve.

A dix heures le lendemain matin, un grand nombre de personnes étaient rassemblées dans la salle de conférences de Renquist, Renquist & Fitzgerald. Simon Fitzgerald était assis en bout de table. Etaient présents dans la pièce Kendall, Tyler, Woody, Steve et Julia ainsi que plusieurs inconnus.

Fitzgerald présenta deux de ces derniers. « Voici William Parker et Patrick Evans. Ils travaillent pour les cabinets juridiques qui représentent le groupe Stanford. Ils ont apporté le rapport financier de l'entreprise. Je commencerai par le testament puis je leur céderai la parole.

— Allez, qu'on en finisse », dit Tyler d'une voix impatiente. Il était assis à l'écart des autres. *Non seulement je vais avoir l'argent mais en plus je vais vous ruiner, bande de salopards.*

Simon Fitzgerald acquiesça. « Très bien. »

Devant lui était posé un gros dossier sur lequel était indiqué HARRY STANFORD – DERNIÈRES VOLONTÉS ET TESTAMENT. « Je vais vous remettre à chacun un exemplaire du testament afin que nous ne nous égarions pas dans des considérations techniques. Je vous ai déjà dit que les enfants de Harry Stanford hériteront à parts égales de la succession. »

Julia, l'air désorienté, jeta un coup d'œil à Steve. *Je suis content pour elle*, pensa-t-il. *Même si ça me la rend inaccessible.*

Simon Fitzgerald poursuivait. « Il y a environ une douzaine d'autres legs mais ils sont secondaires. »

Tyler pensait : *Lee sera ici cet après-midi. Je veux aller le chercher à l'aéroport.*

« Comme on vous l'a déjà dit, les actifs de Stanford Enterprises s'élèvent à six milliards de dollars environ. » Fitzgerald adressa un signe de tête à William Parker. « Je laisse monsieur Parker continuer. »

William Parker ouvrit un attaché-case et posa des papiers sur la table de conférences. « Comme l'a dit monsieur Fitzgerald, il y a six milliards d'actifs. Toutefois... » Il marqua une pause significative. Il fit du regard le tour de la salle. « Les entreprises Stanford ont un endettement excédentaire de quinze milliards de dollars. »

Woody se leva précipitamment. « Mais qu'est-ce que vous racontez là ? »

Le visage de Tyler devint terreux. « C'est une mauvaise plaisanterie ou quoi ?

— Ce ne peut être que ça ! » dit Kendall d'une voix rauque.

M. Parker se tourna vers l'un des hommes qui se trouvaient dans la pièce. « Monsieur Leonard Redding appartient à la Commission sur les Opérations Boursières. Il va vous expliquer. »

Redding acquiesça. « Depuis deux ans Harry Stanford était convaincu que les taux d'intérêt allaient baisser. Dans le passé, il avait gagné des millions en misant là-dessus. Lorsque les taux d'intérêt ont commencé à monter, il était toujours convaincu qu'ils baisseraient de nouveau et il a maintenu ses mises au même niveau. Il a fait des emprunts massifs pour acheter des obligations à long terme mais les taux d'intérêt ont monté et les frais de ses emprunts ont grimpé tandis que la valeur des obligations chutait. Les banques voulaient bien faire affaire avec lui à cause de sa réputation et de son importante fortune mais, lorsqu'il a essayé de récupérer ses pertes en se mettant à investir dans des titres à haut risque, elles ont commencé à s'inquiéter. Il a fait un série d'investissements désastreux. Une partie de l'argent qu'il a emprunté était garantie par les titres à haut risque qu'il avait achetés avec de l'argent emprunté pour cautionner d'autres emprunts.

— Autrement dit, intervint Patrick Evans, il accumulait les dettes en opérant en toute illégalité.

— Exact. Malheureusement pour lui, les taux d'intérêt ont connu les hausses les plus fortes de toute l'histoire financière. Il a dû continuer à emprunter de l'argent pour couvrir l'argent qu'il avait déjà emprunté. C'était un cercle vicieux. »

Ils étaient figés, suspendus à chacune des paroles de Redding.

« Votre père s'est porté garant sur son argent personnel de la caisse de retraite de l'entreprise et a utilisé cet argent pour acheter encore davantage d'actions. Lorsque les banques ont commencé à s'interroger sur ses agissements, il a mis sur pied des sociétés écrans, présenté de faux bilans et falsifié les ventes de ses biens pour faire remonter leur valeur nominale. Il fraudait. A la fin, il comptait qu'un consortium de banques le sortirait d'affaire. Elles ont refusé. Lorsqu'elles ont rapporté à la Commission sur les Opérations Boursières ce qui se passait, Interpol est entré en scène. »

Redding indiqua l'homme assis à côté de lui. « Voici l'inspecteur Patou de la Sûreté Française. Inspecteur, voudriez-vous expliquer la suite, s'il vous plaît ? »

L'inspecteur Patou parlait anglais avec un léger accent français. « A la demande d'Interpol, nous avons repéré Harry Stanford à Saint-Paul-de-Vence et j'ai envoyé trois détectives là-bas pour le suivre. Il a réussi à les semer. Interpol a conseillé à toutes les polices d'ouvrir l'œil, que

Harry Stanford était suspect et devait être surveillé. Si Interpol avait connu l'ampleur de ses délits, c'est un message d'alerte qu'il aurait émis pour qu'on l'appréhende immédiatement. »

Woody était accablé. « C'est donc pour ça qu'il nous a tout légué. Parce qu'il ne reste rien ! »

William Parker dit : « Vous avez raison sur ce point. Votre père vous avait mis sur son testament parce que les banques refusaient de le suivre et qu'il savait que, pour l'essentiel, il ne vous laissait rien. Mais il a téléphoné à René Gauthier du Crédit Lyonnais qui a promis de l'aider. Dès qu'il s'est cru de nouveau solvable, il a projeté de modifier son testament pour vous en exclure.

— Mais qu'est-ce que vous faites du yacht, de l'avion et des maisons ? demanda Kendall.

— Je regrette, répondit Parker, mais tout sera vendu pour éponger une partie de la dette. »

Tyler était paralysé et sans voix. Il vivait un cauchemar qui dépassait l'imagination. Il n'était plus le multi-milliardaire Tyler Stanford. Il était redevenu un simple juge.

Il se leva pour partir, brisé. « Je... Je ne sais pas quoi dire. S'il n'y a rien d'autre... » Il fallait qu'il aille vite retrouver Lee pour lui expliquer ce qui était arrivé.

Steve prit la parole. « Il y a autre chose. »

Tyler se retourna. « Oui ? »

Steve fit signe de la tête à un homme debout près de la porte. Elle s'ouvrit et Hal Baker entra.

« Salut, juge. »

Le pot aux roses avait été découvert lorsque Woody avait dit à Steve qu'il possédait la carte avec les empreintes.

« J'aimerais la voir », lui avait dit Steve.

Woody avait été interloqué. « Pourquoi ? Elle ne contient que les deux groupes d'empreintes de cette femme et celles-ci concordent. Nous avons tous vérifié.

— Mais c'est bien l'homme qui se faisait appeler Frank Timmons qui les a prises, ces empreintes, n'est-ce pas ?

— Oui.

— Dans ce cas, s'il a touché la carte, les siennes doivent y figurer aussi. »

L'intuition de Steve s'était avérée exacte. La carte était couverte d'empreintes de Hal Baker et il n'avait fallu que trente minutes aux ordinateurs pour révéler son identité. Steve avait téléphoné au procureur de Chicago. Un mandat d'amener avait été délivré et deux détectives s'étaient présentés au domicile de Baker.

Celui-ci était dans la cour, en train de jouer au ballon avec Billy.

« Monsieur Baker ?

— Oui. »

Les détectives avaient exhibé leurs insignes. « Le procureur aimerait vous parler.

— Non, pas question ! s'était insurgé Baker.

— Puis-je vous demander pourquoi ? avait demandé l'un des détectives.

— Vous voyez bien pourquoi, non ? Je suis en train de jouer au ballon avec mon fils. »

Le procureur général, ayant lu la transcription du procès de Hal Baker, avait regardé l'homme assis devant lui et dit : « Si je comprends bien, vous êtes un père de famille dévoué.

— En effet, avait fièrement répondu Hal Baker. Il n'y a que ça au monde. Si chaque famille pouvait...

— Monsieur Baker. » Il s'était penché vers lui. « Vous avez travaillé pour le juge Stanford.

— Je ne connais pas de juge Stanford.

— Laissez-moi vous rafraîchir la mémoire. Il vous a placé en liberté conditionnelle. Il vous a fait usurper l'identité d'un détective du nom de Frank Timmons et nous avons certaines raisons de penser qu'il vous a aussi demandé de tuer Julia Stanford.

— Je ne sais pas de quoi vous parlez.

— Je parle d'une peine de dix à vingt ans de prison. Je vais faire pression pour que ce soit vingt. »

Hal Baker avait blêmi. « Vous ne pouvez pas faire ça ! Mais enfin, ma femme et mes enfants seraient...

— Exactement. En revanche, avait dit le procureur, si vous consentez à témoigner pour l'accusation, je ferai en sorte que vous en sortiez avec une peine très légère. »

Hal Baker était dans ses petits souliers. « Qu'est-ce... qu'est-ce que je dois faire ?

— Tout me raconter... »

Maintenant, dans la salle de conférences de Renquist, Renquist & Fitzgerald, Hal Baker regarda Tyler et dit : « Comment allez-vous, monsieur le juge ? »

Woody l'aperçut et s'écria : « Hé là ! Mais c'est Frank Timmons. »

Steve dit à Tyler : « Voici l'homme à qui vous avez commandé de pénétrer par effraction dans nos bureaux pour vous procurer un exemplaire du testament de votre père, de déterrer son corps et de tuer Julia Stanford. »

Tyler resta quelques instants sans voix. « Vous êtes fou ! C'est un criminel endurci. Personne n'acceptera sa parole contre la mienne !

— Il n'est pas question de cela, dit Steve. Avez-vous déjà vu cet homme ?

— Evidemment. C'est moi qui l'ai jugé.

— Comment se nomme-t-il ?

— Il se nomme... » Tyler vit le piège. « Enfin... il a sans doute des tas de noms d'emprunt.

— Lorsqu'il est passé en procès devant vous, il s'appelait Hal Baker.

— C'est... c'est bien ça.

— Mais lorsqu'il est venu à Boston, vous l'avez présenté comme étant Frank Timmons. »

Tyler bredouillait. « Bien... je... je...

— Vous l'avez fait remettre en liberté sous votre autorité et vous vous êtes servi de lui pour apporter la preuve que Margo Posner était la vraie Julia Stanford.

— Non ! Je n'ai rien à voir avec ça. Je n'avais jamais rencontré cette femme avant qu'elle ne se montre ici. »

Steve se tourna vers le lieutenant Kennedy. « Vous avez entendu, lieutenant ?

— Oui. »

Steve revint à Tyler. « Nous avons pris des renseignements sur Margo Posner. Elle aussi a été jugée par vous et remise en liberté sous votre autorité. Le procureur général de Chicago a émis ce matin un mandat d'investigation dans votre coffre à la banque. Il a téléphoné tout à l'heure pour me dire qu'on y avait trouvé un document aux termes duquel la part de l'héritage de votre père vous revenait. Ce document avait été signé cinq jours avant que la prétendue Julia Stanford n'arrive à Boston. »

Tyler, qui respirait difficilement, essayait de reprendre ses esprits.

« Je... Je... C'est grotesque ! »

Le lieutenant Kennedy dit : « Je vous mets en état d'arrestation, monsieur le juge Stanford, pour tentative d'homicide. Nous allons faire préparer les papiers d'extradition. On va vous renvoyer à Chicago. »

Tyler était figé sur place. Son monde s'écroulait autour de lui.

« Vous avez le droit de ne rien dire. Si vous choisissez de renoncer à ce droit, tout ce que vous direz pourra être retenu contre vous devant un tribunal. Vous avez le droit de voir un avocat et de vous faire accompagner de lui lors d'un interrogatoire. Si vous n'avez pas les moyens d'engager un avocat, il en sera désigné un d'office, si vous le désirez, qui vous représentera avant tout interrogatoire. Vous comprenez ? » demanda le lieutenant Kennedy *.

« Oui. » Un lent sourire éclaira alors son visage. *Je sais comment les avoir!* pensa-t-il avec allégresse.

« Vous êtes prêt, monsieur le juge ? »

Il acquiesça et dit calmement : « Oui. Je suis prêt. Je voudrais passer à Rose Hill pour prendre quelques affaires.

— Très bien. Deux policiers vous y accompagneront. »

Tyler se tourna pour regarder Julia et il y avait tant de haine dans ses yeux qu'elle frissonna.

Trente minutes plus tard, Tyler et les deux policiers arrivaient à Rose Hill. Ils pénétrèrent dans le hall d'entrée.

« Il ne me faudra que quelques minutes pour faire mes valises », dit Tyler.

Les policiers le regardèrent monter dans sa chambre. Lorsqu'il y fut, Tyler alla vers le bureau où était rangé son revolver et il le chargea.

L'écho de la détonation mit un temps infini à mourir.

---

* Le lieutenant Kennedy ne fait qu'énoncer la formule rituelle lors de toute arrestation aux Etats-Unis. *(N.d.T.)*

—

CHAPITRE TRENTE-CINQ

Woody et Kendall étaient assis dans le salon de Rose Hill. Une demi-douzaine d'hommes en survêtement blanc décrochaient les tableaux des murs et commençaient à démonter le mobilier.

« C'est la fin d'une époque, soupira Kendall.

— Le début d'une nouvelle », dit Woody. Il souriait. « Je voudrais voir la tête que va faire Peggy quand elle apprendra en quoi consiste sa moitié du pactole ! » Il prit la main de sa sœur. « Et toi, ça va ? Pour Marc, je veux dire. »

Elle hocha la tête. « Ça passera. De toute façon, je vais avoir du pain sur la planche. Je dois faire une déposition préliminaire dans deux semaines. Ensuite, je verrai.

— Je suis sûr que tout va bien se passer. » Il se leva. « J'ai un coup de fil important à donner », lui dit Woody. Il fallait qu'il annonce la nouvelle à Mimi Carson.

« Mimi, dit Woody, d'une voix piteuse. Je crains que nous devions revenir sur ce que nous avions convenu. Les choses n'ont pas tourné comme je l'espérais.

— Ça va, Woody ?

— Oui. Il s'est passé beaucoup de choses ici. C'est fini entre Peggy et moi. »

Il y eut un long silence. « Oh ? Est-ce que tu rentres à Hobe Sound ?

— Franchement, je ne sais pas ce que je vais faire.

— Woody ?

— Oui ? »

Sa voix était tendre. « Reviens, je t'en prie. »

Julia et Steve étaient dehors sur la terrasse.

« Je regrette que les choses aient pris cette tournure, dit Steve. Pour l'argent que vous deviez toucher, je veux dire. »

Julia lui sourit. « Je n'ai pas vraiment besoin de cent cuisiniers.

— Vous n'êtes pas déçue d'être venue ici pour rien ? »

Elle le regarda. « Pour rien, Steve ? »

Ils ne surent jamais qui avait fait le premier geste mais elle se retrouva dans ses bras. Il la tint contre lui et ils s'embrassèrent.

« Je pense à cela depuis la première fois que je t'ai vue. »

Julia hocha la tête. « La première fois que tu m'as vue, tu m'as dit de quitter la ville ! »

Il eut un large sourire. « Ah oui ? Je ne voulais pas que tu partes. »

Et elle se souvint de ce que Sally avait dit. « *Tu ne sais pas s'il t'a demandée en mariage ?* »

« C'est une demande en mariage ? »

Il la serra plus fort contre lui. « Une demande tout ce qu'il y a de plus officiel. Veux-tu m'épouser ?

— Oh, oui ! »

Kendall pénétra sur la terrasse. Elle tenait une feuille de papier à la main.

« Je... Je viens de recevoir ça au courrier. »

Steve lui adressa un regard inquiet. « Pas encore une autre...

— Non. J'ai été élue Styliste Féminine de l'Année. »

Woody, Kendall, Julia et Steve étaient assis à la table de la salle à manger. Autour d'eux, des manutentionnaires déplaçaient les chaises et les canapés et les emportaient.

Steve se tourna vers Woody. « Qu'est-ce que vous comptez faire ?

— Je retourne à Hobe Sound. Je vais commencer par prendre rendez-vous avec le Dr Tichner. Et puis j'ai une amie qui possède une écurie de poneys de polo que je vais monter. »

Kendall regarda Julia. « Et toi, tu retournes à Kansas City ? »

Lorsque j'étais petite, pensa Julia, *je rêvais que quelqu'un m'arrache au Kansas et m'emmène dans un endroit magique où je rencontrerais le prince charmant.* Elle prit la main de Steve. « Non, répondit-elle. Je n'y retourne pas. »

Ils regardèrent les hommes descendre l'énorme portrait de Harry Stanford.

« Je n'ai jamais aimé ce tableau », dit Woody.

Cet ouvrage a été réalisé par la
SOCIÉTÉ NOUVELLE FIRMIN-DIDOT
Mesnil-sur-l'Estrée
pour le compte des Éditions Grasset
en mai 1996

Imprimé en France
Dépôt légal : mai 1996
N° d'édition : 10.033 – N° d'impression : 34435
ISBN : 2-246-52061-4
ISSN : 1263-9559